uma semana de inverno

MAEVE BINCHY

uma semana de inverno

Tradução
Sônia Coutinho

1ª edição

Rio de Janeiro | 2017

Título original: *A week in winter*

Texto revisado segundo o novo
Acordo Ortográfico da Língua Portuguesa

2017
Impresso no Brasil
Printed in Brazil

CIP-BRASIL. CATALOGAÇÃO NA PUBLICAÇÃO
SINDICATO NACIONAL DOS EDITORES DE LIVROS, RJ

Binchy, Maeve, 1940-2012
B479s Uma semana de inverno / Maeve Binchy; tradução de Sônia Coutinho. - 1ª ed. - Rio de Janeiro: Bertrand Brasil, 2017.
23 cm.

Tradução de: A week in winter
ISBN 978-85-286-1683-5

1. Ficção irlandesa. I. Coutinho, Sônia. II. Título.

CDD: 839.313
16-37465 CDU: 821.112.5-3

EDITORA BERTRAND BRASIL LTDA.
Rua Argentina, 171 - 2º andar - São Cristóvão
20921-380 - Rio de Janeiro - RJ
Tel.: (0xx21) 2585-2000 - Fax: (0xx21) 2585-2084

Atendimento e venda direta ao leitor:
mdireto@record.com.br ou (0xx21) 2585-2002

Para o generoso Gordon,
que deixa a vida ótima todo santo dia.

Chicky

Na fazenda dos Ryan, em Stoneybridge, todos tinham o próprio serviço para fazer. Os meninos ajudavam o pai no campo, consertando cercas, trazendo de volta as vacas para a ordenha, cavando sulcos para as batatas; Mary alimentava os bezerros; Kathleen assava o pão e Geraldine cuidava das galinhas.

Nunca, porém, chamavam-na de Geraldine; ela era Chicky desde que se conheciam por gente, uma menina séria que dava comida para os pintinhos ou recolhia os ovos novos a cada dia, sempre tranquilizadoramente dizendo "tsk, tsk, tsk" para as aves enquanto trabalhava. Chicky dera nomes a todas as galinhas, e ninguém podia contar-lhe quando alguma era levada para proporcionar um almoço de domingo — sempre fingiam que era uma galinha comprada já preparada, mas Chicky sabia da verdade.

Stoneybridge, no oeste da Irlanda, era um paraíso para crianças durante o verão, mas a estação era curta e, na maior parte do tempo, o lugar, na costa do Atlântico, era úmido, ermo e solitário. Mesmo assim, havia cavernas para explorar, rochedos para escalar, ninhos de passarinho para descobrir e carneiros selvagens com grandes chifres encurvados para investigar. E havia também a Casa de Pedra. Chicky adorava brincar no imenso jardim maltratado. Algumas vezes, as Srtas. Sheedy, três velhas irmãs que eram as donas da casa, deixavam-na brincar de vestir as roupas antigas delas.

Chicky ficou observando quando Kathleen partiu para receber treinamento como enfermeira, num grande hospital em Wales, e depois quando Mary conseguiu um emprego numa firma de seguros. Nenhum desses empregos atraía Chicky de modo algum, mas ela precisava fazer algo. A terra não sustentaria toda a família Ryan. Dois dos rapazes tinham ido trabalhar no comércio, por um período, em grandes cidades do oeste. Só Brian trabalharia com o pai.

A mãe de Chicky sentia-se sempre cansada, e o pai, sempre preocupado. Eles ficaram aliviados quando Chicky conseguiu um emprego na fábrica de malhas. Não para trabalhar numa máquina nem para tecer em casa, mas para trabalhar no escritório. Ela era a encarregada de remeter as peças de roupa prontas para os clientes e de cuidar dos livros contábeis. Não era um *grande* emprego, mas significava que ela podia ficar em sua terra, e era isso o que queria. Ali, tinha muitas amizades em toda parte e em cada verão se apaixonava por um filho diferente dos O'Hara, sem nunca obter resultados concretos.

Então, um dia, Walter Starr, um jovem americano, perambulou pela malharia atrás de um cardigã típico irlandês. Chicky foi instruída a explicar-lhe que aquele não era um local de venda a varejo, que eles apenas faziam suéteres para lojas ou recebiam encomendas pelo correio.

— Bem, então vocês estão perdendo uma oportunidade — disse Walter Starr. — As pessoas vêm para este lugar ermo e *precisam* de um cardigã irlandês; precisam dele imediatamente, não dentro de algumas semanas.

Ele era muito bonito. Sua aparência lembrava a de John e Robert Kennedy, quando jovens — tinha o mesmo sorriso relampejante, com bons dentes. Era bronzeado pelo sol e muito diferente dos garotos de Stoneybridge. Ela não queria que Walter saísse da fábrica, e ele também não parecia disposto a isso.

Chicky se lembrou de um suéter que eles tinham em estoque, usado anteriormente para fotografias. Talvez Walter Starr quisesse comprar aquele — não era exatamente novo, mas quase.

Ele disse que seria perfeito.

Em seguida, convidou Chicky para uma caminhada na praia e lhe disse que aquele era um dos lugares mais bonitos do mundo.

Imaginem! Ele estivera na Califórnia *e* na Itália, mas, mesmo assim, achava Stoneybridge linda.

E também achava Chicky linda. Disse que ela era uma graça, com os cabelos escuros e cacheados e os grandes olhos azuis. Passavam juntos todos os momentos que podiam. Ele só pretendera ficar um ou dois dias, mas agora achava difícil seguir para qualquer outro lugar. A menos, claro, que ela fosse com ele.

Chicky riu alto da ideia de deixar o emprego na fábrica de malhas imediatamente e dizer aos pais que ia percorrer a Irlanda de carona, com um americano que acabara de conhecer! Seria mais aceitável se ela fosse voar para a Lua.

Walter achou comovente e quase cativante o horror de Chicky diante da ideia.

— Temos apenas uma vida, Chicky. *Eles* não podem vivê-la por nós. Temos de vivê-la nós mesmos. Acha que meus pais querem me ver aqui, neste lugar tão distante, me divertindo? Não, eles me querem no Country Club, jogando tênis com as filhas de boas famílias, mas, ei, é aqui que quero estar. É isso aí. Muito simples.

Walter Starr vivia num mundo onde tudo era simples. Eles se amavam, então o que seria mais natural do que fazer amor? Os dois sabiam que o outro era a pessoa certa, então por que complicar as coisas pensando no que os demais diriam, pensariam ou fariam? Um Deus generoso entendia o amor. O padre Johnson, que fizera voto de nunca se apaixonar, não. Eles não precisavam de nenhum contrato ou certificado idiota, precisavam?

Então, depois de seis semanas maravilhosas, quando Walter teve de pensar em voltar para os Estados Unidos, Chicky estava preparada para ir com ele. Aquilo envolveu uma quantidade imensa de brigas, dramas e perturbação no lar dos Ryan. Walter, entretanto, não sabia de nada disso.

O pai de Chicky agora se sentia mais preocupado do que nunca, porque todos diriam que ele criara uma prostituta imprestável.

A mãe de Chicky pareceu cansada e desapontada como nunca e disse que só Deus e sua santa mãe sabiam o que ela fizera de errado na criação de Chicky para que a garota se tornasse tamanho flagelo a todos eles.

Kathleen declarou que tanto fazia se ela tivesse um anel de noivado no dedo, pois nenhum homem ficaria com ela, se soubesse o tipo de família da qual vinha.

Mary, que trabalhava na seguradora e saía com um dos O'Hara, disse que os dias do romance *dela*, graças a Chicky, agora estavam contados. Os O'Hara eram uma família muito respeitável na cidade e nem de longe seriam condizentes com esse comportamento.

Seu irmão, Brian, manteve a cabeça baixa e não falou absolutamente nada. Quando Chicky lhe perguntou o que ele pensava, Brian afirmou não pensar. Não tinha tempo para pensar.

As amigas de Chicky, Peggy, que também trabalhava na malharia, e Nuala, criada das três Srtas. Sheedy, disseram que era a coisa mais empolgante e louca de que já tinham ouvido falar, e que era ótimo o fato de ela já ter um passaporte, por conta daquela excursão escolar para Lourdes.

Walter Starr declarou que ficariam hospedados em Nova York com amigos dele. Deixaria a escola de Direito, pois não era do feitio dele. Ora, se tivesse várias vidas, então, sim, talvez, mas, como só tinha uma, não valia a pena gastá-la estudando aquilo.

Na véspera de sua viagem, à noite, Chicky tentou fazer seus pais entenderem sua partida. Ela tinha 20 anos, com toda sua vida para viver, e queria amar sua família e que eles a amassem, apesar do desapontamento que sentiam.

O rosto do pai estava tenso e rígido. Ela nunca mais tornaria a ser bem recebida naquela casa, pois estava envergonhando a todos.

Sua mãe se mostrou amarga. Disse que Chicky estava sendo muito, muito tola. Aquilo não duraria, não tinha como durar. Não era amor, mas uma mera paixonite. Se aquele Walter realmente a amasse, ele esperaria por ela, lhe proporcionaria uma casa e lhe daria seu nome, em vez de toda essa tolice.

A tensão estava insuportável no lar dos Ryan.

As irmãs de Chicky não lhe deram o menor apoio. Ela, porém, permaneceu inabalável. *Eles* não tinham conhecido o verdadeiro amor. Não mudaria seus planos. Tinha passaporte. Iria para a América.

— Desejem que tudo dê certo para mim — implorara a eles, na noite da véspera de sua partida, mas lhe viraram a cara. — Não me deixem partir com a lembrança de serem tão frios. — Chicky tinha lágrimas escorrendo pelo rosto.

Sua mãe suspirou, um grande suspiro.

— Seria frieza se disséssemos: "Vá em frente, divirta-se." Estamos tentando fazer o melhor possível para você. Ajudá-la a fazer o melhor para sua vida. Isso não é amor, é só um tipo de paixão. Você não pode ter nossa bênção. Simplesmente não temos como dá-la. Não adianta fingir.

Então, Chicky foi embora sem ela.

No aeroporto Shannon, havia multidões acenando para os filhos que partiam em direção a uma nova vida nos Estados Unidos. Não havia ninguém para se despedir de Chicky com um aceno de mão, mas ela e Walter não se importavam. Tinham toda a vida pela frente.

Nada de regras, nada de fazer a coisa certa para agradar aos vizinhos e parentes.

Seriam livres — livres para trabalhar onde quisessem e no que quisessem.

Nada de tentar corresponder às expectativas dos outros — casar-se com um fazendeiro rico, no caso de Chicky, ou se tornar um advogado importante, no caso da família de Walter.

No grande apartamento no Brooklyn, os amigos dele foram acolhedores. Gente jovem, amistosa e informal. Alguns trabalhavam em livrarias, outros em bares. E havia também os músicos. Chegavam e partiam com facilidade. Ninguém criava complicações. Tão diferente da casa dela. Um casal chegou da costa, e uma moça que escrevia poesia veio de Chicago. Havia um rapaz mexicano que tocava violão em bares latinos.

Todos eram tão descontraídos. Chicky achou espantoso. Ninguém fazia qualquer exigência. Preparavam um grande chili para o jantar, com todos ajudando. Não havia pressão alguma.

Suspiravam um pouco pelo fato de suas famílias não entenderem nada, mas isso não pesava demais para ninguém. Logo Chicky sentiu Stoneybridge desaparecer um pouquinho. No entanto, escrevia uma carta para casa toda semana. Decidira, desde o início, que não seria ela quem alimentaria uma rixa.

Se um lado se comportasse normalmente, então cedo ou tarde o outro teria de responder e se comportar normalmente também.

Tinha notícias de alguns dos seus amigos, recebendo deles fragmentos das novidades. Peggy e Nuala escreviam e lhe contavam como estava a vida lá na sua terra; não parecia ter mudado muito sob absolutamente nenhum aspecto. Então ela pôde escrever para dizer que se encantava com os planos para o casamento de Kathleen com Mikey, sem mencionar que soubera que o romance de Mary com Sonny O'Hara terminara.

Sua mãe escrevia cartõezinhos rápidos, perguntando se ela já marcara uma data para seu casamento e cogitando se havia padres irlandeses na paróquia.

Ela não lhes contou nada sobre a vida comunitária que levava no grande apartamento apinhado, com tanta gente chegando e indo embora e alguém sempre tocando violão. Seus pais jamais seriam capazes de entender, nem de longe.

Em vez disso, escrevia sobre sua ida a recepções de abertura de exposições e noites de estreia em teatros. Lia a respeito nos jornais e, algumas vezes, realmente ia com Walter a matinês ou conseguia assentos baratos em pré-estreias por meio de amigos de amigos que queriam encher uma casa de espetáculos.

Walter conseguiu um emprego em que ajudava a catalogar os livros de uma biblioteca para alguns velhos amigos de seus pais. Dessa forma, a família dele tentava seduzi-lo a voltar para alguma forma de vida acadêmica, explicou ele, e não era um emprego ruim. Eles o deixavam em paz e não lhe causavam problema algum. Isso era tudo o que se desejava na vida.

Chicky descobriu que isso, com certeza, era tudo o que Walter desejava na vida. Então, ela não o incomodava perguntando quando seria apresentada aos pais dele, quando teriam uma moradia própria ou o que fariam no futuro. Estavam juntos em Nova York. Era o bastante, não era?

De muitas maneiras, era mesmo.

Chicky conseguiu emprego num café. O horário era conveniente para ela. Podia levantar-se muito cedo e sair do apartamento antes de qualquer outra pessoa ter acordado. Ajudava o pessoal a abrir a lanchonete, servia a primeira refeição aos clientes, cumpria seu turno e voltava antes que os outros começassem o dia. Chicky lhes levava leite frio e pães judaicos que tivessem sobrado do desjejum do café. Eles se acostumaram com o fato de ela lhes levar suprimentos.

Chicky ainda tinha notícias de casa, mas Stoneybridge se tornava cada vez mais distante.

O casamento de Kathleen com Mikey e a notícia de que ela estava grávida; Mary saindo com JP, um fazendeiro de quem elas, não fazia muito tempo, costumavam rir, achando que era um velho triste. Agora, tornara-se um romance sério. Brian envolvendo-se com uma das O'Hara, o que a família de Chicky achou ótimo, mas que entusiasmava muito menos os O'Hara. O padre Johnson e seu sermão em que disse que Nossa Senhora chorava sempre que se falava do referendo do divórcio irlandês, e como os paroquianos protestaram, afirmando que ele fora longe demais.

Stoneybridge se tornara, depois de uns poucos meses, um mundo totalmente irreal.

Como também era a vida que eles levavam no apartamento, com mais pessoas chegando e indo embora, e histórias sobre amigos que haviam partido para morar na Grécia ou na Itália e sobre outros que tocavam durante a noite inteira em porões de Chicago. A realidade era, para Chicky, todo o mundo de fantasia que ela inventara em torno de seu estilo de vida atarefado, afobado e bem-sucedido em Manhattan.

Ninguém de Stoneybridge jamais ia a Nova York — não havia qualquer perigo de alguém procurá-la ou descobrir suas mentiras e a farsa patética. Ela simplesmente não podia contar-lhes a verdade. Que Walter desistira de fazer a catalogação na biblioteca. Era muito tedioso, porque o velho casal não parava de dizer que ele deveria ir para casa passar um fim de semana com os pais.

Chicky não conseguia ver muita coisa errada nisso, mas Walter achava que era uma provocação irritante, de modo que, quando ele deixou o trabalho, ela assentiu pateticamente em sinal de simpatia e passou a ter de fazer horas extras no café para cobrir as despesas do apartamento.

Ele se mostrava muito inquieto naqueles dias, incomodando-se com as menores coisas. Gostava que ela fosse sempre uma Chicky alegre, amorosa. Então, era assim que ela se mostrava. Por dentro, era também uma Chicky cansada e ansiosa, mas isso ela guardava para si.

Escrevia para casa uma semana após outra e acreditava cada vez mais em seu conto de fadas. Começou a encher um caderno com detalhes da vida que deveria estar vivendo. Não queria cometer qualquer deslize que a desmascarasse.

Para consolar-se, escreveu para eles sobre o casamento. Ela e Walter tinham se casado numa cerimônia civil discreta, explicou, recebendo a bênção de um padre franciscano. Fora uma ocasião maravilhosa para eles e sabiam que ambas as famílias sentiam-se encantadas por eles terem assumido tal compromisso. Chicky disse que, na ocasião, os pais de Walter estavam no exterior e não puderam comparecer à cerimônia, mas que todos ficaram muito felizes.

De muitas maneiras, ela deu um jeito de acreditar que tudo era verdade; mais fácil do que acreditar que Walter estava inquieto e seguiria adiante com a própria vida.

Quando o fim chegou para Walter e Chicky, veio rápido — parecia inevitável para todos os demais. Walter, um dia, gentilmente lhe disse que fora ótimo, mas que não dava mais.

Havia outra oportunidade, outro amigo, com um bar onde Walter poderia trabalhar. Um novo cenário. Um novo início. Uma nova cidade. Ele iria embora no fim da semana.

Demorou um século para a ficha cair.

De início, ela achou que era uma piada. Ou algum tipo de teste. Havia uma sensação de vazio e irrealidade em seu peito, como um grande vão que se tornava ainda maior.

Não podia estar terminado. Não o que eles tinham. Ela implorou e suplicou; mudaria qualquer coisa que estivesse fazendo errado.

Interminavelmente paciente, ele lhe garantiu que não era culpa de ninguém. Era o que acontecia — o amor florescia, o amor morria. Era triste, claro, essas coisas sempre eram. Mas eles podiam continuar amigos e pensar retrospectivamente nesse período juntos como uma lembrança agradável.

Não havia nada que Chicky pudesse fazer a não ser ir para casa, voltar para Stoneybridge e caminhar ao longo das praias selvagens onde eles tinham caminhado juntos e onde haviam se apaixonado.

Ela, entretanto, jamais voltaria.

Essa era a única coisa que sabia, o único fato sólido num mundo de areia movediça que mudava e se agitava ao seu redor. Não podia continuar no apartamento, embora os outros esperassem que ficasse. Fora daquela vida, fizera muito poucos amigos. Era fechada demais.

Não tinha nenhuma história, nenhuma opinião que pudesse levar para uma amizade. O que ela precisava era da companhia de pessoas que não fizessem qualquer pergunta nem supusessem nada.

O que Chicky também precisava era de um emprego.

Não podia continuar no café. Eles ficariam satisfeitos de mantê-la lá; mas, uma vez que Walter iria embora, ela não queria estar mais naquela vizinhança.

Não importava o que fizesse. Realmente não ligava. Apenas tinha de ganhar o sustento, ter alguma coisa para sustentá-la até pôr a cabeça no lugar.

Quando Walter foi embora, Chicky não conseguiu dormir.

Tentou, mas o sono não vinha. Então, ficou sentada, ereta, numa cadeira do quarto que partilhara com Walter Starr durante aqueles cinco meses maravilhosos — e aqueles três meses de inquietação.

Ele disse que fora o período mais longo que permanecera em um lugar. Disse que não desejava magoá-la. Suplicou-lhe que voltasse para a Irlanda, onde a encontrara.

Ela apenas lhe sorriu em meio às lágrimas.

Precisou de quatro dias para encontrar um lugar onde morar e trabalhar. Um dos operários no prédio vizinho ao café sofreu uma queda e foi levado até o estabelecimento para se recuperar.

— Não estou tão mal a ponto de precisar ir para um hospital — insistiu ele. — Será que você pode chamar a Sra. Cassidy? Ela saberá o que fazer.

— Quem é a Sra. Cassidy? — perguntou Chicky ao homem com um sotaque irlandês temeroso de perder um dia de trabalho.

— Ela administra uma hospedaria chamada Acomodações Seletas — respondeu ele. — É uma boa pessoa, e discreta também, é ela que devem procurar.

O homem tinha razão. A Sra. Cassidy assumiu o comando.

Era uma pessoa pequena e atarefada, com olhos penetrantes e o cabelo puxado para trás, preso num nó severo. Era alguém que não desperdiçava tempo.

Chicky a olhou com admiração.

A Sra. Cassidy providenciou que o homem ferido fosse levado de carro de volta à sua hospedaria. Disse que tinha uma vizinha de porta que era enfermeira e, se o estado dele piorasse, ela o levaria ao hospital.

No dia seguinte, Chicky telefonou para a Acomodações Seletas da Sra. Cassidy.

Primeiro, perguntou sobre o operário que se machucara e fora levado para o café. Depois, pediu um emprego.

— Por que me procura? — perguntou a Sra. Cassidy.

— Dizem que a senhora é discreta e não anda por aí tagarelando à toa.

— Sou ocupada demais para isso.

— Posso fazer a limpeza. Sou forte e não fico cansada.

— Quantos anos você tem?

— Farei 21 amanhã.

Anos falando pouco e observando as pessoas tinham tornado a Sra. Cassidy muito decidida.

— Feliz aniversário — disse ela. — Pegue suas coisas e se mude para cá hoje mesmo.

Chicky não precisou de muito tempo para arrumar suas coisas — apenas de uma pequena mala para tirar do grande e bagunçado apartamento onde morara como namorada de Walter durante aqueles meses felizes, antes que o circo fosse embora da cidade sem ela.

E assim começou a nova vida de Chicky. Um quarto pequeno, quase monástico, no topo da hospedaria, na qual se levantava cedo para polir os metais, limpar os degraus e preparar o café da manhã.

A Sra. Cassidy tinha oito inquilinos, todos irlandeses. Não eram o tipo de pessoa que come cereais e frutas para iniciar o dia. Eram homens que trabalhavam em construção ou no metrô, homens que precisavam de um bom bacon com ovos para aguentar até a hora do sanduíche de presunto que era seu almoço e que Chicky preparava e embrulhava em papel celofane, entregando-lhes antes de partirem para o trabalho.

E então havia as camas a fazer, janelas a esfregar, a sala de estar a limpar, depois Chicky ia fazer compras com a Sra. Cassidy. Aprendeu a tornar saborosos cortes de carne baratos ao mariná-los, como dar um aspecto festivo às mais simples refeições. Em cima da mesa, havia sempre um vaso de flores, ou uma planta num pote.

Quando servia o jantar, a Sra. Cassidy sempre se vestia bem, e, de alguma forma, os homens passaram a fazer o mesmo. Todos se lavavam e mudavam as camisas antes de se sentarem à mesa. Quando se age com boas maneiras, os outros agem assim com você também.

Chicky sempre a chamava de Sra. Cassidy. Não sabia seu primeiro nome, a história de sua vida, o que acontecera, fosse lá o que fosse, com a Sra. Cassidy, nem mesmo se *existira*, algum dia, um Sr. Cassidy.

E, em troca, nenhuma pergunta era feita a Chicky.

Era uma relação muito tranquila.

A Sra. Cassidy enfatizara a importância de conseguir para Chicky seu visto de trabalho e o título eleitoral, na prefeitura, a fim de garantir que o número necessário de autoridades irlandesas voltasse ao poder. Ela explicou como se conseguia uma caixa postal para mandar correspondência sem que ninguém soubesse onde a pessoa morava ou sobre a vida que levava.

Ela desistira de tentar persuadir a moça a ter uma vida social. Era uma jovem mulher na cidade mais emocionante do mundo. Havia imensas oportunidades. Chicky, porém, fora muito clara. Não queria nada disso. Nenhum ambiente de pub, nenhum clube irlandês, nenhuma história sobre como esse ou aquele inquilino daria um bom marido. A Sra. Cassidy captou a mensagem.

No entanto, fez Chicky tomar aulas de etiqueta e cursos de treinamento. Chicky aprendeu a ser uma *chef de patisserie* espetacular. Não mostrava interesse algum em deixar a Acomodações Seletas da Sra. Cassidy, embora uma padaria próxima lhe tivesse oferecido um emprego em turno integral.

As despesas de Chicky eram poucas, e suas economias aumentavam. Quando não estava trabalhando com a Sra. Cassidy, havia muitos outros bicos para fazer. Chicky cozinhava para batizados, primeiras comunhões, *bar mitzvahs* e festas de aposentadoria.

Toda noite, ela e a Sra. Cassidy presidiam sua mesa de Hóspedes Seletos.

Ela ainda não tinha qualquer conhecimento a respeito da história da vida da Sra. Cassidy e nunca fora interrogada sobre nenhum detalhe de sua própria. Então, foi surpreendente quando a Sra. Cassidy disse que achava que Chicky deveria fazer uma visita a Stoneybridge.

— Vá agora, senão você deixará isso para muito tarde. E então voltar será uma coisa difícil. Se for este ano, apenas para uma visita rápida, será muito mais fácil.

De fato, foi muito mais fácil do que ela havia pensado.

Chicky escreveu e disse ao pessoal de Stoneybridge que Walter tivera de ir passar uma semana em Los Angeles a negócio e lhe sugerira que usasse esse tempo para ir à Irlanda. Ela adoraria voltar para uma rápida visita à sua casa e esperava que todos a recebessem bem.

Fazia cinco anos desde o dia em que seu pai dissera que Chicky jamais voltaria à casa dele. Tudo tinha mudado.

Seu pai agora era um homem diferente. Vários sustos com problemas do coração lhe haviam feito perceber que não governava o mundo e nem sequer a parte que ocupava nele.

Sua mãe não tinha mais tanto medo do que pensariam os outros.

Sua irmã Kathleen, agora a esposa de Mikey e mãe de Orla e Rory, esquecera-se de suas palavras ásperas sobre envergonhar a família.

Mary, agora casada com JP, o velho fazendeiro louco de cima do morro, havia abrandado o temperamento.

Brian, magoado pela rejeição da família O'Hara, lançara-se ao trabalho, mal notando o retorno da irmã.

Então, a visita foi surpreendentemente indolor — daí em diante, todo verão Chicky voltava e era recebida calorosamente pela família.

Quando estava em Stoneybridge, caminhava por muitos quilômetros pelos arredores e conversava com os vizinhos, impingindo-lhes a história da sua vida mítica do outro lado do Atlântico. Poucas pessoas daqueles lugares viajavam algum dia para tão longe quanto os Estados Unidos — ela estava segura, sabendo que não haveria visitantes inesperados. Sua farsa jamais seria descoberta, arrebentada, com a chegada surpresa de alguém de Stoneybridge a um apartamento não existente.

Logo ela passou a fazer parte do cenário.

Encontrava-se com sua amiga Peggy, que lhe contava todos os dramas da fábrica de malhas. Nuala partira muito antes, indo morar em Dublin — nunca mais ouviram falar dela.

— Sempre sabemos que julho chegou quando vemos Chicky de volta a andar pelas praias — diziam as irmãs Sheedy a ela.

E o rosto da jovem se abriria em um grande sorriso, envolvendo as três com seu calor, e Chicky dizia e a qualquer outro que se dignasse a ouvir que não havia lugar no mundo tão especial quanto Stoneybridge, não importasse quantas maravilhas visse em terras estrangeiras.

Aquilo agradava as pessoas.

Era bom ser elogiado por ser sábio o bastante para ficar onde estava, em Stoneybridge, por ter feito a escolha certa.

A família lhe perguntava sobre Walter e parecia satisfeita quando ela lhes contava seu sucesso e popularidade. Se sentiam vergonha por terem cometido uma injustiça tão grande com ele, nunca disseram isso com muitas palavras.

Mas, então, tudo mudou.

A mais velha das suas sobrinhas, Orla, agora era uma adolescente. No ano seguinte, esperava ir para os Estados Unidos com Brigid, que pertencia à tribo das ruivas O'Hara. Será que poderia ficar um tempinho hospedada na casa da titia Chicky e do tio Walter? Elas não causariam problema algum.

Chicky não se mostrou nem um pouquinho desconcertada.

Claro que Orla e Brigid iriam visitá-la; demonstrou entusiasmo com isso. Ansiosa para que fossem. Não haveria qualquer problema, garantiu-lhes. Por dentro, estava fervendo, mas ninguém saberia. Deveria manter-se calma, naquele momento. Trataria do caso mais tarde. Agora, era a ocasião de se mostrar acolhedora e que estava encarando a visita com uma boa perspectiva, que a entusiasmava muito.

Orla quis saber o que elas fariam quando chegassem a Nova York.

— Seu tio Walter irá recebê-las no Kennedy, vocês irão para casa, descansarão um pouco, comerão alguma coisa e imediatamente eu as levarei para uma excursão da empresa Circle Line em torno de Manhattan, num barco, para vocês terem uma ideia do lugar onde estão. Depois, outro dia, iremos a Ellis Island e Chinatown. Nós nos divertiremos *muito*.

E, enquanto Chicky batia palmas e se mostrava entusiasmada a respeito de tudo aquilo, conseguia de fato imaginar a visita acontecendo. Podia ver a figura bondosa, protetora, do tio Walter, rindo com pesar e tristeza por causa das filhas que jamais tiveram e que ele estragaria com mimos. O mesmo Walter que a deixara após os curtos meses dos dois em Nova York e se dirigira para o oeste, através do imenso continente da América.

O choque agora já passara havia muito, e a lembrança de sua verdadeira vida com ele se tornava vaga. Muito raramente fazia um retrospecto em sua mente com relação a isso. No entanto, a vida falsa, a existência fantasiosa, era nítida e clara como cristal.

Somente isto lhe permitira sobreviver. O fato de saber que todos em Stoneybridge tinham se mostrado errados, e ela, Chicky, naquela tenra idade, soubera mais da vida do que qualquer um deles. E agora tinha um casamento feliz e uma vida ocupada e bem-sucedida em Nova York. Não faria sentido se soubessem que ele a deixara e que ela esfregava pisos, limpava banheiros e servia refeições para a Sra. Cassidy, além de reduzir os gastos, economizar e nunca tirar férias, com exceção daquela semana de volta à Irlanda, todos os anos.

Essa vida inventada era sua recompensa. Como a recriaria para Orla e sua amiga Brigid? Seria tudo desmascarado, depois de anos de construção cuidadosa? Mas ela não se preocuparia com aquilo agora e tampouco deixaria que perturbasse suas férias. Pensaria a respeito mais tarde.

Nenhuma ideia satisfatória lhe veio quando ela voltou para sua vida em Nova York. Uma vida com a qual ninguém em Stoneybridge sonhava. Chicky não conseguia ver qualquer solução para o problema de Orla e sua amiga Brigid O'Hara. Era exasperante demais. Por que a menina não tinha escolhido a Austrália, como tantas outras garotas irlandesas? Por que precisava ser Nova York?

De volta às Acomodações Seletas da Sra. Cassidy, Chicky rompeu o pacto que existira entre elas durante tanto tempo.

— Estou com um problema — disse, simplesmente.

— Falaremos de problemas depois do jantar — respondeu a Sra. Cassidy.

A Sra. Cassidy serviu taças do que ela chamava de vinho do porto para as duas, e Chicky contou a história que nunca contara. Contou-a desde o início. Camadas sobre camadas de farsa, uma sobre a outra como casca de cebola, foram descascadas enquanto ela explicava que agora o jogo chegara ao fim: sua família, que acreditava no tio Walter, queria vir a Nova York conhecê-lo.

— Acho que Walter morreu — disse a Sra. Cassidy, vagarosamente.

— O quê?

— Acho que ele morreu na rodovia de Long Island, numa batida de vários automóveis. Mal se pôde identificar os corpos.

— Não funcionaria.

— Acontece todos os dias, Chicky.

E, como de costume, a Sra. Cassidy tinha razão.

Funcionou. Uma tragédia terrível, loucura na autoestrada, uma vida extinta. Ficaram tão perturbados por causa dela, lá em Stoneybridge. Queriam vir a Nova York para o funeral, mas ela lhes disse que seria muito particular. Era assim que Walter desejaria que fosse.

Sua mãe chorou inconsolavelmente ao telefone.

— Chicky, fomos tão duros em relação a ele. Que Deus nos perdoe.

— Tenho certeza de que já perdoou, há muito tempo. — Chicky estava calma.

— Tentamos fazer o que era melhor — argumentou seu pai. — Achamos que éramos bons juízes de caráteres, e agora é tarde demais para dizer a ele que estávamos errados.

— Ele entendeu, acreditem em mim.

— Mas será que podemos escrever para a família dele?

— Já enviei os pêsames de vocês, papai.

— Coitados. Devem estar arrasados.

— Eles são muito positivos. Walter teve uma boa vida, é o que dizem.

Quiseram saber se deveriam pôr uma notícia no jornal. Mas não. Chicky disse que sua maneira de lidar com a dor era deter sua vida ali, viver como sempre vivera. A coisa mais generosa que podiam fazer por ela era lembrar-se de Walter com afeto e deixá-la em paz até as feridas sararem. Ela iria para casa, como de costume, no verão seguinte.

Ela teria de seguir em frente.

Isso foi muito intrigante para os que leram suas cartas em casa. Talvez, por causa da dor, Chicky estivesse com a cabeça fora do lugar.

Mas, afinal, eles tinham se enganado tanto sobre Walter Starr, durante sua vida. Talvez devessem respeitá-lo na morte. Os amigos agora entendiam sua necessidade de solidão. Esperava que sua família fizesse isso também.

Orla e Brigid, que tinham planejado vir e visitar o apartamento na Sétima Avenida, ficaram desesperadas.

Não apenas não haveria um acolhedor tio Walter recebendo-as no aeroporto, como também não haveria as férias, de forma alguma. Agora, não havia qualquer possibilidade de a tia Chicky levá-las naquele Tour Circle Line, em torno da Ilha de Manhattan. Segundo parecia, ela se mudaria.

E, de qualquer maneira, as chances de elas terem permissão para ir a Nova York haviam desaparecido. Será que uma coisa poderia acontecer em ocasião mais inadequada?, indagaram-se as meninas.

Eles se mantinham em contato e lhe contavam todas as notícias locais. Os O'Hara haviam perdido a cabeça e estavam comprando propriedades em toda Stoneybridge para construir casas de verão. Duas das velhas Srtas. Sheedy tinham sido levadas pela pneumonia, no inverno. A amiga dos velhos, como era chamada, encerrava a vida tranquilamente para aqueles que já estavam sem fôlego.

A Srta. Queenie Sheedy continuava lá; estranha, claro, e vivendo em seu pequeno mundo próprio. A Casa de Pedra estava praticamente caindo aos pedaços ao redor dela. Dizia-se que, pelo que parecia, Queenie mal tinha dinheiro para pagar as contas. Todos achavam que teria de vender a grande casa no rochedo.

Chicky lia tudo isso como se fossem notícias de outro planeta. Mesmo assim, no verão seguinte, reservou a passagem para a Irlanda. Dessa vez, comprou mais roupas escuras. Não era luto oficial, como sua família talvez gostasse, mas tons de amarelo e vermelho menos vistosos, em suas saias e blusas — e mais cinza e azul-escuro. E os mesmos sensatos sapatos de caminhada.

Ela devia ter caminhado vinte quilômetros por dia, ao longo das praias e rochedos em torno de Stoneybridge, entrando pelos bosques e passando por locais de construção, onde os O'Hara encontravam-se atarefados com os planos para moradas em estilo hispânico, exibindo ferro negro trabalhado e terraços abertos, para pegar sol, muito mais adequados para um clima quente e ameno do que para a costa atlântica selvagem e varrida pelos ventos, como era o caso em Stoneybridge.

Durante uma de suas caminhadas, ela se encontrou com a Srta. Queenie Sheedy, frágil e solitária, sem suas duas irmãs. As duas trocaram palavras simpáticas, a respeito das perdas de ambas.

— Você voltará para cá, agora que sua vida está terminada lá, e seu pobre marido querido foi encontrar-se com Deus? — perguntou Srta. Queenie.

— Não creio, Srta. Queenie. Eu não me adaptaria mais aqui. Estou velha demais para morar com meus pais.

— Entendo, querida, tudo acaba sendo diferente, não é? Sempre tive a esperança de que você viesse e morasse nesta casa. Era meu sonho.

E, então, tudo começou.

A ideia insana de ela comprar a grande casa no rochedo. A Casa de Pedra, onde ela brincara quando criança, em seus jardins selvagens, para a qual olhava, lá no alto, quando iam nadar, e onde sua amiga Nuala trabalhara para as lindas irmãs Sheedy.

— Até pode acontecer. Walter sempre dizia que os acontecimentos só dependem de nós.

A Sra. Cassidy sempre dissera: por que não nós, da mesma forma que qualquer outra pessoa?

A Srta. Queenie disse que aquela era a melhor ideia do mundo desde a invenção do pão com manteiga.

— Eu não teria condições de lhe pagar o dinheiro que outros lhe dariam por este lugar — declarou Chicky.

— E para que preciso de dinheiro a esta altura? — perguntou Miss Queenie.

— Estive longe por tempo demais — disse Chicky.

— Mas você voltará. Você adora caminhar por aqui, isso lhe dá força, e há muita luz e o céu aqui tem um aspecto diferente a cada hora. Além disso, você se sentirá muito solitária em Nova York, sem o homem que foi tão bom para você durante todos esses anos; não vai querer permanecer lá com tudo lhe lembrando dele. Volte para casa agora, se quiser, e eu me mudarei para a sala do café da manhã, no andar de baixo. De qualquer forma, não me dou lá muito bem com as velhas escadas.

— Não seja ridícula, Srta. Queenie. É sua casa. Não posso aceitar nada disso. E o que eu faria com uma casa grande como essa toda para mim?

— Você a transformaria num hotel, não é? — Para a Srta. Queenie, era óbvio. — Aqueles O'Hara estão querendo comprar este meu lugar há anos. Eles derrubariam a casa. Não quero isso. Eu a ajudarei a transformar a propriedade num hotel.

— Um hotel? Verdade? Administrar um hotel?

— Você o tornaria especial: um lugar para pessoas como você.

— Não existe pessoas como eu, gente tão estranha e complicada.

— Você se surpreenderia, Chicky. Há uma porção de gente assim. E, de qualquer forma, eu não ficarei por aqui durante muito tempo; muito em breve, acho que vou me reunir às minhas irmãs no cemitério da igreja. Então, você precisa decidir agora se virá para fazer isso. E, em seguida, planejaremos o que vamos fazer para tornar a Casa de Pedra linda outra vez.

Chicky estava sem palavras.

— Entende? Seria muito bom para mim você vir de fato para cá antes da minha partida. Eu simplesmente adoraria participar do planejamento.

Queenie estava implorando. Então elas ficaram sentadas à mesa da cozinha, na Casa de Pedra, e falaram seriamente a respeito.

Quando Chicky voltou para Nova York, a Sra. Cassidy ouviu os planos e assentiu em aprovação.

— Acha de fato que posso fazer isso?

— Sentirei sua falta, mas claro que será ótimo para você.

— Irá me visitar? Ficará hospedada em meu hotel?

— Sim. Irei por uma semana, num inverno. Gosto do campo irlandês no inverno, não quando está cheio de barulho, espetáculos e pessoas farreando por toda parte.

A Sra. Cassidy jamais tirara férias. Aquilo não tinha precedentes.

— Acho que devo ir agora, enquanto a Srta. Queenie está viva.

— Deve pôr tudo em marcha, rapidamente, logo que possível. — A Sra. Cassidy detestava perder um minuto que fosse.

— Como explicarei tudo isso... a todos?

— Sabe, as pessoas não precisam, nem de longe, explicar as coisas tanto quanto você imagina. Diga apenas que comprou a casa com o dinheiro que Walter lhe deixou. É a verdade, afinal.

— Como pode ser verdade?

— Por causa de Walter você veio para Nova York. E, porque ele a deixou, você foi em frente: ganhou esse dinheiro e o economizou. De alguma forma, ele o deixou *mesmo* para você. Não vejo mentira alguma.

E a Sra. Cassidy assumiu uma feição que significava que não deviam mais falar no assunto.

Nas semanas seguintes, Chicky transferiu suas economias para um banco irlandês. Houve intermináveis negociações com bancos e advogados. Havia aplicações a separar, tratoristas a contatar, regulamentos de hotéis para considerar, questões em torno de impostos a solucionar. Ela jamais acreditaria em quantos aspectos daquilo precisavam ser providenciados antes de realizar o anúncio. Ela e a Srta. Queenie não contaram a ninguém o que haviam acertado.

Finalmente, tudo parecia pronto.

— Não posso adiar muito tempo mais — disse Chicky à Sra. Cassidy, enquanto tiravam a mesa, depois do jantar.

— Fico com o coração partido, mas você deve ir amanhã.

— Amanhã?

— A Srta. Queenie não pode esperar muito mais tempo, e você terá de contar à sua família em algum momento. Faça isso antes que a notícia vaze para eles. Será melhor.

— Mas preparar-me para ir num único dia? Quero dizer, preciso fazer a mala e me despedir das pessoas...

— Você pode fazer a mala em vinte minutos. Praticamente não tem nada. Os homens da casa não gostam de belos discursos de despedida, nem eu.

— Devo estar maluca para fazer uma coisa dessas, Sra. Cassidy.

— Não, Chicky, você ficaria meio maluca se não fizesse. Sempre foi ótima em aproveitar oportunidades.

— Talvez fosse melhor se eu não tivesse aproveitado a oportunidade de seguir Walter Starr — disse Chicky, magoada.

— Ah, é? Você seria promovida na fábrica de malhas. Teria se casado com um fazendeiro maluco, tido seis filhos, para os quais estaria tentando agora arrumar empregos. Não, acho que você fez ótimas escolhas. Tomou uma decisão, entrou em contato comigo, procurando emprego, e *isso* acabou dando certo durante vinte anos, não foi? Você fez muito bem em vir para Nova York, e agora vai voltar para sua terra e será a proprietária da maior casa da região. Não vejo muita coisa errada nesse encaminhamento de carreira.

— Eu adoro você, Sra. Cassidy — falou Chicky.

— Se vai começar a falar desse jeito, é bom voltar logo para as brumas e crepúsculos celtas — comentou a Sra. Cassidy, mas seu rosto estava muito mais suave do que de costume.

A família Ryan ficou sentada boquiaberta quando Chicky lhes contou de seus planos.

Ela voltando definitivamente para lá? Comprando a casa das Sheedy? Instalando um hotel para funcionar durante verão e inverno? A principal reação foi de completa descrença.

O único a mostrar puro encantamento com a ideia foi seu irmão Brian.

— Isso vai calar a boca dos O'Hara — afirmou ele, com um largo sorriso. — Eles andam atrás daquele lugar há anos. Querem derrubar a casa e construir seis moradas caríssimas lá no alto.

— Era exatamente o que a Srta. Queenie não queria! — concordou Chicky.

— Adoraria estar lá quando eles descobrissem — disse Brian.

Ele jamais superara o fato de que os O'Hara não o haviam considerado à altura da filha deles. A moça se casara com um homem que conseguira perder uma boa quantidade do dinheiro da nova família com cavalos, comentava Brian, com frequência e satisfação.

Sua mãe não conseguia acreditar que Chicky estaria já no dia seguinte morando com a Srta. Queenie.

— Bom, precisarei estar no lugar — explicou Chicky. — E, de qualquer jeito, é bom ter alguém lá para dar à Srta. Queenie uma xícara de chá de vez em quando.

— E uma tigela de mingau ou pacote de biscoitos também seriam bem recebidos — sugeriu Kathleen. — Mickey a viu colhendo amoras alguns instantes atrás. Ela disse que eram de graça.

— Tem certeza de que é dona *mesmo* do lugar, Chicky? — Seu pai estava preocupado, como sempre. — Você não vai apenas entrar lá como uma criada, como Nuala foi, mas com uma promessa de que ela deixará a casa para você?

Chicky os acalmou com palmadinhas e garantiu que a propriedade era dela.

Aos poucos, eles começaram a perceber que aquilo de fato aconteceria. Ela já tinha resposta para todas as objeções que chegaram a apresentar. Seus anos em Nova York a haviam transformado numa mulher de negócios. Eles haviam aprendido, com o passado, a não subestimá-la. Não cometeriam o mesmo erro novamente.

Como Chicky não estivera em casa para a primeira missa que encomendaram para Walter, sua família acertara para ela a realização de outra. Chicky ficou sentada na pequena igreja de Stoneybridge e se indagou se havia realmente um Deus lá no alto, observando e ouvindo.

Não parecia muito provável.

Todos ali, entretanto, pareciam pensar que esse era o caso. Toda a comunidade se uniu em orações para o repouso da alma de Walter Starr. Será que ele riria, se chegasse a saber desse acontecimento? Ficaria chocado com a superstição daquelas pessoas, numa cidade irlandesa costeira onde outrora tivera um romance de férias?

Agora que se encontrava ali de volta, Chicky percebeu que teria de voltar a fazer parte da igreja. Seria mais fácil; em Nova York, a Sra. Cassidy ia para a missa todos os domingos de manhã. Era mais uma coisa sobre a qual elas nunca haviam conversado.

Chicky olhou para a igreja onde fora batizada, tivera sua Primeira Comunhão e a Crisma, a igreja onde suas irmãs tinham se casado e onde as pessoas estavam rezando pelo repouso da alma de um homem que nunca morrera. Era tudo muito estranho.

Mesmo assim, esperou que as orações tivessem um bom efeito em algum lugar.

Havia uma série de campos minados onde era preciso caminhar com muito cuidado. Chicky precisava ter certeza de não aborrecer aqueles que já administravam hospedagens domiciliares naquela região ou os que alugavam chalés para o verão. Começou uma incessante ofensiva diplomática, explicando que, na realidade, criava algo totalmente novo para a área, não um estabelecimento que fosse tirar negócios deles.

Visitou os muitos pubs que pontilhavam os campos e contou aos proprietários seus planos. Os hóspedes de Chicky desejariam percorrer os rochedos e morros em torno de Stoneybridge. Ela recomendaria que vissem a verdadeira Irlanda, almoçassem em todos os bares, pubs e estalagens tradicionais que existiam por ali. Então, se servissem sopa e comida simples, ela adoraria saber disso e enviaria clientes para eles.

Escolheu construtores de outra parte do campo, pois queria evitar os O'Hara ou os principais rivais deles no negócio da construção. Era muito mais fácil do que dar preferência a um lugar do outro. Foi o mesmo com relação à compra de mantimentos. Facilmente haveria alguém ofendido, se pensassem que favorecia apenas um lugar. Chicky se certificou de que todos ganhariam algo com o projeto. Era boa em fazer todos ficarem do seu lado.

O principal era fazer os arquitetos entrarem e saírem e os operários permanecerem no local. Precisaria de um gerente, mas ainda não. Precisaria de alguém que morasse lá dentro e a ajudasse na cozinha, mas, novamente, isso podia esperar.

Chicky estava de olho em sua sobrinha Orla para o trabalho. A moça era rápida e inteligente. Amava Stoneybridge e a vida que oferecia. Era enérgica e esportiva, praticava windsurfe e escalava penhascos. Fizera um curso de computação em Dublin e tinha diploma de marketing. Chicky poderia ensiná-la a cozinhar. Ela era animada e se dava bem com as pessoas. Seria perfeita para a Casa de Pedra. Mas, irritantemente, a moça parecia desejar ficar em Londres com seu novo emprego. Não houve explicações, ela apenas foi para lá. As coisas agora eram tão mais fáceis para os jovens do que em seu tempo, pensou Chicky. Orla não precisou pedir permissão nem ter a aprovação da família. Todos a consideravam uma adulta e não palpitavam em sua vida.

Os planos estavam sendo executados. Haveria oito quartos de hóspedes e uma grande cozinha e área de refeições, onde todos comeriam juntos. Chicky encontrou uma imensa mesa antiga, que teria de ser esfregada todos os dias, mas era autêntica. Aquele lugar não combinava com mogno de luxo e utensílios americanos de plástico para as mesas, ou grossas toalhas irlandesas. Deveria ser uma coisa autêntica.

Conseguiu um artesão local para produzir para ela catorze cadeiras e outro para restaurar uma cômoda antiga, a fim de exibir a porcelana.

Com a Srta. Queenie, foi a leilões e vendas em todo o campo, e achou os copos, pratos e tigelas certos.

Encontraram pessoas capazes de restaurar alguns dos velhos tapetes do lar das Sheedy e de substituir o couro puído de pequenas mesas de época.

Essa era a parte que a Srta. Queenie mais amava. Dizia repetidas vezes que era um milagre ter todos aqueles lindos tesouros restaurados. Suas irmãs ficariam tão felizes quando vissem o que estava acontecendo. A Srta. Queenie acreditava que elas sabiam de todos os detalhes do que acontecia na Casa de Pedra e observavam tudo com aprovação. Era comovente que ela as imaginasse instaladas em algum lugar feliz, esperando que o hotel abrisse e observando as idas e vindas em Stoneybridge.

Entretanto, era mais perturbador quando a Srta. Queenie também supunha que Walter Starr estaria lá no céu com as duas Srtas. Sheedy, alegrando-se com todas as providências que sua brava e corajosa viúva tomava.

Chicky não deixava de contar à família seus planos toda semana, de modo que eles ficassem bem-informados e sabendo tudo em primeira mão. Isto lhes conferia grande status, saber antecipadamente que as propostas para o planejamento estavam sendo aprovadas, que uma horta cercada para cultivar as próprias verduras e um aquecimento central a gasolina para toda a casa seriam instalados.

Ela, provavelmente, precisaria também de um decorador profissional. Embora ela e a Srta. Queenie julgassem saber qual deveria ser o aspecto do lugar, elas *estavam* fazendo um levantamento de pessoas entendidas — afinal, investiriam um bom dinheiro e precisavam deixar o lugar muito bem-estruturado. O que Chicky achava elegante podia perfeitamente ser considerado cafona. A Acomodações Seletas da Sra. Cassidy não era um grande território de treinamento de estilo.

Haveria muito trabalho pela frente: Chicky precisaria ter um website e fazer reservas pela internet, um mundo ainda muito estranho para ela. Era aí que a jovem Orla seria sua mão direita, se voltasse de Londres. Telefonara duas vezes para a sobrinha, mas a moça se mostrara distraída e não assumira compromisso algum. A irmã de Chicky, Kathleen, disse que Orla parecia um cofre fechado a sete chaves e que não havia jeito de conversar com ela sobre qualquer assunto.

— Ela é mais cabeça dura do que você era — declarou Kathleen, pesarosamente —, e isso não é pouca coisa.

— Veja como, no final, eu fiquei muito bem, muito sadia — disse Chicky, rindo.

— O lugar ainda não está pronto, funcionando. — A voz de Kathleen estava cheia de repreensão. — Veremos até que ponto você está bem e sadia quando abrir o negócio.

Apenas a Sra. Cassidy, lá em Nova York, e a Srta. Queenie acreditavam que o projeto se concretizaria e se tornaria um grande sucesso. Todos os demais a ridicularizavam e, embora esperassem que o negócio decolasse, faziam-no do mesmo modo que esperavam por um longo e quente verão e que o time irlandês de futebol ganhasse a Copa do Mundo.

Algumas vezes, Chicky ia caminhar pelos rochedos à noite e olhava para longe, sobre o Oceano Atlântico. Isso sempre lhe dava força.

Pessoas tiveram coragem suficiente para entrar em embarcações pequenas e instáveis e velejar através daquelas águas agitadas, sem saber o que havia pela frente. Com certeza não seria tão difícil estabelecer uma hospedaria, não? E então ela voltava para dentro da casa, onde a Srta. Queenie corria e preparava para ela canecas de chocolate quente e afirmava não se sentir tão feliz desde que era menina, desde os tempos em que ela e as irmãs iam para um baile e esperavam encontrar jovens fogosos para se casarem. Isso jamais acontecera, mas dessa vez funcionaria. A Casa de Pedra aconteceria.

E Chicky dava palmadinhas em sua mão e dizia que o campo inteiro falaria delas. E, quando declarava isso, acreditava nas próprias palavras. Todas as suas preocupações desapareciam. Fosse por causa da caminhada sob os ventos selvagens, pelo reconfortante chocolate quente, pelo rosto esperançoso da Srta. Queenie ou por uma combinação das três coisas, isso significava que ela dormia um longo sono, sem perturbações, todas as noites.

Chicky acordava pronta para qualquer coisa, o que era realmente bom, porque, nos meses a seguir, haveria uma porção de coisas para as quais ela deveria estar preparada.

Rigger

Rigger nunca conheceu o pai — jamais se falara dele. Já a mãe, Nuala, era difícil conhecer bem. Antes qualquer coisa, trabalhava muito e falava pouco da sua vida no oeste da Irlanda, num lugar pequeno chamado Stoneybridge. Rigger sabia que a mãe trabalhara como criada numa casa grande para três velhas senhoras chamadas de Srtas. Sheedy, mas ela nunca quis falar disso nem da sua família na cidadezinha natal.

Ele encolhia os ombros. Era impossível entender os adultos, de qualquer forma.

Nuala nunca possuíra nada propriamente dela. Como a caçula, todas as roupas que ganhava tinham sido, primeiro, bem experimentadas pelas outras. Não havia dinheiro para luxos, nem mesmo para um vestido de Primeira Comunhão; e, quando ela fez 15 anos, encontraram para ela um emprego em que trabalhava para as Srtas. Sheedy na Casa de Pedra. Elas eram mulheres muito boas; damas, as três.

Porém, o trabalho era duro: pisos de pedra e mesas de madeira para esfregar, velhos móveis para polir. Nuala tinha um quarto muito pequeno, com uma modesta cama de ferro. A cama era dela, porém, era mais do que tinha em casa. As Srtas. Sheedy não tinham realmente um centavo próprio, de modo que havia muito combate à umidade, aos vazamentos e nunca dinheiro suficiente para dar à casa um aquecimento adequado ou uma boa mão de tinta — ambos muitíssimo necessários. Comiam muito pouco, mas Nuala estava acostumada com isso. Pareciam pequenos pardais à mesa.

Ela as olhava com espanto, porque tinham de ter os guardanapos à mesa, cada um em seu próprio anel, e tocavam um pequeno gongo para anunciar a refeição. Era como participar de uma peça de teatro.

Às vezes, a Srta. Queenie perguntava sobre os namorados de Nuala, mas as outras irmãs faziam pequenos ruídos com a língua, como se esse não fosse um assunto apropriado para discutir com a criada.

Não que houvesse muito a discutir. Havia pouquíssimos namorados em Stoneybridge. Todos os rapazes que seus irmãos conheciam tinham ido para a Inglaterra ou para a América em busca de trabalho. E Nuala não seria considerada suficientemente boa para os O'Hara ou alguma das grandes famílias do lugar. Ela esperava conhecer um dos visitantes de verão que se apaixonasse por ela, exatamente como acontecera com Chicky, e que não se incomodasse com o fato de ela trabalhar com serviço doméstico.

E ela *de fato* conheceu um visitante de verão chamado Drew. Era um apelido para Andrew. Ele era amigo dos O'Hara e eles jogavam bola na praia. Nuala ficava sentada, espiando as moças com seus trajes de banho elegantes. Que maravilha poder ir à cidade e comprar coisas como aquelas, além de lindas cestas e toalhas coloridas.

Drew se aproximou e a convidou para entrar no jogo. Após uma semana, ela estava apaixonada por ele. Após duas semanas, eram amantes. Foi tudo tão natural e normal; Nuala não conseguia entender por que ela e as outras meninas tinham rido tanto a respeito daquilo na escola. Drew disse que a adorava e que, quando voltasse para Dublin, escreveria a ela todos os dias.

Escreveu uma vez e disse que aquele fora um verão mágico e que ele jamais a esqueceria. Não deu endereço algum. Nuala não quis perguntar aos O'Hara onde encontrá-lo. Nem mesmo quando percebeu que sua menstruação estava atrasada e ela, muito provavelmente, grávida.

Quando isso se tornou um fato, ela ficou completamente perdida com relação ao que fazer. Partiria o coração de sua mãe. Nuala jamais se sentira tão sozinha na vida.

Decidiu contar às Srtas. Sheedy.

Tirou a mesa e lavou os pratos do jantar mínimo das três antes de começar sua história. Enquanto explicava o que acontecera, Nuala olhava para o chão de pedra da cozinha, de modo a não precisar olhá-las nos olhos.

As irmãs Sheedy ficaram chocadas. Mal tinham palavras para expressar o horror delas por aquilo ter acontecido enquanto Nuala estava sob seu teto.

— Pelo amor de Deus, o que você vai fazer? — perguntou a Srta. Queenie, com lágrimas nos olhos.

A Srta. Jessica e a Srta. Beatrice foram menos simpáticas, mas igualmente incapazes de pensar numa solução.

O que Nuala esperava que fizessem? Que lhe pedissem para criar lá o bebê? Que dissessem que uma criança na casa faria todas se sentirem jovens novamente?

Não, ela não esperava tanto, mas desejava alguma garantia, alguma pitada de esperança de que o mundo não terminaria para ela como resultado de tudo aquilo.

Elas disseram que se informariam. Tinham ouvido falar de um lugar onde ela poderia ficar até o bebê nascer e ser dado para adoção.

— Ah, mas não vou dar o bebê — disse Nuala.

— Mas você não pode *ficar com o bebê,* Nuala — explicou a Srta. Queenie.

— Nunca tive nada meu antes, além do quarto que as senhoras me deram e de minha cama aqui.

As irmãs se entreolharam. A moça estava longe de entender o que assumia. A responsabilidade, a confusão, a vergonha.

— Estamos na década de 1990 — argumentou Nuala —, não é mais a Idade das Trevas.

— Sim, mas o padre Johnson ainda é o padre Johnson — explicou a Srta. Queenie.

— Quem sabe se o jovem em questão não...? — começou experimentalmente a dizer a Srta. Jessica.

— E, se ele é um amigo dos O'Hara, será uma pessoa honrada e cumprirá seu dever... — concordou a Srta. Beatrice.

— Não, não cumprirá. Ele me escreveu para dizer adeus; disse que tinha sido um verão mágico.

— E tenho certeza de que foi, minha querida — disse a Srta. Queenie bondosamente, sem notar a desaprovação das outras.

— Não posso contar aos meus pais — afirmou Nuala.

— Então, levaremos você para Dublin o mais depressa possível. Eles saberão o que fazer por lá. — A Srta. Jessica queria o problema fora da sua casa o mais rápido possível.

— Farei aquelas sondagens de que falei. — A Srta. Beatrice era a irmã que tinha contatos.

O irmão mais velho de Nuala, Nasey, já estava morando em Dublin. Ele era o mais velho da família, muito calado, vivendo para si mesmo, diziam sempre com um suspiro. Ele tinha um emprego num açougue e parecia bem instalado.

Era solteiro e tinha casa própria, mas não seria uma pessoa com quem ela pudesse contar. Saíra de casa muito tempo antes e não a conhecia nem se importava. Nuala tinha o endereço dele, sim, para uma emergência, claro, mas não iria procurá-lo naquele momento.

As Sheedy tinham encontrado um lugar para Nuala ficar: uma hospedaria onde várias outras moças também estavam grávidas.

Muitas delas trabalhavam em supermercados ou limpando casas. Nuala estava acostumada ao trabalho duro e o achava muito fácil em comparação com tudo o que tinha de puxar e arrastar na Casa de Pedra. Ela conseguia empregos por meio do boca a boca. As pessoas comentavam umas com as outras que Nuala era muito agradável e não tinha muito problema com nada. Economizou o suficiente para alugar um quarto para si mesma e para o bebê, quando ele nasceu.

Escreveu para a família, contando-lhes sobre Dublin e as pessoas para quem trabalhava, mas sem comentar a respeito das visitas à maternidade, e escreveu para as senhoras Sheedy, dizendo-lhes a verdade e finalmente lhes dando notícias de que Richard Anthony nascera, pesando dois quilos e noventa gramas; um bebê perfeito sob todos os aspectos. Elas lhe enviaram uma nota de cinco libras para ajudar, e a Srta. Queenie mandou uma roupa de batizado.

Richard Anthony a usou em seu batismo, que ocorreu em uma igreja nas margens do Rio Liffey, numa cerimônia compartilhada com outros dezesseis recém-nascidos.

"Que pena você não ter ninguém da família aí com você, nessa ocasião", escreveu a Srta. Queenie. "Talvez seu irmão fique satisfeito de ver você e conhecer o novo sobrinho."

Nuala teve dúvidas a respeito. Nasey sempre fora recolhido e distante, pelo que lembrava.

"Vou esperar até ele estar crescidinho antes de apresentá-los", respondeu.

Nuala agora precisava conseguir empregos que lhe permitissem levar o bebê. De início não foi fácil, mas, quando viam as longas horas que ela trabalhava e como a criança dava poucos problemas, a jovem arrumou uma porção de serviços.

Viu muito da vida pelos lares onde trabalhou. Havia mulheres que tinham o maior melindre com seus lares, como se pensassem que a vida era um permanente exame por meio do qual se descobriria que elas estavam em falta. Havia família nas quais marido e mulher mal se tratavam com civilidade. Havia lugares onde as crianças eram mimadas com todos os presentes possíveis e, mesmo assim, não ficavam contentes.

Mas também encontrou pessoas boas e generosas que tratavam a ela e ao seu filhinho calorosamente e se mostravam agradecidas quando ela ia além do costumeiro e lhes cozinhava bolos de batata ou fazia peças de latão velhas e embaçadas brilharem como novas.

Quando Richard completou 3 anos, tornou-se mais difícil levá-lo para as casas das pessoas. Ele queria explorar e correr pelos lugares. Uma das patroas favoritas de Nuala, alguém a quem todos chamavam de Signora, dava aulas de italiano e era uma mulher bem incomum: vivia fora deste mundo, usava extraordinárias roupas flutuantes e ostentava um cabelo comprido com mechas cinzentas, ruivas e castanho-escuras, tudo preso nas costas por uma fita.

Signora não tinha uma faxineira própria, mas pagava a Nuala para limpar a casa da mãe dela por duas tardes por semana. A mãe era uma pessoa complicada, difícil de agradar, que não tinha qualquer palavra boa a dizer a Signora, afirmando apenas que ela sempre fora tola e teimosa e nada de bom resultaria daí.

Mas Signora, se sabia disso, não dava atenção. Comentou com Nuala sobre uma creche pequena e maravilhosa que era administrada por uma amiga dela.

— Ah, isso seria caro demais para mim — disse Nuala, tristemente.

— Acho que eles ficarão muito felizes de mantê-lo lá, se você puder dar algumas poucas horas de limpeza em troca.

— Mas os outros pais talvez não gostassem disso. O filho da faxineira junto com os deles.

— Eles não pensariam assim. E, de qualquer forma, não saberiam. — Signora foi muito enfática. — Você gostaria de uma creche, não é, Richard? — Signora tinha o hábito interessante de conversar com as crianças como se fossem adultas.

— Meu nome é Rigger — falou ele. E, dali em diante, assim foi chamado.

Rigger adorou a creche e ninguém jamais soube que ele chegava lá duas horas antes das outras crianças, enquanto a mãe limpava, polia e aprontava o lugar para o dia.

Por meio de Signora, Nuala conseguiu vários outros empregos nas proximidades. Limpava um salão de cabelereiros, onde eles a faziam sentir que era parte importante de tudo e até lhe faziam de graça umas luzes bem caras. Trabalhava umas poucas horas por semana num restaurante no cais, chamado Ennio's, onde, mais uma vez, estava envolvida com o lugar e eles sempre lhe pediam que experimentasse um prato de massa, que lhe servia como almoço. Depois ela pegava Rigger e o levava consigo, enquanto cuidava de outras crianças e as acompanhava em caminhadas pelo parque St. Stephen, para alimentar os patos.

A família de Nuala não tinha a menor ideia da existência de Rigger. Simplesmente parecia mais fácil assim.

Como acontece em muitas famílias grandes, os filhos que partiam tornavam-se dissociados do seu antigo lar. Algumas vezes, no Natal, Nuala sentia saudade de Stoneybridge e dos tempos em que enfeitava a árvore para as Srtas. Sheedy, que lhe contavam as histórias de cada ornamento. Ela pensava em sua mãe e seu pai, no ganso que teriam para o Natal e nas orações que fariam para todos os emigrantes — especialmente suas duas irmãs que estavam nos Estados Unidos, seu irmão, em Birmingham, e Nasey e ela, em Dublin. Sua vida, entretanto, não era solitária. Como podia ser solitária com Rigger? Eles eram dedicados um ao outro.

Ela não sabia ao certo, de forma alguma, o que a fizera entrar em contato com seu irmão Nasey. Possivelmente outra carta da Srta. Queenie, que sempre via as coisas de maneira muito otimista. Ela disse que talvez Nasey levasse uma vida solitária em Dublin e que poderia gostar de ter a companhia de alguém da sua casa.

Ela mal conseguia lembrar-se dele. Era o mais velho e ela a mais jovem de uma grande família. Nasey não ficaria chocado nem horrorizado por Nuala ter um filho que estava prestes, qualquer dia, a ir para uma escola de meninos crescidos.

Valia a pena tentar.

Ela foi ao açougue onde Nasey trabalhava, segurando Rigger pela mão. Reconheceu-o imediatamente, trajando um casaco branco e cortando com habilidade costeletas de cordeiro com um cutelo.

— Sou Nuala, sua irmã — disse, simplesmente. — E este é Rigger.

Rigger ergueu os olhos para ele com medo, e Nuala olhou longa e fixamente para o rosto do irmão. Então viu um grande sorriso no rosto de Nasey. Ele estava de fato encantado de vê-la. Que desperdício tinham sido aqueles cinco anos em que ela temeria que Nasey não quisesse reconhecê-la.

— Meu intervalo será daqui a dez minutos. Posso encontrar com você no café do outro lado da rua. Sr. Malone, esta é minha irmã com seu menino Rigger.

— Pode ir agora, Nasey. Vocês terão muita coisa para conversar a respeito. — O Sr. Malone foi gentil. E acabou que eles tinham mesmo uma porção de coisas sobre o que conversar.

Nasey foi simpático. Não perguntou nada sobre o pai de Rigger, nem por que ela demorara tanto para entrar em contato com ele. Estava interessado nos lugares onde ela trabalhava e disse que os Malone, uma família realmente decente, estavam procurando alguém para ajudar na casa — ela faria bem em passar lá. Nasey estava em contato com outro sobrinho, Dengo, um bom rapaz, cheio de sonhos e de tolices. O rapaz fazia entregas em seu próprio furgão. Morava sozinho, mas sempre dizia que as pessoas com as quais trabalhava compensavam isso e adorava ouvi-las falar das suas vidas. Ficaria satisfeito de saber que tinha um novo primo.

Nasey perguntou sobre a família deles, e Nuala foi vaga com relação aos detalhes.

— Eles, na verdade, não sabem da existência de Rigger — confessou. Nem precisava ter dito isso. Ele já tinha entendido.

— Não é necessário sobrecarregar as pessoas com informações demais — afirmou, assentindo forte com a cabeça.

Disse que nunca encontrara alguém adequado para si mesmo, mas sempre esperava algum dia encontrar. Não gostava de paquerar garotas em pubs e, honestamente, que outro lugar havia? Estava velho demais para danças e clubes da garotada.

E, daquele encontro em diante, ele se tornou parte das vidas de Nuala e Rigger.

Ele era o tio dos sonhos, que conhecia um guarda no zoológico, que ensinou o sobrinho a andar de bicicleta, que o levou para assistir ao seu primeiro jogo. E, quando Rigger fez 11 anos, foi Nasey quem contou a Nuala que o rapaz estava misturando-se com uma turma barra pesada na escola e que eles tinham sido expulsos de várias lojas por furto de mercadorias.

Ela ficou horrorizada, mas Rigger nem se importou. Todos faziam isso; as lojas *sabiam* que faziam. Era o sistema.

Depois, ele se envolveu com um incidente em que velhos foram ameaçados e forçados a entregar as pensões semanais. Isso o levou ao tribunal infantil e a uma pena de suspensão de liberdade.

E, quando Rigger foi apanhado num depósito roubando aparelhos de televisão, foi para o reformatório.

Nuala não sabia que era possível chorar tanto. Ficou totalmente arrasada. O que acontecera com seu menino? E quando? Nada mais tinha objetivo. Seus empregos, agora, eram apenas isso: empregos.

Ela mal escutava a conversa no salão de cabelereiros de Katie, no restaurante Ennio's, ou em St. Jarlath's Crescent — lugares onde antigamente se sentia tão feliz, onde se envolvia tanto.

Decidiu que lhe escreveria toda semana, mas não tinha ideia dos interesses dele.

Futebol, provavelmente, então ela procurava no jornal da noite para ver que time jogaria em seguida e também para saber se havia algum filme de que Rigger pudesse gostar. Nuala escrevia por semanas sucessivas. Algumas vezes, ele respondia, outras, não, mas ela continuava, toda semana.

Contou-lhe que o pai dela adoecera e morrera e, então, ela voltara a Stoneybridge para o enterro. Disse que era tão estranho como a cidade parecia pequena, depois de passar tantos anos longe. Mal conhecia alguém ali, e suas irmãs e irmãos eram como estranhos. Sua mãe parecia pequena e velha. Muito havia mudado — era como ir para um lugar diferente.

Rigger respondeu a essa carta.

Sinto muito que seu pai tenha morrido. Por que nunca o vimos, nem voltamos para esse lugar? Os sujeitos aqui estão sempre conversando sobre as avós e os avôs.

Nuala respondeu.

Quando você vier para casa, eu o levarei no trem para Stoneybridge e você verá tudo por si mesmo. É uma história muito longa, mas será mais fácil lhe contar tudo a respeito pessoalmente do que escrever.

Quando voltou do reformatório, Rigger tinha 16 anos, e a mãe de Nuala já havia morrido.

Nasey fora sozinho para o enterro, sem Nuala. Ela não se sentira bem de forma alguma no enterro do pai, imaginando que alguns dos vizinhos a olhavam de maneira estranha e que as irmãs sentiam-se aborrecidas com ela por não voltar com mais frequência a Stoneybridge. Seu irmão de Birmingham havia passado um sermão muito irritante sobre o fato de ser tempo de se estabelecer e ter uma família, em vez de apenas correr de um lado para outro e se divertir em Dublin.

Nasey contara à família que via Nuala de vez em quando, mas só, mantendo-se fiel à sua teoria de que as pessoas não deveriam ser sobrecarregadas com informações. Ele trouxe notícias de casa. Duas das Srtas. Sheedy tinham morrido. Agora restava apenas a Srta. Queenie.

E então veio a notícia de que Chicky Starr voltara dos Estados Unidos e ia comprar a Casa de Pedra. A Srta. Queenie moraria lá, durante o resto da vida, e elas iam transformar o lugar num hotel.

Nuala lembrava-se bem de Chicky. Tinham frequentado a escola juntas. Chicky casara-se com um americano chamado Walter Starr e fora morar em Nova York, para onde Nuala lhe escrevera. Seu pobre marido morrera num terrível acidente de automóvel.

Ela teria um baita trabalho para dar um jeito naquela imensa casa bagunçada e transformá-la num hotel onde as pessoas pagariam para ficar.

Quando voltou, Rigger não falou muito sobre o período no reformatório. Ele aprendera um pouco disso e um pouco daquilo, disse. Mas não tinha diploma de nada. Eles haviam feito um pouco de construção na escola: rebocando numa semana, cavando na outra. Nasey disse que tentaria fazer com que Rigger fosse contratado pelo Sr. Malone no açougue, mas os tempos estavam difíceis. As pessoas compravam cada vez mais a carne já cortada e embrulhada no supermercado.

Signora perguntou a Nuala se ela sabia se Rigger voltaria para a escola. Ela lhe daria algumas aulas a fim de tentar ajudá-lo a alcançar os demais, mas ele não queria.

Já tivera escola demais, afirmou.

Nuala nutria esperanças de que ele tivesse superado os modos antigos, que encontrasse novos amigos e uma maneira diferente de viver.

Entretanto, poucas semanas após Rigger chegar em casa, Nuala percebeu que o filho na verdade entrara em contato com todos os antigos amigos que conseguira encontrar. Alguns deles não estavam mais por ali. Dois haviam sido presos, um estava foragido — possivelmente na Inglaterra —, e os demais se encontravam sob a vigilância constante e atenta da polícia.

Rigger fora advertido de todos os lados sobre o perigo de ficar com uma ficha criminal, caso reincidisse em delitos.

Ele saía cedo de casa e voltava tarde, sem dar qualquer explicação ou descrição de onde passara aquele tempo. Uma noite, Nuala ouviu gritos, ruídos de gente correndo e portas sendo batidas com força, e ficou deitada tremendo, à espera da chegada da polícia, com as sirenes uivando. Mas ninguém apareceu.

Na manhã seguinte, ela estava cansada e ansiosa, mas Rigger obviamente dormira bem e parecia despreocupado. Nuala sentiu alívio quando ele lhe disse que ia procurar um emprego.

Nasey ficou surpreso ao ver Rigger entrar no açougue com dois dos seus amigos. Surpreso e não inteiramente satisfeito.

Rigger, porém, viera perguntar se havia algum trabalho eventual — será que poderiam limpar o quintal, por exemplo?

Nasey, satisfeito ao ver algum interesse em trabalho legítimo, correu para o Sr. Malone, perguntando se eles podiam trabalhar por algumas horas. E, para lhes fazer justiça, eles realizaram bem o serviço. Nasey contou tudo a Nuala com prazer. Os rapazes haviam feito o trabalho, ganharam uns poucos euros e foram embora bem satisfeitos.

Nuala começou a respirar bem. Talvez ela tivesse ficado ansiosa demais sem motivo.

Duas noites mais tarde, Nasey dava sua caminhada tarde da noite e passou pelo açougue. Ergueu os olhos automaticamente para o alarme contra roubo e viu, para espanto seu, que não estava ligado. Ele nunca saíra do prédio sem ativá-lo. Horrorizado, entrou e ouviu sons nos fundos da loja, vindos do frigorífico.

Ao entrar, viu três homens levantando carcaças de carne e colocando-as num furgão estacionado no pátio dos fundos.

Correu na direção deles, e um dos homens, deixando cair um grande pedaço de carne, foi até ele com uma barra de ferro nas mãos.

— O que estão fazendo? — gritou Nasey.

Quando o homem estava prestes a golpeá-lo, uma voz gritou de repente:

— Não faça isso, não faça isso, pelo amor de Deus.

O golpe não foi desferido, e Nasey reconheceu que seu protetor era na verdade seu sobrinho Rigger.

— Não acredito, Rigger. — Nasey estava quase em prantos. — Você foi pago por seu trabalho e ainda assim volta para roubar a carne deles.

— Cale a boca, Nasey, seu grande idiota. Saia daqui. Você nunca esteve aqui, está me ouvindo? Vá para casa e não diga nada. Não foi feito nenhum mal.

— Não posso. Não posso deixar o meio de vida do Sr. Malone ser tirado desse jeito...

— Ele tem seguro, Nasey. Ponha a cabeça no lugar, homem.

— Vocês não podem fazer isso. O que vão fazer com as carcaças?

— Cortá-las. Vendê-las nas propriedades em Mountainview. Todo mundo por aqui quer carne barata. Nasey, quer dar o fora daqui?

— Não vou embora e não perdoarei isso.

— Rigger, ou você cala a boca dele ou eu calo — disse um dos outros sujeitos.

Nasey se viu sendo empurrado para fora e pôde sentir a respiração de Rigger no próprio rosto.

— Meu Deus, Nasey, você não tem juízo? Eles iam dar com tudo na sua cabeça. *Sai.* Corre. CORRE!

Nasey correu pelo caminho inteiro até a casa de Nuala e contou a ela o acontecido. Pálidos, os dois ficaram ali, sentados, bebericando de suas canecas de chá.

— Mesmo que eu *não* conte ao Sr. Malone, ele vai saber de qualquer jeito. Não é idiota. Quem mais poderia entrar e fuçar o lugar daquele jeito a não ser aqueles três? E ele sabe que Rigger é o meu sobrinho.

— Lamento tanto, Nasey. — Nuala chorava.

— Temos de pensar no que fazer com o rapaz. Ele vai acabar na cadeia por isso — disse Nasey.

— É tudo minha culpa. Eu deveria ter sido capaz de controlá-lo. Estava ocupada demais ganhando dinheiro para ele. Economizando para uma educação que ele nunca terá.

— Pare com isso. Não é sua responsabilidade.

— Ora, de quem mais será a culpa, se não minha?

— Não é hora de tentar decifrar isso. Precisamos escondê-lo. Os policiais virão procurá-lo aqui.

— Será que poderíamos mandá-lo de volta para Stoneybridge? — O rosto dela revelava desespero.

— Mas quem cuidaria dele lá? E pensei que você não queria que soubessem da existência dele.

— Também não quero que vá para a cadeia. Quem sabe ou não a respeito dele não importa mais.

— Ninguém de lá conseguiria lidar com ele — falou Nasey. — Se houvesse alguém com uma casa em que ele pudesse morar e trabalhar...

Nuala esforçou-se para pensar em alguma coisa.

— Será que ele não poderia trabalhar para Chicky, na Casa de Pedra? A Srta. Queenie me escreveu não faz muito tempo e me disse que ela estava procurando alguém para ajudá-la.

— Ele não permaneceria lá. — Nasey sacudiu a cabeça.

— Ficará, se souber que é isso ou a prisão.

— Telefone para Chicky — disse Nasey.

Ele não ouviu a conversa ao telefone. Ficou lá fora, na rua, esperando Rigger voltar. Viu o rapaz correndo rua abaixo. Rigger estava em casa. Com o rosto pálido e as mãos tremendo. Queria culpar a todos, menos a si mesmo.

— Se eu cair, Nasey, será tudo por sua causa. Os outros rapazes simplesmente me botaram para fora. Não querem que eu fique com nada do que conseguimos. É tão injusto. Planejei tudo. Ensinei a eles a maneira de entrar.

— Sim, você ensinou — concordou Nasey, sombriamente.

— Eu *disse* aos outros que você não ia dar com a língua nos dentes, mas eles não acreditaram. Disseram que você já teria ido à polícia. Você foi?

— Não — respondeu Nasey.

— Ora, graças a Deus. Por que você apenas não recuou e se afastou?

— Fiz isso. Corri, como você mandou.

— E não vai contar? — Rigger parecia uma criança.

— Não *preciso* contar, Rigger. O Sr. Malone saberá.

— Ah, meu Deus, é o Sr. Malone isso, o Sr. Malone aquilo. Você consegue ouvir o que está dizendo? — Rigger falava cheio de escárnio. — Será que você não é grande e velho o bastante para ser seu próprio patrão, em vez de repetir para ele sim, senhor, sim, senhor, estou aqui às suas ordens?

— Descobriram que foi você mesmo que eu me tornasse mudo de repente e jamais voltasse a falar — declarou Nasey.

— Cale essa boca, Rigger, e ouça com atenção — disse Nuala, de súbito.

Ele a olhou em choque. O rosto dela estava duro e não mostrava perdão. Ele jamais a ouvira levantar a voz para ele daquele jeito.

— Vamos tirá-lo de Dublin esta noite. E você não voltará.

— O quê?

— Há um motorista de caminhão levando o veículo de volta para Stoneybridge esta noite. Você irá com ele. Ele vai levar você para a Casa de Pedra.

— O que é a Casa de Pedra? Uma escola? — Rigger estava assustado.

— É onde sua mãe trabalhou quando era jovem. De lá, saiu para ter você, há anos. E todo o prazer e orgulho que isso deveria trazer para ela. — Jamais Nasey falara com tanta amargura.

Rigger tentou falar, mas o tio não o deixou dizer uma só palavra.

— Junte suas coisas, me dê seu telefone e não diga a ninguém para onde vai. Estará em Stoneybridge na hora em que abrirem o açougue de Malone pela manhã.

— Mas você disse que a polícia me encontraria de qualquer jeito.

— Não se você não estiver aqui. Se ninguém souber onde você está.

— Mãezinha, isso é verdade?

— Chicky está me fazendo este único favor. Ela sugeriu o motorista. Manterá você lá por uma semana, para ver como serão as coisas. Se você se meter em qualquer das suas velhas encrencas, ela chamará a polícia e eles trarão você de volta para cá e o meterão atrás das grades num piscar de olhos.

— Mãezinha!

— Não me chame de mãezinha. Nunca fui uma boa mãe para você. Apenas fingimos sermos uma família. Foi isso que aconteceu; está terminando esta noite.

— Nasey?

— Que é?

— Você ficará encrencado? — perguntou Rigger. Era a primeira vez que ele demonstrava ser capaz de preocupar-se com alguém que não ele próprio.

— Não sei. Veremos. Direi ao Sr. Malone que lamento muito tudo isso, que lamento ter feito com que ele lhe desse o trabalho no quintal. Direi que sinto muito, muito mesmo.

— Ele não vai demitir você, não é?

— Quem sabe? Espero que não. Anos de trabalho. Um erro.

— E os outros rapazes...

— Como você disse, eles o expulsaram, mandaram você embora. Não estão pensando em você. Não pense neles.

— Mas e se forem apanhados?

— Serão, mas você estará bem longe, começando num novo trabalho. — Nasey foi calmo e frio.

Então, as coisas aconteceram depressa. A mala de Rigger foi feita em silêncio. O homem com o caminhão vazio chegou. O motorista mudo apenas apontou o assento da frente. Haveria pouca conversa na estrada através da Irlanda.

Quando ele tentou dizer adeus, Nuala se virou para o outro lado. Os olhos de Rigger se encheram de lágrimas.

— Sinto muito, mãezinha — desculpou-se ele.

— Sim — disse Nuala.

E então ele foi embora. Não tinha ideia alguma de que uma viagem pudesse demorar tanto. Também não tinha qualquer ideia do que encontraria pela frente. Recebera instruções muito firmes para não conversar nada com o motorista. Ficou olhando para fora da janela enquanto passavam pelos pequenos campos escuros nas margens da estrada. Como é que as pessoas *moravam* em lugares assim? Algumas vezes, via coelhos e raposas mortos na estrada. Rigger gostaria de ter perguntado por que aqueles animais iam para o meio do trânsito, mas a conversa parecia proibida e então, em vez disso, ouvia intermináveis canções do estilo *country* e *western*, todas falando de perdedores, bêbados e pessoas que haviam sido traídas.

Na hora em que chegaram a Stoneybridge, Rigger estava mais triste do que em qualquer outra ocasião da sua vida.

O motorista o deixou no portão da Casa de Pedra. Sua mãe trabalhara ali. *Morara* ali. Não era de admirar que jamais tivesse voltado. Ele se indagou se ela teria parentes por ali. Será que seu pai morava ali? Casado com outra pessoa, talvez?

Rigger se perguntou por que jamais pedira para conhecê-lo ou desejara isso. Que diabo ele ia fazer ali até as coisas se acalmarem em Dublin, se é que elas se acalmariam algum dia?

Foi até a porta e bateu. Uma mulher com cabelos curtos e cacheados atendeu imediatamente e colocou o dedo em cima dos lábios.

— Entre em silêncio e não acorde a Srta. Queenie — disse ela, em voz baixa, com um leve sotaque americano.

Quem *eram* aquelas pessoas chamadas Chicky e Queenie?

O que ele estava fazendo naquele lugar frio que parecia um celeiro? Entrou numa cozinha miserável, com um fogão quebrado, diante do qual havia um gatinho sentado, aquecendo-se. Era branco, com uma minúscula cauda triangular preta e orelhinhas também pretas. Ao vê-lo, miou sofridamente.

Rigger pegou-o e lhe acariciou a cabeça.

— Como é o nome dele?

— Chegou hoje, como você. Faz uma hora.

— Vai ficar? — perguntou ele.

— Depende. — Chicky Starr não estava cedendo em nada.

Rigger olhou-a nos olhos pela primeira vez.

— Depende do quê? — quis saber ele.

— De ele querer trabalhar duro, de pegar camundongos, de não causar problemas e de se comportar bem com a Srta. Queenie. Esse tipo de coisa.

— Entendo — falou Rigger. E entendeu mesmo. — O que farei primeiro? — perguntou.

— Acho que deveria comer alguma coisa, tomar um café da manhã.

E assim começou. A nova vida de Rigger.

Era uma ideia louca transformar aquela casa num hotel. Que tipo de gente elas achavam que iria parar ali, naquele lugar? Mesmo assim, era a única opção da cidade.

Fora a Srta. Queenie quem trouxera o gato para a casa, o último de uma ninhada nascida num dos chalés da fazenda na parte de baixo do morro. Sua sobrevivência estivera em dúvida até a Srta. Queenie resolver a questão, colocando a minúscula criatura dentro do bolso e trazendo-a para casa. Ela o segurou na palma da mão e conversou com ele suavemente, enquanto o gatinho olhava de modo solene para ela com enormes olhos azul-acinzentados; ela decidira, como disse a Rigger, chamá-la de Gloria. Ele percebeu rapidamente que a Srta. Queenie era como alguém de um velho filme em preto e branco; gostava de manter as tradições da casa como foram, com um pequeno gongo tocado para indicar o horário das refeições e com as mesas postas adequadamente. Nunca saía sem um chapéu elegante e luvas.

Parecia achar que Rigger era um amigo e uma pessoa muito útil, que apareceu na hora certa, bem quando precisavam dele. Contava-lhe longas histórias sobre pessoas chamadas Beatrice e Jessica, além de outras, mortas muito antes. Era totalmente inofensiva, mas talvez sem todos os parafusos no lugar.

Prestando atenção ao conselho de Chicky, Rigger percebeu a importância de ser gentil com a Srta. Queenie. Fazia-lhe uma caneca de chá todas as manhãs e o servia no que era chamado de salão matinal. Ao mesmo tempo, alimentava Gloria.

A Srta. Queenie sabia que não se deve dar aos gatos leite no pires, apenas uma porção de água e um pequeno pacote de comida para gatos; e, com certeza, Gloria parecia dar-se bem com isso. Dormia a maior parte do dia e, sem dúvida, não era uma gatinha com grande cérebro; parecia ter acessos de imensa ansiedade, porque não parava de pensar que sua cauda era outro animal em seu encalço. A Srta. Queenie disse que não se devia culpar inteiramente Gloria por isso. Afinal, a cauda dela *era* de uma cor diferente. A Srta. Queenie fizera uma caminha de gato no canto da cozinha, junto do fogão. Enquanto Gloria dormia, a Srta. Queenie a observava, toda feliz, durante horas.

Chicky era menos próxima. Trabalhava duro e esperava que ele fizesse o mesmo. Tinha pouco tempo para conversa fiada.

Havia tanta coisa para fazer naquele lugar.

Ele cavava os jardins selvagens e maltratados da Casa de Pedra até as costas doerem e o rosto ficar áspero com os constantes borrifos do mar. O solo era duro e pedregoso, e os espinhos e arbustos, enormes. Embora Rigger tentasse se proteger, ficou coberto de arranhões e cortes. Gostava mais quando Gloria decidia fazer-lhe companhia, com sua pequena cauda negra triangular suspensa bem no alto, enquanto farejava o chão onde ele cavara. Agarrava-se nas folhas e mastigava raminhos e, mais de uma vez, evitou ser decapitada apenas por um fio, enquanto Rigger cavava através dos arbustos. A curiosidade dela era infinita e insaciável; explorava incansavelmente enquanto ele continuava trabalhando. E, quando Rigger fazia uma pausa, apoiando-se em sua pá, ela rolava solenemente e ficava de costas, olhando para ele de cima a baixo.

Nos dias em que as tempestades do Atlântico castigavam a casa e a chuva chegava horizontalmente, havia velhos sótãos a serem limpos, móveis para mudar de lugar, peças de madeira a pintar. O trabalho nos velhos alpendres era realizado por dois ou três pedreiros, sempre ocupados derrubando e levantando paredes. Rigger trabalhava para eles, carregando tijolos, pedras e pranchas de madeira. Cortava lenha para as fogueiras e limpava as grades todas as manhãs, depois servia água fresca e o desjejum de Gloria e fazia chá para a Srta. Queenie.

Ela era uma boa velhinha, meio cabeça de vento, claro, mas sem maldade alguma. Estava interessada em tudo e lhe contava longas histórias sobre o passado, sobre quando as irmãs estavam vivas. Elas teriam adorado uma quadra de tênis, mas nunca houve dinheiro para mandar fazer uma.

— Sua mãe era maravilhosa quando estava aqui. Realmente sentimos falta dela depois de ir embora — dizia a Srta. Queenie. — Ninguém sabia fazer bolos de batata como Nuala.

Isso era novidade para Rigger. Ele não se lembrava de, alguma vez, ter comido bolos de batata em casa.

Atrás da cozinha, Rigger tinha um quarto onde dormia, exausto, durante sete horas por noite. Num sábado, Chicky lhe deu uma passagem de ônibus e o valor de uma entrada de cinema e de um hambúrguer na cidade mais próxima.

Ninguém jamais comentava o motivo de ele estar ali, nem o fato de estar escondido. Havia pouco tempo para fazer amigos naquele lugar, e isso também era bom no caso de Rigger. Quanto menos pessoas soubessem da sua presença, melhor.

E, então, ele ouviu a notícia que esperava ouvir.

Nasey telefonou para ele dando os detalhes. Dois jovens tinham sido presos pelo roubo de carne no açougue. Tinham sido levadas ao tribunal e receberam penas de seis meses.

Os policiais vigiaram a casa de Nuala durante várias semanas e, quando viram que não havia sinal algum de Rigger e ninguém sabia para onde ele tinha partido, o assunto foi deixado de lado.

— Como pegaram os dois? — perguntou Rigger, aos sussurros.

Alguém indicou para os policiais a área das propriedades de Mountainview e lá estavam eles, confiantes, indo de porta em porta vender a carne.

Rigger sabia que o "alguém" deveria ter sido Nasey, mas não disse nada.

— E seu emprego, Nasey?

— Continua firme. O Sr. Malone algumas vezes é compreensivo comigo pelo fato de você ter fugido. Ele até me disse que você deve estar melhor fora de Dublin.

— Entendo.

— E talvez ele tenha razão, Rigger.

— Obrigado novamente, Nasey. E a minha mãezinha?

— Ela ainda está um pouco em estado de choque, sabe. Esperou com tanto gosto que você voltasse daquela escola, na verdade contando os dias. Tinha tantos planos para você... e agora tudo acabou.

— Ah, não, não acabou tudo. Não para sempre. Posso voltar agora que os outros estão fora das ruas, não posso?

— Não, Rigger, aqueles sujeitos têm amigos. Eles estão numa gangue. Eu não aconselharia você a voltar para cá por um bom tempo.

— Mas não posso ficar aqui para sempre — gemeu Rigger.

— Você precisa ficar por um bom tempo ainda — advertiu Nasey.

— Sinto falta da minha mãezinha escrevendo para mim, como ela fazia quando eu estava na escola.

— Eu não diria que ela está disposta a escrever. Ainda não. Você mesmo pode escrever para ela sempre que quiser, claro — disse Nasey.

— Acho que posso...

— Ótimo, ótimo. — Nasey desligou.

Talvez a Srta. Queenie o ajudasse a escrever para sua mãe.

Ela foi de fato bastante útil, contando-lhe coisas que poderiam interessar a Nuala: como a casa fora vendida; o fato de as novas casas dos O'Hara — que os tornariam milionários — terem perdido todo o valor e serem como elefantes brancos, sem qualquer comprador; o novo auxiliar do padre Johnson, o qual rezava a maior parte da missa na paróquia.

Rigger não soube se sua mãe achava qualquer dessas coisas interessante, porque ela nunca respondeu.

— Por que acha que ela não me responde? — perguntou ele à Srta. Queenie.

A velha dama não fazia ideia. Seus claros olhos azuis ficaram perturbados e tristes por causa dele, enquanto acariciava Gloria, que estava em cima do seu joelho. Era estranho, disse. Nuala sentia tanto orgulho dele que até enviara fotos do seu batizado e da Primeira Comunhão. Talvez Chicky soubesse o motivo.

Com nervosismo, ele perguntou a Chicky a respeito e ela disse, claramente, que ele devia ter uma visão superotimista da vida, se acreditava que sua mãe superara tudo.

— Não foi fácil para ela telefonar para mim no meio da noite. Não nos víamos fazia quase vinte anos e ela teve de me contar que eu era a única pessoa na Terra que poderia ajudá-la. Não é possível que ela tenha gostado de fazer isso. Eu teria detestado.

— Sim, eu sei, mas será que você poderia dizer a ela que mudei? — implorou ele.

— Já disse isso a ela.

— Então, por que ela não responde às minhas cartas?

— Porque acha que é tudo culpa *dela*. Ela não quer mais envolver-se com você de verdade. Lamento ser tão dura, mas você perguntou.

— Sim, perguntei. — Ele estava muito abalado.

Àquela altura, Rigger realmente havia se interessado por todo aquele plano louco de transformar a casa numa hospedaria elegante. O trabalho duro e a limpeza do terreno haviam terminado, e era hora de reconstruir. Empreiteiros de verdade seriam levados para o serviço. Ele assistiu espantado aos projetos para os banheiros e o aquecimento central serem abertos na mesa da cozinha, enquanto Gloria pulava de um lado a outro. Ficou sabendo de encontros com banqueiros e corretores de seguros, além de planos para a presença futura de designers por ali.

Ele, no entanto, não estava preparado para a ocasião em que Chicky mudou os termos do seu emprego.

— Você está aqui há seis meses e tem sido muito útil, Rigger — disse ela, uma noite, depois de a Srta. Queenie já ter ido para a cama. O rapaz ficou muito satisfeito com o elogio. Não tinha ouvido muitos desses. Rigger esperou o que viria a seguir.

— Quando os construtores vierem para cá, dentro de umas poucas semanas, precisarei de ajuda para levar e trazer a Srta. Queenie do consultório do Dr. Dai e do posto de saúde. Sabe dirigir?

— Sim, sei — respondeu Rigger.

— Mas você tem carteira de motorista? Já fez algum teste de direção ou algo parecido?

— Infelizmente, não — admitiu Rigger.

— Então, esta é a primeira coisa que você deve fazer: tomar algumas aulas de direção com Dinny, na garagem, e fazer o teste. Sabe cultivar?

— Cultivar o quê?

— Deveremos ter nossa própria produção aqui: batatas, verduras, frutas. Talvez tenhamos galinhas, também.

— Está falando sério? — Algumas vezes, Rigger achava que Chicky estava querendo testá-lo.

— Cem por cento sério. Precisamos oferecer aos visitantes alguma coisa especial; fazer com que sintam que este lugar lhes proporciona comida saudável, em vez de apenas irmos à cidade e comprarmos tudo num supermercado.

— Entendo — falou Rigger, que na verdade não entendia nada.

— Então, eu estava pensando que, se chamasse você de meu gerente e lhe pagasse um salário adequado, talvez você sentisse que tem algo mais em jogo aqui para você. Não seria apenas um lugar onde está se escondendo. Seria um verdadeiro emprego, com um verdadeiro futuro.

— Aqui? Em Stoneybridge? — Rigger ficou pasmo com o fato de alguém poder ver *seu* futuro naquele lugar.

— Sim, aqui em Stoneybridge. Não é provável que você tenha condições de voltar para Dublin num futuro próximo. Eu esperava que você pudesse criar algumas raízes aqui, construir algo para si.

— Estou grato a você e tudo o mais, porém...

— Porém o quê, Rigger? Você vê um futuro brilhante para si em Dublin, roubando grandes pedaços de carne e batendo em açougueiros decentes que tentam proteger o próprio negócio?

— Eu não bati em ninguém — defendeu-se, indignado.

— Sei disso. Se não fosse assim, acha que eu o aceitaria? Nasey diz que você salvou a vida dele. Estava decidido a possibilitar que você tivesse um novo começo. Estou tentando dar-lhe isso, mas é difícil.

— Você gosta de mim, Chicky?

— Sim, gosto, sim. Não achei que gostaria, mas gosto. Você é muito bom para Queenie, é amistoso com a gatinha e tem uma porção de boas qualidades. Você é muito jovem. Eu queria permitir que você desenvolvesse algumas habilidades e garantir uma vida para você. Mas você apenas joga tudo de volta para mim e diz que a vida aqui não vale nada. Estou um pouco confusa.

— É que isso simplesmente não é o que pensei que faria na vida — confessou ele.

— Também não é o que pensei que faria na *minha* vida, mas, em algum ponto ao longo do trajeto, temos de pegar o que temos e fazer o que dá.

— Pelo menos a sua má sorte não foi por sua própria culpa — disse Rigger.

— Sob alguns aspectos, provavelmente foi. — Ela desviou o olhar.

— Mas o fato de seu marido morrer e tudo mais... não se pode culpar você por isso.

— Não. Você tem razão.

— Eu ficaria feliz de ser seu gerente, se você ainda quiser me contratar — declarou ele, após uma pausa.

— Começaremos a cavar a horta amanhã de manhã, e sua primeira aula de direção será com Dinny amanhã à tarde. Você começará a aprender as regras de trânsito na estrada amanhã à noite. A Srta. Queenie se encarregará disso.

— Estou preparado — afirmou Rigger.

— Abrirei uma conta no correio para você. Colocarei metade do seu salário nela toda semana e lhe darei a outra metade em dinheiro. Assim você poderá comprar algumas roupas bonitas e levar uma moça para dançar ou o que for.

— Posso contar isso à minha mãe e a Nasey?

— Ah, sim, claro que pode. Mas eu não alimentaria nenhuma esperança com relação à sua mãe.

— Será a primeira gota de boas notícias que ela já teve algum dia a meu respeito — disse ele.

— Não. Ela estava encantada com você, antigamente, quando nasceu. Escreveu e falou com a Srta. Queenie a respeito. Você pesava dois quilos e meio, parece. Mas as coisas são diferentes agora. Nasey diz que ela precisa consultar um médico; é uma espécie de depressão, mas Nuala não quer saber.

Chicky teve a impressão de ver lágrimas nos olhos de Rigger, mas não teve certeza.

As aulas de direção correram bem. Dinny disse que Rigger era destemido, mas imprudente; rápido ao reagir, mas impaciente. As regras da estrada eram uma provação, mas a Srta. Queenie adorava testá-lo todas as noites.

— O que significa um sinal com um círculo cruzado por um x, nos subúrbios de uma cidade?

Que você pode dirigir com a rapidez que quiser? — sugeriu Rigger.

— Não, *errado*, significa que pode dirigir dentro do limite nacional de velocidade — exclamou a Srta. Queenie, triunfante.

— Foi isso que quis dizer.

— Você *quis dizer* dirigir com a rapidez que quiser — afirmou a Srta. Queenie. — Eles reprovariam você.

Ele passou no teste sem problema algum.

Levava a Srta. Queenie de carro para todos os lugares: para a consulta dela com o Dr. Dai, para o hospital, a fim de fazer um check-up, para o veterinário, a fim de castrar Gloria.

— Acho uma pena ela não ter os próprios gatinhos — disse a Srta. Queenie, acariciando a gatinha em seu colo.

— Mas teríamos de encontrar lares para eles, Srta. Queenie. Não poderemos ter uma casa cheia de gatos quando os visitantes vierem. — Rigger percebeu que começava a pensar em si mesmo como parte de todo o projeto.

— Gostaria de ter filhos algum dia, Rigger? — Ela sempre fazia perguntas estranhas, diretas, que ninguém mais fazia.

— Para ser honesto com a senhora, acho que não. Eles parecem dar mais trabalho do que vale a pena. Terminam sempre desapontando a pessoa. — Ele sabia que falava com amargura e tentou rir e tirar o mal de suas palavras. A Srta. Queenie não tinha realmente notado.

— Nós teríamos adorado ter filhos, Jessica, Beatrice e eu mesma. Poderíamos sempre ver nossos filhos brincando em torno da Casa de Pedra, o que era uma tolice porque, se tivéssemos nos casado, não moraríamos mais aqui. De qualquer forma, era tudo um sonho.

— E algum dia houve alguém com quem a senhora teria gostado de se casar, Srta. Queenie? — Rigger surpreendeu a si mesmo perguntando a ela uma coisa dessas.

— Houve um rapaz... Ah, eu teria adorado me casar com ele, mas, infelizmente, havia casos de tuberculose em sua família e, então, ele não podia casar-se, de jeito nenhum.

— Por que não?

— Porque era uma doença dos pulmões e as pessoas podiam pegá-la e transmitir para os filhos. Ele morreu num sanatório, pobre, pobre rapaz. Ainda tenho as cartas que escreveu para mim.

Rigger deu palmadinhas em sua mão e, embaraçado, deu palmadinhas também na cabeça de Gloria. Seguiram de carro em silêncio até chegarem ao veterinário.

— Não se preocupe, Gloria. Você não sentirá nada, queridinha. E, de qualquer jeito, há muito mais na vida do que apenas sexo e filhotes — afirmou a Srta. Queenie, em tom tranquilizador, ao entregar nas mãos do médico a gata, que ronronava.

O veterinário e Rigger trocaram olhares. Não era uma conversa normal na ocasião da cirurgia.

Durante a operação de Gloria, Rigger e a Srta. Queenie foram procurar os itens de uma lista de Chicky. Rigger ficava maravilhado ao ver quantas pessoas o conheciam pelo nome em Stoneybridge e no campo ao redor. Sua mãe ficaria sem dúvida satisfeita de saber que ele era tão bem aceito no lugar onde ela fora criada.

Mas ele ainda estava para receber qualquer palavra dela.

Ele escrevera para Nuala contando-lhe sobre os pintinhos com apenas um dia de vida que eles haviam comprado e os quais tiveram de proteger de Gloria, que queria praticar suas habilidades de caça; contando-lhe sobre como era difícil cavar buracos para plantar batatas. Contou-lhe que o construtor cobrara uma fortuna para fazer um jardim murado, de modo que Rigger o construíra sozinho, colocando uma pedra em cima da outra, e cultivava ali canteiros de plantas que ficavam cada vez maiores. Disse-lhe também que, a cada vez que ele cavava um buraco para plantar alguma coisa, Gloria chegava e se sentava nele, olhando para Rigger com seriedade. Apesar disso, agora havia arbustos e plantas que cresciam contra o muro, chamado *espalier*. Eles tinham feijão-verde e abobrinhas, além de uma grande quantidade de saladas e ervas.

Ele não contou à mãe sobre a linda moça chamada Carmel Hickey, que estava estudando muito para conseguir o certificado de conclusão do curso, mas podia ser persuadida a sair para o cinema ou para um passeio de carro pela costa com Rigger.

Alguns dos vizinhos e, na verdade, a própria família dela preocupavam-se com o fato de Rigger morar na Casa de Pedra com as duas mulheres.

Chicky ria. As pessoas diziam que parecia estranho, mas nada além disso. Ela minimizou esse fato e a vida seguiu fácil para os três, que trabalhavam longas horas e lidavam com pessoas que não apareciam com pontualidade ou sequer apareciam. Ela ensinou Rigger a fazer o tipo de refeições de que a Srta. Queenie gostava: pequenos bolinhos e omeletes. Ele aprendeu rapidamente, com mestria. Era apenas mais uma coisa a saber.

Rigger algumas vezes pedia o conselho de Chicky a respeito do que as moças gostavam. Ele queria fazer um agrado a Carmel. O que ela sugeria?

Chicky pensou que Carmel talvez gostasse de ir para a feira que vinha todos os anos para uma cidade vizinha. Haveria fogos de artifício e carrinhos de bate-bate, além de uma roda gigante e muitos divertimentos.

E, aparentemente, Carmel gostou muito.

Era comovente ver Rigger aprontar-se todo a fim de levar a garota para sair no velho furgão. Chicky suspirou ao vê-los indo na direção dos penhascos. Rigger não bebia, então ela nunca se preocupou com a possibilidade de haver algum perigo pela frente. Ela não poderia ter previsto a conversa que ocorreria poucos meses adiante.

Carmel estava grávida.

Carmel Hickey, com 17 anos e prestes a fazer o exame para o Certificado, o exame de conclusão do ensino médio, teria o filho de Rigger, que tinha 18 anos. Eles se amavam, então fugiriam para a Inglaterra e se casariam. Rigger lamentava muito abandonar Chicky e deixá-la dessa maneira, mas disse que era a única coisa a fazer. Não estava em questão uma interrupção da gravidez, e os pais de Carmel matariam os dois. Não haveria tolerância alguma por parte da família Hickey.

Chicky se mostrou anormalmente calma com relação a tudo aquilo. A primeira coisa que disse foi que eles não deviam contar a ninguém. A absolutamente ninguém.

Carmel deveria prestar o exame como se nada estivesse errado. Depois, dentro de três semanas, quando os exames terminassem, eles poderiam casar-se ali, em Stoneybridge, e ver o que aconteceria depois.

Rigger olhou para Chicky como se ela estivesse louca.

— Chicky, você não tem ideia alguma de como eles ficarão. Vão me esfolar vivo. Têm tantas expectativas para ela: uma carreira, uma vida e, finalmente, um grande partido como marido. Não querem vê-la casada com um joão-ninguém como eu. Jamais aceitarão isso, nem pensar. *Precisamos* fugir.

— Já houve fugas demais — declarou Chicky. — Sua mãe fugiu da daqui. Eu fugi. Agora você. Em algum momento, isso tem de parar. Vamos parar agora.

— Mas o que posso oferecer a Carmel?

— Você tem um emprego aqui, um *bom* emprego, e economias no correio. Deixarei você ficar naquele chalé junto da horta. Você pode fazer um lar ali. Estará fornecendo todos os produtos para a Casa de Pedra e não poderá vendê-los para nenhum outro lugar. Você é um autêntico homem de negócios, pelo amor de Deus. Nesses tempos, eles vão ter dificuldade para encontrar alguém tão disposto e capaz de dar um lar para a filha deles.

— Não, Chicky. Você não sabe como eles são.

— Sei, sim. Conheço os Hickey a minha vida toda. Não estou dizendo que ficarão satisfeitos, mas vai dar muito trabalho para a polícia encontrar você na Inglaterra, ou pedir ao Exército da Salvação que procure seus rastros.

— Casado? Aqui em Stoneybridge?

— Se é o que você quer, então sim. Acho que são ambos jovens demais. Poderiam casar-se muito mais tarde. Mas, se querem isso agora, então deixem o padre Johnson comigo.

— Isso não vai funcionar.

— Vai, sim, se você não disser absolutamente nada e só aprontar aquela casa. Precisa tê-la pronta para mostrar aos Hickey quando contar a eles que Carmel está grávida.

— Chicky, seja razoável. Mesmo que funcionasse, não poderíamos fazer tudo isso em três semanas ou num mês.

— Se eu disser aos construtores que o Chalé de Pedra é a prioridade, então podemos. E você pode pegar uma parte dos móveis que temos em estoque aqui.

Ele a olhou com alguma esperança.

— Acha mesmo que...

— Não temos um só minuto a perder. Também não conte à sua mãe. Ainda não.

— Ah, meu Deus, ela também vai enlouquecer. Mais notícias ruins.

— Não quando ela souber de tudo junto. Não quando ela souber que você tem uma casa, um bom emprego e uma noiva. Onde estão as notícias ruins, aí? Não é isso que ela sempre quis para você?

Carmel Hickey revelou-se surpreendentemente prática. Jurou que concentraria sua atenção apenas nos exames e dizia, ao mesmo tempo, que queria como carreira aprender contabilidade e fazer estudos comerciais. Insistiu que Rigger passasse todas as horas do dia aprontando o Chalé de Pedra e correndo. Parecia imensamente aliviada por não precisarem pegar o navio dos imigrantes e viver de nada na Inglaterra.

Carmel tinha toda confiança em Chicky, até na questão de manter o padre Johnson do lado deles.

E ela estava certa em confiar. Quando terminaram os exames para o Certificado, o padre Johnson fora convencido de que um bom casamento cristão, a ser celebrado entre duas pessoas admitidamente muito jovens e muito ligeiramente grávidas, era uma coisa boa e não ruim.

E, quando os Hickey começaram a gemer e protestar, o padre Johnson já estava reprovando-os e lembrando-lhes de que não deveriam tentar obstruir o caminho de Deus.

Os Hickey abrandaram um pouco depois de sua primeira visita ao Chalé de Pedra e das evidências de que Rigger parecia mais ser o próprio patrão do que apenas um pau-pra-toda-obra de Chicky. Tiveram de admitir que o lugar era muito confortável e o que eles chamaram de "bem-escolhido".

Gloria decidira vir embelezar o lugar. Sentou-se, lavando-se, junto da pequena área, conferindo ao lugar um ar de domesticidade. Abajures antigos, que as Srtas. Sheedy outrora adoravam, tinham sido trazidos e polidos, tapetes foram feitos cortando os melhores pedaços de velhos tapetes, e tudo estava recém-pintado.

O casamento seria discreto e tranquilo. Eles não desejavam um espetáculo.

Nuala escreveu uma carta curta e deu um rápido telefonema para lhes desejar tudo de bom, mas para dizer, também, que não poderia comparecer.

— Ah, mãezinha, mas eu adoraria que você estivesse aqui para conhecer Carmel e ver nossa casa. — Rigger não acreditara que ela se recusaria a ir.

— Não posso, Rigger. Não funcionaria. Enviarei aos dois meus bons votos e minhas esperanças quanto ao futuro. Tenho certeza de que irei um dia e visitarei você em outra ocasião.

— Mas só terei um dia de casamento, mãezinha.

— É mais do que eu tive — disse Nuala.

— Mas por que ainda está contra mim, mãezinha? Fiz o que você e Nasey disseram que eu devia fazer. Construí uma vida aqui. Trabalhei duro. Desisti de toda aquela maneira estúpida de levar as coisas. *Por que* você não quer vir assistir ao nosso casamento?

— Falhei com você, Rigger. Não lhe dei uma criação. Não pude cuidar de você nem o orientar. Deixei que transformasse sua vida numa confusão. Não tive participação alguma no que você se tornou. Você fez tudo isso sem mim.

— Não fale assim. Eu não seria *nada* se não fosse você. Eu era o idiota que não queria escutar. Por favor, venha, mãezinha.

— Desta vez, não, Rigger. Mas talvez um dia.

— E sobre o bebê... se for uma menina, vamos dar-lhe o nome de Nuala.

— *Não faça isso*! Por favor, não. Sei que você pensa que me agradaria, mas, de verdade, não quero.

— Por que, mãezinha? Por que diz isso?

— Porque não mereço. Quando foi que já fiz alguma coisa adequada por você, Rigger? Alguma coisa que tenha funcionado? Pergunto isso a mim mesma repetidas vezes, mas não consigo encontrar uma resposta.

Ela mandou um jarro de vidro chique de presente de casamento, com um cartão dizendo que sentia muito não poder estar lá pessoalmente.

Carmel entendeu.

— Devemos deixar que ela espere até se sentir preparada. Quando o bebê nascer, sua mãe estará aqui como um relâmpago e, então, nós lhe mostraremos que bom trabalho ela fez por você.

O dia do casamento em si foi melhor do que poderia ter esperado. Nasey veio de Dublin com o primo de Rigger, Dingo.

O tio acalmou as coisas com os Hickey. Se pudesse, a mãe de Rigger com certeza estaria ali, mas, infelizmente, não se sentira bem o suficiente para viajar. Mandava a todos os seus bons votos.

Em particular, ele contou a Chicky que sua irmã estava ficando cada vez mais reclusa.

Não valia a pena perturbar o rapaz contando-lhe isso, mas ela parecia ter-se desligado do filho por completo.

A Srta. Queenie estava inteiramente resplandecente no casamento, usando um vestido de brocado rosa-escuro que vestira pela última vez 35 anos antes e um chapéu combinando, com flores em torno da aba. Chicky comprou para si um elegante vestido de seda azul-marinho, com casaco da mesma cor. Escolheu um chapéu de palha simples e colocou na aba flores de seda azul-marinho e branco. Os Hickey iam parecer tão bem de vida quanto qualquer um nesse casamento.

Chicky serviu um delicioso carneiro assado no almoço, no Chalé de Pedra, e fizeram um bolo de casamento igual ao que os Hickey poderiam ter visto num hotel cinco estrelas, se algum dia tivessem estado em algum. Não houve lua de mel, porque o jovem casal estava trabalhando duro, consertando os poleiros das galinhas e o novo telheiro para a ordenha. Três vacas já tinham sido compradas no mercado de gado e pastavam nos campos. O Chalé de Pedra forneceria seu próprio leite para os hóspedes, bem como iogurte e até manteiga orgânica. Havia muito a ser feito.

Carmel ajudou Chicky a examinar os esquemas de cor para os quartos. Ela tinha um bom olho e descobriu onde escolher os materiais. Desprezava profundamente os caros conselhos e o gosto de alguns dos decoradores de interiores que encontraram ao longo do caminho.

— Honestamente, Chicky, eles não sabem nada mais do que nós. Sabem menos, de fato, porque você se lembra de como era esta casa. Eles estão apenas tentando imprimir sua própria imagem ao lugar.

Mas Chicky disse que já estavam gastando muito e que o custo de um decorador não faria tanta diferença assim. Pelo menos saberiam se elas estavam seguindo a direção certa.

A sobrinha de Chicky, Orla, não tinha certeza, mas concordou. Que dessem uma chance aos decoradores. Orla voltara de Londres após conversar novamente com Chicky, e se comprometera a fazer parte da equipe algumas semanas antes.

— Eu não poderia voltar para Stoneybridge agora — dissera Orla —, não depois de Londres, e minha mãe está me enlouquecendo. Chicky, posso ficar aqui com você na Casa de Pedra? Há bastante espaço.

— Não, já fiz o suficiente para aborrecer essa família no passado. Não vou ser acusada de sequestrar você. Só vá e durma na casa da sua mãe, mesmo.

— Não posso fazer isso. Ela está no meu pé o tempo todo: por que não fiquei noiva de um banqueiro como Brigid O'Hara? O que estava eu *fazendo* em Londres, para não conhecer algum rapaz rico e idiota como Brigid fez?

— Também não quero Kathleen no *meu* pé. Aguente, Orla. E, se decidir *mesmo* voltar e trabalhar comigo, encontrarei para você uma residência própria. Há uma porção de chalés caindo aos pedaços por aqui. Podemos consertar um deles.

— Isso significaria dizer que vou ficar em Stoneybridge para sempre.

— Não, não significaria. Podemos sempre alugá-lo ou vendê-lo depois. Eu lhe dei um ótimo treinamento. Você cozinhará maravilhosamente quando terminarmos. Mas não fique aqui nesta casa. Você precisa de um lugar no qual relaxar depois de um dia de trabalho.

— Você é um milagre, é isso que você é.

— Não, sou só bastante experiente — disse Chicky, e a decisão estava tomada.

Rigger e Carmel, decididos a se pôr à prova diante de todos, trabalharam sem cessar para transformar seus planos em realidade. Rigger queria fazer entregas em fazendas distantes, até perto de Rocky Ridge, mas Carmel avisou que seus primos, que administravam as mercearias locais, ficariam ressentidos com isso e alegariam que Rigger e Carmel estavam prejudicando seu sustento.

Como Chicky já fizera, eles tinham de procurar negócios sem se indispor com os lojistas que ganhavam a vida pela área. Deviam tentar proporcionar um novo serviço, em vez de substituir os já existentes. Então, resolveram fazer marmeladas e geleias e descobriram pequenos vidros atraentes para elas, com "Chalé de Pedra" pintado em cada um.

Logo os hotéis e lojas turísticas estavam comprando os produtos deles e pedindo mais.

Carmel encontrou alguns velhos livros de cozinha e aprendeu a fazer molhos chutney, bem como picles e uma gelatina típica da Irlanda, especialmente gostosa, preparada com as algas marrom-avermelhadas que chegam com as ondas às praias da região. Chicky lembrou-se de que, nos tempos em que ela era jovem, *tinha* feito isso sob a forma de um pudim grosso e leitoso, mas o prato de Carmel era inteiramente diferente. Com ovos, limão e açúcar, era tão leve quanto uma pena, e ela o servia com um creme de chantilly, arrematado com uísque irlandês.

A Srta. Queenie estava muito interessada no novo bebê e foi a primeira a ouvir quando Carmel e Rigger voltaram pasmos do hospital, onde haviam descoberto que não seria um único bebê, mas dois.

O Dr. Dai Morgan, um galês que fora acolhido como nativo em Stoneybridge quase trinta anos antes, ficou encantado por eles.

— Um prazer duplo com metade do esforço — disse ele aos dois jovens, ainda meio atordoados com a ideia.

— Que maravilha! Uma família já pronta, tudo num pacote só, e eles serão uma ótima companhia um para o outro. — A Srta. Queenie bateu palmas.

Era exatamente o que Rigger e Carmel precisavam ouvir, depois da sua própria reação: a de que já seria difícil cuidar de um bebê — de dois, então, seria impossível.

Era difícil fazer Carmel encarar as coisas com mais calma. Entretanto, conversando entre eles, conseguiram fazê-la perceber que essa aceitação era uma prioridade.

Tinha acontecido no meio da noite. Rigger mantivera a calma. Telefonara para o Dr. Morgan, que o instruíra a acordar Chicky imediatamente e dizer a ela que preparasse tudo. Parecia tarde demais para irem ao hospital. Ele estaria ali dentro de dez minutos, chegando à porta do Chalé de Pedra antes que eles ao menos tivessem absorvido o que estava acontecendo.

Chicky também estivera lá, com toalhas e uma sensação de controle que os acalmou. O casal de bebês tinha nascido e estava nos braços de Carmel antes do amanhecer.

Quando a Srta. Queenie foi tomar café, encontrou Chicky e o Dr. Dai tomando um conhaque com café.

— Perdi tudo — disse ela, desapontada.

— Pode ir até lá e vê-los dentro de meia hora. A enfermeira está lá, neste momento. Todos estão ótimos — informou o médico.

— Graças a Deus. Agora, acho que devo tomar um minúsculo conhaque também, para celebrar o nascimento dos bebês.

Durante o dia inteiro, eles entraram e saíram para ver os bebês.

A Srta. Queenie já podia notar semelhanças de família, embora os bebês tivessem apenas algumas horas de vida. O menino era a cara de Rigger; a menina tinha os olhos de Carmel. Ela estava louca para saber que nome dariam a eles.

Chicky estava prestes a dizer que os pais, provavelmente, precisavam de tempo, mas eles já haviam escolhido os nomes. O menino seria Macken, como o pai de Carmel, e a menina seria Rosemary. Ou talvez Rosie.

— De onde você tirou esse nome? — perguntou Chicky.

— É o nome da Srta. Queenie. Ela foi batizada Rosemary — respondeu Rigger.

Chicky sorriu para ele, através das lágrimas. Imagine, Rigger, o rapaz amuado, rebelde, que chegara à porta da sua casa, sabendo disso e tendo a bondade de pensar em homenagear a velha senhora. Ela sentiu uma onda de tristeza pelo fato de Nuala não partilhar desse entusiasmo. Era como se ela própria assumisse o papel de Nuala como uma segunda avó para os bebês. Nuala deveria estar ali, arrancando o poder da vovó Hickey, em vez de viver em algum nevoeiro louco de culpa, em Dublin, e levar a si mesma à morte a troco de nada.

Mas era um prazer tão grande olhar para a Srta. Queenie. Ninguém jamais gostara tanto de cuidar de crianças quanto ela.

— Ora, *nunca* pensei que isso aconteceria! — dizia a Srta. Queenie, maravilhada. — Vocês entendem, nossos próprios filhos não se materializaram, e nunca tive sobrinha. Ou seja, jamais houve alguém para receber meu nome, e agora há.

Houve uma porção de assoar de narizes e pigarros, e depois a Srta. Queenie perguntou, de repente:

— Nuala não se sente simplesmente encantada pelos bebês estarem aqui?

Nuala.

Na verdade, ninguém tinha lhe contado ainda.

— Se quiserem que eu...? — começou Chicky a dizer.

— Não, vou telefonar para ela eu mesmo — falou Rigger. Ele se afastou do grupo e discou o número da mãe.

— Ah, Rigger. — A voz de Nuala estava cansada, mas ela provavelmente *estava* mesmo cansada. Só Deus sabia quantos serviços de limpeza assumira naqueles dias.

— Achei que gostaria de saber. Os bebês estão aqui: um menino e uma menina.

— É uma boa notícia. Carmel está bem?

— Sim, ela está ótima. Tudo aconteceu muito depressa, e as crianças são perfeitas. Perfeitas. Cada uma pesa dois quilos. São lindas, mãezinha.

— Tenho certeza de que sim. — Sua voz ainda era calma, em vez de entusiasmada.

— Mãezinha, quando eu estava nascendo, foi rápido ou demorou muito?

— Demorou um longo tempo.

— E você ficou sozinha num hospital?

— Bem, havia enfermeiras ao redor e outras mães tendo bebês.

— Mas não havia ninguém querido com você?

— Não. Mas o que importa, agora? Foi há muito tempo.

— Deve ter sido terrível.

Houve um silêncio.

— Vamos chamá-los de Rosie e Macken — informou Rigger.

— São nomes bonitos.

— Você disse que não queria que chamássemos a menina de Nuala.

— Sim, eu disse, Rigger, e estava falando sério. Pare de se desculpar. *Rosie* está ótimo.

— Ela vai correr o mundo, mãezinha. Ela e o irmão.

— Sim, claro.

E, então, ela desligou.

Que tipo de mulher poderia ligar tão pouco para o nascimento de netos? Não era normal. Mas, na verdade, desde aquela noite do episódio no açougue de Malone, mãezinha não estava normal. Será que ele, de fato, a havia enlouquecido?

Rigger não permitiria que isso o derrubasse. Aquele era o melhor dia da sua vida.

Não seria arruinado.

Não faltou gente para ajudar com os gêmeos, e os bebês cresceram com um lar tanto em sua própria casa como no casarão. Dormiam no cercado, enquanto Chicky e Carmel examinavam catálogos e amostras de tecidos na mesa da cozinha. Ou, se todos saíssem, a Srta. Queenie ficava ali sentada olhando fixamente para os dois rostinhos. E, vez por outra, pegava Gloria no colo, para a gata não sentir ciúme.

Nasey anunciou que se casaria com uma mulher realmente maravilhosa chamada Irene, em Dublin. Esperava que Rigger e Carmel fossem ao casamento.

Eles discutiram sobre o assunto. Embora não quisessem sair de casa, queriam estar lá para apoiar Nasey, mostrando que ele tinha a ambos. Estavam também loucos para ver essa Irene. Tinham pensado que Nasey estava bem alheio a perspectivas de romance. Seria a maneira ideal para eles encontrarem Nuala em território neutro.

— Ela ficará impressionada quando vir as crianças — disse Rigger.

— Não podemos levar Rosie e Macken.

— Não podemos deixá-los.

— Sim, podemos. Por uma noite. Chicky e a Srta. Queenie cuidarão deles. Minha mãe fará isso. Há uma dúzia de pessoas que farão.

— Mas quero que ela os conheça. A voz de Rigger soava como a de um menino de 6 anos.

— Sim, quando estiver preparada, ela os conhecerá. Mas não está preparada ainda. De qualquer jeito, isso nos colocaria no centro das atenções no casamento, com nossos bebês gêmeos. E o dia é para ser de Nasey e Irene.

Rigger viu a sensatez naquilo, mas seu coração estava pesado com o fato de a mãe não se abrir para eles nem de uma maneira tão simples. Sabia que Carmel estava certa. Então, não desta vez: era suficiente que ele visse a mãe outra vez. Aquilo precisava ser feito em etapas.

Quando Rigger viu a mãe, mal a reconheceu. Ela parecia ter envelhecido muito. Havia rugas em seu rosto das quais ele não se lembrava, e ela caminhava encurvada.

Será que tudo isso podia ter acontecido num período tão curto?

Nuala foi perfeitamente cortês com Carmel, mas havia uma distância quase assustadora nela. Durante a festa no pub, Rigger puxou o primo Dingo para um canto.

— Diga-me o que há de errado com minha mãezinha. Ela não é ela própria.

— Está assim há muito tempo — confidenciou Dingo.

— Assim como? Parece ouvir as coisas apenas pela metade.

— É como se não estivesse aqui. Nasey diz que foi tudo por causa do choque de... Bom, o que quer que seja, aconteceu naquela época.

Dingo não queria trazer de volta lembranças ruins.

— Mas ela deveria ter superado isso, agora — exclamou Rigger. — As coisas estão diferentes.

— Ela achou que fez uma grande besteira em sua criação. É o que Nasey diz. Ele não consegue convencê-la de que é tolice.

— O que posso fazer para explicar a ela?

— Tem a ver com a maneira como ela se sente por dentro. Você sabe, como aquelas pessoas que se acham gordas e deixam de comer até morrer. Ela provavelmente precisa de um psiquiatra — disse Dingo.

— Meu Deus do céu. Isso é desesperador. — Rigger estava horrorizado.

— Escute, não quero que fique deprimido por causa disso. É o dia do casamento de Nasey e Irene. Por favor, abra um sorriso.

Então, Rigger abriu mesmo um sorriso e até conseguiu cantar "The Ballad of Joe Hill", que caiu muito bem.

E, quando Nasey estava fazendo seu discurso, colocou um braço em torno dos ombros de Rigger e Dingo e disse que ele tinha os melhores sobrinhos do mundo.

Rigger olhou para a mãe. O rosto dela estava vazio.

Carmel notou tudo e entendeu a maioria das coisas sem ser preciso que lhe explicassem. Ela não demorou muito para captar o quadro ali. Conversara com a sogra sobre assuntos muito distantes de Rigger e da família. No entanto, dos tópicos que ela levantou, um por um parecia despencar no chão. Não adiantava perguntar sobre programas de tevê — Nuala não tinha aparelho de televisão. Raramente ia ao cinema. Não tinha tempo para ler. Admitiu que era mais duro conseguir empregos decentes por causa da recessão. Ninguém pagava à pessoa mais do que o salário mínimo. As mulheres não davam mais as próprias roupas, como costumavam fazer; agora as vendiam na internet.

Ela respondia às perguntas como se aquilo fosse uma entrevista numa delegacia de polícia. Não havia nada dos vaivéns normais de uma conversa. Além de esperar que tudo estivesse bem lá em Stoneybridge, ela não perguntou nada sobre o neto e a neta.

— Você não vai beber alguma coisa, Nuala? — perguntou Carmel.

— Não, não. Nunca tive esse hábito.

— Rigger também não bebe, o que o torna muito incomum em nossa parte do mundo, mas adoro uma taça de vinho de vez em quando. Posso pegar uma para você?

— Se você deseja, então, sim — respondeu Nuala.

Carmel trouxe duas taças de vinho branco para a mesinha onde estavam.

— Boa sorte para a noiva e o noivo — disse.

— Desejo o mesmo. — Nuala ergueu a taça mecanicamente.

— Vou assumir um grande risco aqui, mas vou lhe dizer uma coisa. *Amo* Rigger com todo o meu coração. Ele é um marido e um pai perfeito. Você não sabe disso porque não o viu nesse papel. Ele trabalha durante todas as horas do dia. Há uma coisa que ele não é: ele não é um filho. Ele não é filho de ninguém. Sendo agora ele próprio um pai, Rigger gostaria de saber alguma coisa sobre o próprio pai, mas não faria a você qualquer pergunta a respeito dele, nem em um milhão de anos. Mas, mais importante do que qualquer coisa, ele quer a mãe de volta. Quer tanto partilhar com você essa boa vida que tem agora.

Nuala olhou para ela, pasma.

— Não fui embora — declarou.

— Por favor, deixe-me terminar e depois prometo que jamais voltarei a mencionar isso. Ele simplesmente não está completo. Você é a única peça que falta do quebra-cabeça. Ele nunca pensa que você foi uma mãe ruim. Todas as coisas que diz a seu respeito são altamente elogiosas. Eu morreria feliz se pensasse que meu filho Macken falaria tão bem de mim. Você *não precisa* fazer nada, absolutamente, Nuala. Pode esquecer-se de que eu disse qualquer uma dessas coisas. Não contarei a ele. Rigger queria trazer as crianças aqui para conhecerem você, mas eu lhe pedi que não fizesse isso. Disse que, um dia, conheceriam a avó deles, Nuala, mas só quando ela se sentisse preparada. Você diz que se sente culpada por tê-lo deixado agir de forma selvagem. Ele agora se sente culpado por ter feito você perder o equilíbrio e arruinar sua vida.

— Perder o equilíbrio?

— Bem, é isso, não é? Você está com um desequilíbrio. Precisa de alguém para ajudá-la a consertar a balança. Como se estivesse com uma perna quebrada. Não ficaria boa se alguém não a endireitasse.

— Não preciso de médico.

— A certa altura, todos precisamos de um médico, ao longo do nosso caminho. Por que não experimenta? Se não adiantar, não adiantou, mas, pelo menos, tentou.

Nuala não disse nada.

E então Carmel decidiu encerrar por ali.

— Estaremos sempre prontos. E ele precisa ser novamente um filho. Isso é de fato tudo que eu queria dizer.

Ela mal ousou olhar Nuala nos olhos. Fora longe demais.

A mulher não estava bem. Vivia num mundo próprio. Tudo o que Carmel fizera foi aborrecê-la e perturbá-la mais.

Carmel, entretanto, achou que o rosto enrugado, tenso, mudara ligeiramente. Nuala ainda não dissera nada, mas, sem a menor dúvida, parecia menos tensa, suas mãos não agarravam a beirada da mesa com tanta força.

Era uma fantasia ou era verdade?

Carmel sabia que já dissera mais do que o suficiente. Não falaria mais. Permaneceu sentada muito quieta por um tempo que pareceu muito longo, mas provavelmente fora apenas um ou dois minutos. Em torno delas, os convidados do casamento cantavam "Stand By Your Man".

Rigger veio na direção delas.

— Eles irão embora dentro de poucos minutos. Quer um pouco de confete para jogar nos noivos? — perguntou.

Agora Carmel percebeu que o rosto de Nuala havia mudado. Ela estava com certeza olhando para o rosto ansioso e feliz do filho com olhos diferentes. Era como se pudesse ver que o rapaz não era alguém que ela destruíra, mas um homem orgulhoso e feliz, confiante e firme como um rochedo.

— Sente-se por um minuto, Rigger; conhecendo Nasey, sei que ainda demorarão horas antes de ir embora.

— Claro. — Ele estava surpreso e satisfeito.

— Eu só estava me perguntando quem está tomando conta de Rosie e Macken esta noite.

— Chicky e a Srta. Queenie. Elas têm o número do nosso celular. Chicky telefonou há uma hora para dizer que estavam todos dormindo, menos ela: a Srta. Queenie, os gêmeos, Gloria...

— Gloria?

— É a gata. Ela dorme profundamente.

— A gata não dorme no berço, não é? — Nuala parecia ansiosa.

— Não, Gloria é preguiçosa demais para subir até essa altura. De qualquer jeito, eles são vigiados o tempo todo.

— Ótimo, ótimo.

— Chicky queria saber como tudo estava indo — comentou Rigger.

— E o que você disse a ela? — Sua mãe estava fazendo mesmo uma pergunta, procurando informações.

— Falei que foi um ótimo casamento — contou Rigger.

— Você vai falar com ela de novo esta noite? — quis saber Nuala.

— Ah, pode ter certeza de que sim. Esta é a primeira noite em que nos afastamos dos gêmeos — respondeu Carmel.

— Será que poderia dizer a ela que vigie os dois com muita atenção e que irei vê-los eu mesma daqui a não muito tempo? Preciso só resolver algumas questões médicas, mas depois estarei lá.

Rigger lutou para encontrar as palavras. Estava decidido a não quebrar o estado de espírito. Não era hora para abraços e lágrimas.

— Elas ficarão muito contentes de ouvir isso, mãezinha — falou ele. — Muito contentes mesmo.

Exatamente nesse momento houve uma corrida para a porta. Os recém-casados estavam *mesmo* indo embora.

Carmel olhou para Nuala. Queria dizer a ela que, com aquelas palavras, ela fizera o filho sentir-se completo.

Mas não havia necessidade. Nuala sabia.

Orla

Quando Orla tinha 10 anos, uma nova professora passou a lecionar no Convento Santo Antônio. Era a Srta. Daly. Ela tinha cabelo vermelho e comprido e nem um pouquinho de medo das freiras, do padre Johnson ou dos pais das meninas, que exigiam que elas conseguissem grau de distinção e bolsas de estudo para a universidade. Ela lhes ensinava Inglês e História e tornava tudo interessante. As meninas eram todas loucas pela professora e queriam se tornar exatamente como ela quando crescessem.

A Srta. Daly tinha uma bicicleta de corrida e podia ser vista voando pelas estradas nos penhascos, pedalando feito louca. As meninas *deviam* fazer exercícios, disse-lhes, ou acabariam como velhinhas encarquilhadas que precisavam rastejar de um lado para outro. Mantendo-se em boa forma, poderiam se divertir mais. De repente, as alunas do convento tornaram-se viciadas em dietas e exercícios. A Srta. Daly dava uma aula de dança de manhã cedo e todas apareciam por lá, ansiosas por novas rotinas.

A Srta. Daly disse-lhes que eram muito tolas de resistir às aulas de computação, pois esse era o futuro e seria o passaporte delas para saírem de uma vida monótona. E até as alunas barulhentas e turbulentas, como Orla e sua amiga Brigid O'Hara, a escutaram e perceberam que fazia sentido. Participaram dos eventos para levantar fundos e conseguir mais computadores para a escola.

Os pais delas nutriam sentimentos conflitantes em relação à Srta. Daly. Estavam satisfeitos e, na verdade, pasmos, por ela ter tanta influência sobre as crianças e ser capaz de controlá-las como nenhuma outra professora nem sequer sonhara. Por outro lado, a Srta. Daly usava shorts muito curtos quando em sua bicicleta de corrida e era quase saudável demais, com seu cabelo molhado e aparência de quem acabou de sair do mar em todas as estações do ano. Bebia grandes copos de cerveja nos pubs locais, o que as mulheres não costumavam fazer.

Contava-se que um proprietário de bar mais velho hesitara antes de encher o copo de cerveja para ela, dizendo que as damas habitualmente não eram servidas de tal maneira. Comentou-se que a Srta. Daly disse, de modo cortês, que ou ele servia a cerveja ou enfrentaria um processo na Comissão de Igualdade da Irlanda, como ele preferisse. E então o senhor serviu a cerveja.

A Srta. Daly não era vista regularmente na missa dominical, mas dedicava um número maior de horas àquela escola do que qualquer outro membro do corpo docente algum dia fizera. Estava lá meia hora antes de começarem as aulas, com sua aula de dança e, depois que a sineta tocava, às quatro da tarde, estava lá na sala dos computadores, ajudando e encorajando as alunas. Uma geração de meninas do Santo Antônio passou a tomar a Srta. Daly como modelo de comportamento. Ela lhes disse que não havia nada que não pudessem fazer, e as garotas acreditaram profundamente no que ouviram.

Quando Orla estava em seu último ano, aos 17, a Srta. Daly anunciou que ia deixar o Santo Antônio; deixar Stoneybridge. Contou a todos, inclusive às freiras, que conhecera um rapaz fabuloso chamado Shane, de Kerry. Ele tinha 21 anos e estava tentando estabelecer um centro de hortaliças. Era lindo, doze anos mais novo e obcecado por ela. Srta. Daly pensou que ajudaria Shane a colocar seu centro de hortaliças no mapa.

As freiras ficaram muito surpresas com isso e tristes por vê-la ir embora.

A Madre Superiora cometeu o erro de insinuar que um casamento com um homem muito mais jovem podia ter suas armadilhas, mas a Srta. Daly tranquilizou-a dizendo que casamento era a última coisa em que pensava e que, confidencialmente, o casamento estava realmente fora de moda.

A Madre Superiora ficou chocada, mas a Srta. Daly não se arrependeu.

— Mas você não percebeu isso por si mesma, Madre Superiora? Quero dizer, a senhora estava adiante do seu tempo, quando decidiu evitar essa coisa toda...

As meninas organizaram um piquenique de despedida para a Srta. Daly — uma fogueira na praia, certa noite. Ela lhes mostrou fotos de Shane, o rapaz do Kerry, e implorou a todas que viajassem e vissem o mundo. Disse-lhes que lessem um poema todos os dias e pensassem nele e, sempre que fossem a um novo lugar, pesquisassem sua história bem como o que tornara aquele lugar como ele era.

Disse que elas deviam aprender todos os tipos de coisas enquanto ainda eram jovens, como jogar bridge, trocar o pneu de um carro e secar o próprio cabelo de forma adequada. Essas coisas não eram em si imensamente importantes, mas, mais tarde, faziam a pessoa parar de desperdiçar tempo e dinheiro.

Deu a elas seu e-mail e disse que esperava ter notícias de todas cerca de três ou quatro vezes por ano, para sempre. Esperava que fizessem grandes coisas. Elas choraram e lhe imploraram que não fosse embora, mas Srta. Daly lhes disse que olhassem novamente para a foto de Shane e perguntassem a si mesmas, seriamente, se alguma pessoa com a cabeça no lugar o deixaria escapar.

Orla de fato escreveu mesmo a Srta. Daly, contando-lhe sobre o curso que fizera em Dublin e sobre o fato de ter ganhado a medalha no fim do ano. Contou que achava a mãe totalmente insuportável, cheia de atitudes típicas de cidade pequena e que, quando voltou de Dublin, não demorou três dias para que tivesse uma briga explosiva com ela por causa de alguma coisa inteiramente irrelevante, como as roupas que usava ou a hora em que chegava em casa à noite. Seu pai apenas lhe implorava que não causasse problemas. Qualquer coisa por uma vida tranquila. Sua tia Chicky, que voltara para sua terra depois de viver na

América, era muito diferente; um espírito verdadeiramente livre, e Orla esperava ir de férias com Brigid para Nova York, a fim de vê-la. Orla sempre perguntava sobre Shane e o centro de hortaliças, mas não tinha respostas para isso. A Srta. Daly estava apenas interessada na vida das suas alunas, não em lhes contar histórias sobre a sua própria.

Então Orla escreveu e disse que toda a viagem para Nova York tinha sido cancelada, porque tio Walter morrera num horrendo desastre numa autoestrada. A Srta. Daly lembrou-lhe que a vida estava em suas mãos. Ela deveria tomar as próprias decisões.

Por que não conseguir um emprego longe de casa e voltar de forma abrupta para curtas visitas? Havia um mundo grande lá fora; havia mesmo horizontes mais distantes do que apenas ir para Dublin.

Então, Orla informou que ela e Brigid iriam para Londres.

Brigid conseguiu um emprego numa agência de relações públicas que cuidava da publicidade de um time de rúgbi, entre outros clientes. Elas conheceriam uma porção incrível de sujeitos. Orla conseguiu trabalho com uma empresa que organizava exposições e feiras comerciais. Havia muita variedade; em um momento, elas podiam estar lidando com alimentos orgânicos, e, em outro, com automóveis *vintage*. James e Simon, os dois homens que administravam a empresa, eram ambos loucos por trabalho e ensinaram Orla a ser dura e trabalhar sob pressão. Depois de um mês lá, ela se descobriu capaz de falar com firmeza e com grande autoridade com pessoas que, normalmente, a aterrorizariam.

Para sua surpresa, tanto James quanto Simon acharam Orla muito atraente, e cada um fez sua tentativa de conquistá-la. Ela quase riu na cara deles — não conseguiria imaginar dois pretendentes mais improváveis. Homens casados que raramente viam as famílias e cujo interesse principal era derrotar as firmas rivais. Tudo o que queriam era algum divertimento casual.

Encararam a rejeição sem problemas. Orla minimizou tudo como um erro infantil e continuou a aprender cada vez mais.

Escreveu para a professora dizendo que a Srta. Daly devia sentir orgulho dela. Aquele emprego era em si uma educação completa, e ela rapidamente se tornava uma *expert* no mundo dos impostos, em sites na internet e trabalho em rede, bem como em organizar exposições.

Orla e Brigid dividiam um apartamento em Hammersmith. Era tudo tão gloriosamente livre em comparação com sua casa. E havia *tanta coisa* para fazer. Ela e Brigid frequentavam aulas de sapateado no Covent Garden nas noites de sábado. Orla também cursava caligrafia todas as segundas-feiras, na hora do almoço.

No início, James e Simon protestaram quanto àquilo. Se insistia em se manter livre para aprender uma escrita enfeitada, não estava inteiramente comprometida com o trabalho. Orla não deu a menor atenção a eles. Se precisava ganhar a vida no mundo deles, atarefado, aborrecido, obcecado com os negócios, disse, era completamente necessário que tivesse alguma válvula de escape, um pequeno toque de arte, para começar a semana. Depois disso, eles não ousaram dizer uma só palavra em contrário.

E à noite elas iam para o teatro ou para recepções que Orla organizava, ou para vários espetáculos em salões de exposição. Eram jovens, animadas e descoladas, e as pessoas as adoravam. Até agora, não havia ninguém especial para nenhuma das duas, mas nem Brigid nem Orla estavam com a menor pressa de se firmar com alguém.

Até que apareceu Foxy Farrell.

Foxy era o tipo de homem que ambas detestavam. Expansivo e confiante, com um carro grande, um grande casaco de pele de carneiro, um bom emprego num banco comercial e uma forte opinião acerca de si mesmo. Mas era completamente obcecado por Brigid. E, estranhamente, Brigid começou a achar isso menos hilário e constrangedor do que parecera no início.

— Ele é basicamente decente, Orla — disse ela, na defensiva.

— Sei que é — falou Orla sem pensar. — Mas você poderia *aguentar* isso? Quero dizer, imagine acordar do lado dele de manhã.

— Aguentei — declarou Brigid, simplesmente.

— Não é possível! Quando?

— No fim de semana passado, quando eu estava em Harrogate. Ele foi de carro até lá para me ver.

— Então, você fez com que o esforço dele valesse a pena. — Orla ainda estava processando a notícia.

— Ele é realmente muito simpático. Toda aquela coisa do exibicionismo é apenas a maneira como as pessoas se comportam no ambiente dele.

— Tenho certeza de que, quando você chegar a conhecê-lo adequadamente... — Orla começou a recuar, esperando que não fosse tarde demais.

— Sim, bem, vou conhecê-lo inadequadamente no próximo fim de semana. Vamos para Paris — disse Brigid, com uma risada estridente.

— Vamos para casa, para Stoneybridge, passar o fim de semana prolongado — protestou Orla.

— Sei que *pretendíamos* isso. Você terá de me dar cobertura.

— Não poderia ir para Paris com Foxy em outra data?

— Não, esta é especial.

— Então, tenho que lhe dar cobertura e explicar tudo? E *o que* eu explicarei, na verdade? — Orla estava aborrecida. Elas iam para casa juntas obrigatoriamente três ou quatro vezes por ano. Esse era o preço que pagavam por sua liberdade. Apenas um fim de semana prolongado.

— Ah, o mínimo possível, no momento. — Brigid estava aérea e descontraída a respeito. — Não quero que fiquem esperando muita coisa.

— Esperando *muita coisa*? Com relação a Foxy? — Orla tinha um tom cético muito pouco lisonjeiro na voz.

— Claro — falou Brigid. — Ele está absolutamente sobrecarregado. Nunca me deixariam em paz se eu deixasse Foxy escapulir.

Então, Orla voltou para Stoneybridge sozinha, levando vagas informações de que Brigid estava presa no trabalho.

Nada jamais mudava muito em Stoneybridge, a não ser o fato de Orla sempre se esquecer de como o lugar era bonito e a fazia prender a respiração quando percorria as trilhas nos rochedos e olhava para as praias de areia e a face escura e recortada da pedra.

Sua tia Chicky se revelou atolada de trabalho restaurando a Casa de Pedra, com a velha Srta. Queenie rondando em torno e tagarelando e batendo palmas de prazer diante de tudo aquilo. Rigger, que ajudava Chicky no lugar, tornara-se muito menos intratável. Aprendera a dirigir e até parava para dar uma carona a Orla, quando a via na estrada. Perguntou-lhe se Orla se lembrava da sua mãe, mas a garota não lembrava. Ouvira falar dessa Nuala, mas ela fora embora para Dublin antes de Orla nascer.

— Chicky deve saber tudo a respeito dela — sugeriu.

— Não faço perguntas a Chicky — disse Rigger. — Ela também não me faz perguntas. É melhor assim.

Orla compreendeu. Estava a ponto de fazer perguntas a Rigger sobre ele, mas isso a advertiu em boa hora para não fazê-lo.

Então, em vez disso, eles conversaram sobre as reformas na Casa de Pedra, a nova horta murada, os projetos. Ele parecia pensar que aquilo se transformaria em um imenso sucesso e estava entusiasmado por participar desde o início.

A mãe de Orla, porém, jogara uma porção de baldes de água fria no empreendimento. Chicky era sempre a mesma, deixando-se envolver por ideias lunáticas, como daquela vez em que fugira para os Estados Unidos sem pedir autorização.

— Ora, *isso* funcionou bem, não foi? — Orla era protetora com relação à tia, que sempre a tratara como adulta. — Ela teve um grande casamento e ele lhe deixou dinheiro suficiente para comprar a Casa de Pedra.

— Mas é estranho que ele próprio nunca tenha voltado aqui, não é? — Kathleen nunca estava inteiramente à vontade com qualquer situação.

— Puxa, mamãe, você nunca vai parar com isso. Alguma coisa está sempre errada em tudo.

— Em geral, está mesmo — concordou Kathleen. — E mais uma coisa: há muita conversa sobre o fato de Chicky morar apenas com aquele rapaz e a velha lá em cima na casa. Não é correto; não é assim que as coisas deveriam ser.

— *Mamãe*! — Orla soltou uma gargalhada. — Em que mundo fantástico você vive? Acha que Rigger está transando com titia Chicky na horta? Talvez eles tenham um relacionamento a três rolando por lá, incluindo também a Srta. Queenie.

O rosto da mãe dela se tornou vermelho-escuro de aborrecimento.

— Não seja tão grosseira, Orla, por favor. Só estou dizendo o que se comenta em toda parte por aqui.

— Quem está dizendo isso por toda parte?

— Os O'Hara, para começar.

— É só porque estão furiosos com o fato de que a Srta. Sheedy não vendeu a casa para *eles*.

— Você é tão ruim quanto o tio Brian, sempre os atacando! Brigid não é sua melhor amiga?

— É, mas o caso é com os tios dela, que são especuladores cobiçosos. Brigid também sabe disso.

— Por falar nisso, onde *ela* está, já que não pôde se dar ao trabalho de vir para casa ver a família?

— Está trabalhando duro para ganhar a vida, mamãe. Como eu. É por isso que você tem muito mais sorte do que os O'Hara, pois eu a coloco sempre em primeiro lugar, não é?

E sua mãe realmente não teve resposta para aquilo.

Orla passava o máximo de tempo que podia com Chicky. Apesar de toda a atividade e do vaivém de pessoas na Casa de Pedra, a tia estava muito calma. Nunca perguntava se Orla tinha namorados em Londres e se pretendia viver lá permanentemente. Nunca dizia que as pessoas a julgariam porque ela usava saias curtas, saias longas, jeans rasgados ou o que quer que estivesse usando na ocasião. Chicky não estava nem remotamente consciente do que as pessoas diziam, pensavam ou se indagavam. Chicky nunca lhe dizia o que fazer com sua vida.

Então, foi surpreendente quando Chicky, desta vez, perguntou-lhe se ela era uma boa cozinheira.

— Razoável, eu acho. Brigid e eu cozinhamos seguindo receitas, duas ou três vezes por semana. Ela faz coisas maravilhosas com os peixes. É diferente, lá; não são cheios de espinhas e com gosto de óleo de fígado de bacalhau, como acontece aqui.

Chicky riu.

— O gosto não é mais esse, não. Você sabe fazer massa?

— Não, isso é difícil demais, muitos problemas.

— Eu poderia ensinar você a ser uma grande cozinheira — ofereceu-se Chicky.

— E *você* é uma grande cozinheira, Chicky?

— Sou, sim, na verdade. Era a última coisa que eu esperava ser, mas gosto disso.

— Tio Walter também cozinhava?

— Não, ele deixava isso para eu fazer. Estava sempre tão ocupado, sabe.

— Sei. — Orla não sabia, mas podia reconhecer quando Chicky estava encerrando uma conversa. — Por que você me ensinaria a cozinhar? — perguntou.

— Pela esperança de que um dia, não agora, mas um dia, você volte para cá e me ajude a administrar este lugar.

— Não acredito que eu possa um dia voltar para Stoneybridge.

— Eu sei. — Chicky parecia pensar que era razoável. — Eu também nunca quis voltar, mas cá estou.

Naquele dia, ela mostrou a Orla como fazer um pão integral realmente fácil, além de batata-baroa e sopa de maçã. Pareceu completamente simples, e elas comeram isso no almoço. A Srta. Queenie disse que, antes de Chicky se mudar para lá, ela nunca comera coisas tão gostosas na vida.

— Imagine, Orla: cultivamos essas batatas aqui em nossa própria horta, as maçãs são do antigo pomar, e Chicky fez tudo ficar com esse gosto tão bom!

— Eu sei! Ela não é genial? — respondeu Orla, sorrindo.

— Com certeza. Não tivemos sorte por ela voltar para nós e não ficar lá nos Estados Unidos? E me diga, você está se divertindo muito em Londres?

— Não está nem um pouco ruim, Srta. Queenie. Fico muito ocupada, claro, e cansada, mas é ótimo.

— Desejaria ter viajado mais — disse a Srta. Queenie. — Mas, mesmo se tivesse viajado, acho que sempre voltaria para cá.

— Do que você gosta especialmente aqui, Srta. Queenie?

— Do mar, da paz, das lembranças. De alguma forma, tudo parece tão certo aqui. Uma vez, fomos para Paris e para Oxford. Muito, muito lindos os dois lugares. Jessica, Beatrice e eu conversamos muitas vezes a respeito, depois. Foi ótimo, mas não era verdadeiro, não sei se entende o que quero dizer. Era como se estivéssemos representando um papel numa peça. Aqui, não.

— Ah, sei o que quer dizer, Srta. Queenie. — Ela viu que Chicky lhe lançou um olhar agradecido. Orla não tinha a menor ideia do que a Srta. Queenie queria dizer, mas sentiu-se satisfeita por ter dado a resposta certa.

De volta a Londres, ela fez pão integral e sopa de batata baroa para recepcionar Brigid na volta de Paris.

— Meu Deus, eles domesticaram você! — brincou Brigid.

— E você tem algo para me contar — afirmou Orla.

— Vou me casar com ele — disse Brigid.

— Fantástico! Quando?

— No verão. Mas só, claro, se você for minha dama de honra.

— Só, claro, se não tiver que usar tafetá cor de pêssego nem gaze verde-limão.

— Você está satisfeita pela minha decisão?

— Ah, vamos, olhe para si mesma: você está *tão* feliz. Estou emocionada por você. — Orla esperava estar colocando entusiasmo suficiente na voz.

— Não acha que ele é apenas o velho Foxy tolo?

— O que você *quer dizer*? Claro que não. Acho que ele é o Foxy sortudo. Conte-me quando e onde ele pediu você em casamento.

— Eu o amo *de verdade,* você sabe — disse Brigid.

— Sei, sim — mentiu Orla, olhando bem no rosto da sua amiga Brigid que, por algum motivo que jamais seria explicado, ia se contentar com Foxy Farrell.

Depois disso, as coisas aconteceram rápido.

Brigid deixou o trabalho e começou a passar muito tempo com a família de Foxy em Berkshire. O casamento ocorreria em Stoneybridge.

— Que pena que o hotel de Chicky não estará pronto e funcionando a tempo. Seria ótimo se os Farrell pudessem ocupá-lo para o casamento. Eles ficarão horrorizados com Stoneybridge — comentou Brigid.

— Eu estava meio pensando em voltar para lá — declarou Orla, de repente.

— Você não está falando sério! — Brigid estava chocada. — Antes de mais nada, veja como foi difícil sair de lá.

— Não sei... é apenas um pensamento.

— Ora, afaste o pensamento — Brigid foi muito direta. — Nem se passariam vinte minutos e você já estaria tentando sair de lá novamente de qualquer jeito possível. E onde trabalharia, pelo amor de Deus? Na malharia?

— Não. Eu poderia entrar no negócio com Chicky.

— Mas aquele lugar está condenado ao fracasso, acredite em mim. Não durará nem duas temporadas. Depois ela terá de vendê-lo e perderá muito dinheiro. Todos sabem disso.

— Chicky não sabe. Eu não sei. São apenas seus tios que dizem isso, porque queriam comprar o lugar eles próprios.

— Não vou brigar com minha dama de honra — disse Brigid.

— Jure que não está pensando em tafetá cor de malva — implorou Orla, e elas ficaram novamente em paz. Exceto pela descrença de Orla de que qualquer pessoa quisesse casar-se com Foxy Farrell.

Como fazia muitas vezes em tempos de mudança, Orla escreveu para a Srta. Daly em busca de um conselho.

"Será que estou louca, querendo voltar para Stoneybridge? Será apenas uma reação instintiva à decisão de Brigid de se casar com aquele idiota? Você morria de tédio quando estava lá?"

A Srta. Daly respondeu.

> *Eu adorava o trabalho. Vocês eram garotas maravilhosas naquela escola. Adorei o lugar. Ainda penso nele com prazer. Estou nas montanhas, aqui. É lindo e posso dirigir até o mar, mas não é mesma coisa que em Stoneybridge, onde o mar estava ali aos pés da gente. Por que você não experimenta durante um ano? Diga à sua tia que não quer se prender a um contrato pela vida inteira. Obrigada por não perguntar sobre Shane. Ele está passando um tempinho fora com algo marginalmente mais interessante do que eu, mas voltará. E eu o aceitarei de volta. É um mundinho engraçado, esse. Quando a pessoa percebe isso, já está na metade do caminho.*

No escritório de Orla, James e Simon estavam de boca fechada aqueles dias. Os negócios não iam bem. A economia estava lenta, independentemente do que dissessem os políticos. Eles sabiam. As pessoas não contratavam estantes para exposições, como costumavam fazer. As feiras comerciais tornavam-se menores do que no ano anterior. As perspectivas eram horríveis. Eles estavam depositando todas as esperanças em Marty Green, que era muito importante no negócio das conferências. Estavam tomando drinques no escritório, para impressioná-lo.

— Convide aquela sua amiga ruiva e sexy para vir nos ajudar a decorar o local — sugeriu James.

— Brigid acabou de ficar noiva. Ela não irá querer ser uma garota festeira agora.

— Ora, diga a ela que traga o noivo. Ele é apresentável e tudo mais?

— Vocês são piores do que minha mãe e a mãe dela juntas. Muito apresentável, riquíssimo — respondeu Orla.

Brigid e Foxy acharam que seria engraçado e apareceram de alto astral. Marty Green ficou encantado com todos e parecia em plena campanha de vendas. Ele também estava muito interessado em Orla, que se vestira para impressionar, com um vestido de seda escarlate, que descobrira num bazar beneficente, e sapatos de salto alto reluzentes, vermelho e preto. Ela serviu a todos o vinho branco e a bandeja de canapés.

— Estão ótimos — disse Marty Green em tom apreciativo. — Quem é seu fornecedor?

— Ah, eu mesma fiz esses. — Orla sorriu para ele.

— É mesmo? Não apenas um rostinho bonito, então? — Ele estava definitivamente impressionado, e o objetivo da recepção era exatamente esse. Orla, entretanto, sentiu que ele talvez estivesse impressionado demais com ela e não o bastante com a empresa.

— Muito gentil da sua parte, Sr. Green, mas não fui contratada aqui para fazer canapés e sorrir. Todos trabalhamos muito duramente e, como James e Simon diziam, isso nos recompensou. Conhecemos muito bem a situação e o mercado. É bom ter uma chance de lhe contar isso pessoalmente.

— E muito agradável é ouvir sobre isso pessoalmente. — Os olhos dele nunca se despregavam de seu rosto.

Orla se afastou, mas percebeu que o Sr. Green a observava o tempo inteiro. Mesmo quando James dava estatísticas, quando Simon conversava sobre tendências, quando Foxy berrava sobre grandes novos restaurantes e quando Brigid perguntava se o Sr. Green estava interessado em *rúgbi*, porque ela podia arranjar-lhe ingressos.

Marty Green perguntou se Orla gostaria de jantar com ele.

Ela viu James e Simon sorrindo um para o outro, aliviados, e de repente ficou imensamente ressentida. Eles a estavam oferecendo a Marty Green. Era exatamente isso. Vestira-se com apuro, passara seu horário de almoço fazendo pequenas e delicadas iguarias, enrolando varetas de aspargos em batatinhas e servindo-as com molho, arrumando artisticamente ovinhos de codorna com sal de aipo em folhas de alface e agora eles queriam mandá-la para fora, como um cordeiro a ser sacrificado, a fim de ser apalpada pelo Sr. Green.

— Muito obrigada, mas infelizmente tenho outros planos para esta noite, Sr. Green — respondeu ela.

Ele foi suave; isso ela tinha de admitir.

— Tenho certeza de que tem. Em outra ocasião, talvez?

E todos sorriram de modo diferente: o sorriso de Orla estava preso com pregos em seu rosto, os de James e Simon pareciam máscaras de horror. O sorriso de Brigid escondia seu choque por Orla deixar de lado um encontro com um homem tão rico e charmoso como Marty Green. O sorriso de Foxy foi vago e tolo, como sempre.

Marty Green saiu dizendo que manteria contato. Orla serviu para si mesma uma bebida imensa.

— Por que você precisava ser tão rude com ele? — perguntou Simon.

— Não fui rude, de jeito nenhum. Agradeci a ele e lhe disse que tinha outros planos.

— É o que quero dizer. Você não tem *plano* nenhum.

— Ah, sim, tenho. Planejo não sair com um homem de negócios qualquer como se eu fosse uma acompanhante ou uma prostituta.

— Vamos, o que é isso? Não houve qualquer sugestão desse tipo — declarou James.

— Foi soletrado com letras maiúsculas. — Orla estava furiosa. — Leve esse simpático homem para sair, bajule-o bastante, ponha o nome dele num contrato.

— Estamos todos juntos nisso. Supusemos que...

— Por que vocês não trouxeram uma barra de pole dance aqui para dentro e a colocaram no escritório, assim eu poderia ter tirado a roupa e dançado em torno dela. Teria ajudado também, não?

— Era apenas um jantar — disse Simon.

— Sim, e, no fim de um jantar caro, eu poderia me levantar, dar adeus e dizer um obrigada ao Sr. Green? Em que mundo vocês vivem? Se eu tivesse saído para um jantar com ele e não o acompanhasse ao hotel, teria sido provocativa. Eu o teria incentivado. Ele ficaria ainda mais aborrecido. Dessa maneira, todos salvariam as aparências. Ora, a maioria de nós faz isso.

— Ei, Orla, você está pegando meio pesado com isso — falou Foxy. Brigid olhou-o furiosa, mas ele não viu. — Quero dizer, era essa a intenção de toda esta noite.

— Você nunca disse nada mais verdadeiro, Foxy — afirmou Orla.

No dia seguinte, James e Simon estavam preparados para serem generosos. Tinham discutido o assunto; eles *podiam* ter dado a impressão errada. A última coisa do mundo que queriam fazer era... ora, aquilo que Orla sugerira que estavam fazendo.

Orla ouviu educadamente até eles terminarem. Depois, falou com muito cuidado.

— Isso não é apenas um ataque histérico. Faz algum tempo que penso em ir embora. Minha tia está estabelecendo um hotel no oeste da Irlanda. Eu precisava apenas de alguma coisa para focalizar minha mente, e a coisa é esta. *Por favor*, não encarem isso como um capricho ou como parte de uma campanha para fazer vocês me bajularem. Não é nada disso. É apenas um aviso prévio de um mês, com grande gratidão por tudo o que aprendi aqui.

Nada do que eles disseram fez a menor diferença. Por fim, tiveram de deixá-la ir.

Orla dissera a Chicky que seria apenas por um ano, apenas para levantar o lugar e colocá-lo em funcionamento.

— Talvez não valha a pena seu tempo gasto me ensinando a cozinhar maravilhosamente.

— Sempre vale a pena ensinar as pessoas a cozinhar.

— Você pode administrar uma escola de culinária para pessoas de verdade — sugeriu Orla.

— O principal que temos a oferecer aqui é o cenário. Eles poderiam aprender a cozinhar em qualquer lugar — disse Chicky. — De qualquer jeito, devemos guardar a magia para nós mesmas.

— Como conseguirei não atacar minha mãe com um machado quando eu voltar? — Orla se questionou.

— É só não morar na sua casa — aconselhou Chicky.

— Posso morar com você?

— Não. Isso causaria ressentimentos. Podemos encontrar algum lugar para você morar. Rigger vai ajeitá-lo para você. Seu lugarzinho. Deixe comigo. Quando você chegará?

— A qualquer momento, agora. Eles não precisam que eu trabalhe até acabar o aviso prévio. Vão contratar apenas uma pessoa em meio turno para me substituir, de qualquer forma. Será que estou louca de pedra fazendo isso, Chicky?

— Como você disse, é apenas um ano. Você nem vai notar passar.

Quando Orla chegou, Rigger estava atarefado consertando um velho chalé ao lado da horta para ele e Carmel Hickey. Disse que havia um velho chalé de jardineiro cujo telhado era sólido, de modo que nunca ficava úmido. Não fora preciso mais do que uma boa limpeza para torná-lo habitável.

O novo lar de Orla estava pronto para ela.

— Espero que não vá ter a moral da Srta. Daly e se tornar o centro das fofocas da cidade — disse-lhe sua mãe, em sua primeira noite em casa.

— Ah, mamãe, espero que não — concordou Orla fervorosamente. Ela pôde ver Chicky escondendo um sorriso.

— Seu pai e eu não sabemos por que você precisa ir morar num chalé velho e úmido como esse. Tem um lar perfeitamente bom, aqui. As pessoas acharão muito estranho.

— Mamãe, você sabe que não acharão. Nem vão notar — falava Orla automaticamente.

Como foram sábias a Srta. Daly e Chicky com relação à sua independência. Agora ela esperava que seu instinto com relação à volta estivesse certo e não fosse uma ideia tola.

Havia pouco tempo para se indagar a respeito. Mergulharam de imediato no trabalho. Orla passou a olhar retrospectivamente para os tempos atarefados no escritório com James e Simon como se tivessem sido longas férias. Não acreditava possível haver tanta coisa para organizar.

O sistema financeiro de Chicky deixava muito a desejar. Embora fosse honesto e completo e os livros estivessem atualizados... de certa forma, nada era informatizado. Chicky jamais usara software de contabilidade, trabalhando em vez disso com um sistema de livros e arquivos de papelão. Parecia uma coisa de cinquenta anos atrás. Então, o primeiro passo de Orla foi escolher uma sala como escritório. De alguma maneira, ela e Chicky podiam guardar o computador, a impressora e todos os livros de registro, fichários e armários que precisassem.

Chicky sugeriu uma das várias grandes copas que davam para a cozinha. Orla conseguiu fazer com que Rigger separasse umas poucas horas das que ocupava cuidando da própria casa para impressionar a família de Carmel Hickey e colocasse prateleiras no escritório e o pintasse.

— No fim, valerá a pena — insistiu. — Assim estaremos com cada coisa no lugar em vez de espalhar tudo em cima da mesa da cozinha e depois juntar novamente. — Orla encontrou para eles um computador e instalou os programas de que precisava. Depois insistiu para que Chicky entrasse e aprendesse tudo do início.

— Não, não, este é seu departamento — protestou Chicky.

— Como assim? Passei duas horas, a noite passada, aprendendo a fazer massa fina. Não disse que era *seu* departamento. Hoje você vai aprender a lidar com o software de contabilidade. Se você se concentrar, vai demorar 45 minutos.

Chicky se concentrou.

— Não foi assim tão mal — aprovou Orla. — Então, amanhã, instalaremos um sistema de reservas e depois, no dia seguinte, você aprenderá a comprar e vender.

— Tem certeza de que precisamos que eu... — Chicky estava com medo de gastar tempo demais no escritório em vez de tratar dos problemas diários.

— Certeza absoluta. E se você quisesse comprar uma peça do equipamento da cozinha? Isso lhe poupará todo o tempo que perderia dando telefonemas e indo às lojas.

— É, acho que tem razão — concordou Chicky, mas ainda com um tom incerto.

Porém, ela de fato concordou e foi ótimo ter tudo sob o controle das duas e, quando Orla lhe passou um pequeno teste, perguntando-lhe como encontraria alguém que havia feito uma reserva para o mês seguinte e queria estender o prazo por mais uma semana, Chicky logo se mostrou capaz de trazer à tela do computador todo o sistema de reservas. E, ao mesmo tempo, Orla aprendeu a fazer molhos que complementavam pratos de carne, bem como as maneiras de limpar, cortar em filés e servir peixes vindos diretamente do mar, de um modo que até um experiente peixeiro invejaria.

Um por um, elas derrotavam os obstáculos.

Houve a patética tentativa dos tios dos O'Hara de suspender a licença para o uso comercial do imóvel. Chicky conseguiu resolver isso sem criar problemas com ninguém, um verdadeiro milagre. Cuidaram do lobby dos ambientalistas, que se preocupavam com a possibilidade de o novo hotel perturbar o habitat dos pássaros e outras espécies da região. Chá e bolinhos foram servidos aos preocupados interrogadores, antes de serem levados em caminhadas para que vissem como a natureza estava sendo protegida de todas as maneiras.

Todos foram embora satisfeitos.

Os construtores tiveram seus esforços incentivados pela perspectiva de uma refeição caseira todos os dias; Chicky colocava a comida na mesa da cozinha à uma da tarde e fazia todos voltarem ao trabalho meia hora depois. A maioria dos homens, acostumados a trazer os próprios sanduíches, encarava esse farto almoço como o ponto alto do dia. Iam para casa e contavam a suas mulheres que o cozido irlandês ou o repolho com bacon da casa da Sra. Starr era muito diferente do feito na casa deles, e isso causava muito ressentimento.

O paisagismo começava a mostrar resultados, e a velha Srta. Queenie disse que a casa estava parecida com o que fora em sua infância — antes de o dinheiro ficar tão curto.

A certa distância da Casa de Pedra, podia-se ver o Chalé de Pedra tomando forma. Todos gostavam de mobiliá-lo para Rigger. Orla sabia que ele estava muito nervoso por ter de lidar com os Hickey quando o plano foi anunciado, mas aprendeu com Chicky que simplesmente não se conversava sobre essas coisas.

Era tudo tão diferente de morar com Brigid, com quem tudo era discutido e analisado até os mínimos detalhes. Isso, claro, nos velhos tempos. Brigid simplesmente não era mais a mesma. Estava obcecada com o casamento, com listas de convidados e de presentes e planos para os assentos, esperando que Orla fosse algum tipo de organizadora de casamento, já que estava no local, em Stoneybridge.

Será que Orla poderia passar na igreja e ver que tipo de buquês eles poderiam pendurar na extremidade de cada banco, perto da nave? Em vão, Orla disse que ninguém jamais vira essas coisas em Stoneybridge. Brigid estava no estado de espírito da "Noiva Louca" e ninguém conseguiria fazê-la parar.

Desesperada, Orla pediu conselho a Chicky, que, por sua vez, pensou um pouco a respeito.

— Diga-lhe que a própria família dela quer ser mais envolvida e que *eles* é que deveriam fazer todo esse tipo de coisa.

— Mas ela não confia neles; acha que são caipiras.

— E provavelmente tem razão, mas enfatize que a família dela é muito hostil a qualquer coisa que tenha a ver com a Casa de Pedra e que seria uma situação constrangedora você se envolver. Isso deve dar conta do recado.

— Você aqui é um desperdício. Seu lugar mesmo é na ONU — disse Orla, admirada.

Brigid as visitou duas vezes antes do casamento, estressada e ansiosa.

— Posso ficar em seu chalé? — implorou a Orla. — Minha mãe será a falecida mãe da noiva, se eu ficar em casa.

Orla relutou em ter Brigid na casa. De fato, também causaria ressentimento com a família dela, além de significar que Orla seria sugada para dentro dos preparativos lunáticos.

— Não posso hospedar você, Brigid. A Srta. Daly vem ficar aqui.

— A Srta. *Daly*? A *nossa* Srta. Daly? Da escola?

— Sim, está tudo combinado.

— Meu Deus, você está se comportando de uma maneira muito estranha desde que voltou para Stoneybridge.

— Eu sei. É tudo por causa desse ar marinho.

— Desde quando você é tão amiga da Srta. Daly?

— Sempre fui.

— Acho que trabalhar com a Srta. Queenie não lhe faz bem, Orla. Você se tornou uma completa excêntrica.

— Mas não louca o suficiente para usar amarelo-canário. Você já decidiu a cor do meu vestido de dama de honra?

— Ah, use o que quiser. É o que você fará de qualquer jeito.

— Ótimo. Tenho o melhor possível: dourado-escuro, com um pouco de renda num tom creme. Contido, mas elegante.

— É longo?

— Sim, claro que é.

— Ora, onde eu o verei? Iremos vê-lo, quando eu estiver aí?

— Já tenho o vestido.

— Você *já* o comprou? — Brigid parecia ultrajada.

— Não preciso usá-lo no casamento. Apenas dê uma olhada.

— Mas o que você fará com ele, se não for adequado? Pode devolvê-lo?

— Será sempre útil.

— Útil? Lavando panelas numa hospedaria? Meu Deus do céu, Orla, o que deu em você?

— Só Deus sabe — respondeu Orla.

Seu objetivo central era fazer Brigid ver o vestido sem saber que ele pertencera à Srta. Queenie. Sessenta anos antes, ela o usara num baile e fizera muito sucesso. Coubera em Orla como se tivesse sido feito especialmente para ela.

A Srta. Daly tinha exatamente o mesmo aspecto de sempre. Trazia consigo duas malas e a bicicleta.

— Você é um anjo por vir com um convite tão em cima da hora assim. — Orla estava grata por sua professora ter respondido ao seu chamado de emergência.

— Foi muito conveniente para mim. A fantasia passageira de Shane se revelou mais permanente do que eu imaginara.

— Sinto muito — falou Orla.

— Eu não, na verdade. Tudo seguiu seu curso. Eu precisava de um choque curto e forte.

— E teve?

— Sim: uma moça de 18 anos muito grávida e toda aquela coisa habitual de "estamos encantados com a vinda do bebê" etc. Era justamente o momento certo para tirar alguns dias e reconsiderar tudo.

— É o que vai fazer, enquanto estiver aqui?

— Sim. Esse é um bom lugar pra pensar. Junto desse oceano, a gente se sente menor, menos importante, de alguma forma; ele coloca as coisas nas devidas proporções.

— Gostaria que funcionasse assim para Brigid. — Orla suspirou.

— Sua sensação é de que a perdeu, não? — perguntou a Srta. Daly, com simpatia.

— Para ser honesta, sim. Somos amigas desde que tínhamos 10 anos. É tudo como se fosse algum tipo de fase. Como quando ela e eu fizemos por um tempinho aulas de sapateado, sabe, depois usamos malhas e fizemos uns passos de sapateado, repetidas vezes. Mas agora é para sempre. E com Foxy!

— Talvez ela o ame.

— Não. Se o amasse, não ficaria louca tentando impressionar a família dele.

— Ou talvez ela apenas precise de segurança.

— Brigid? Ela é *muito* capaz de cuidar de si mesma.

— E você já amou alguém, Orla?

— Não, não *amei*. Já gostei, sim.

— Bem, pelo menos você sabe a diferença, e isso é mais do que algumas de nós conseguem. Deixe-me ajudá-la a plantar algumas coisas que sobreviverão na Casa de Pedra. Metade do que você planta morre no inverno.

A Srta. Daly deu uma volta de bicicleta e bebeu uma caneca de cerveja em vários dos pubs locais, para marcar território. E, quando Brigid veio para casa, a Srta. Daly fez todas as perguntas que Orla não ousava fazer. Como o que Brigid *faria* o dia inteiro, depois da sua lua de mel, se não trabalharia? Planejava ter filhos imediatamente? Visitaria muitos dos parentes Farrell?

As respostas foram profundamente insatisfatórias e pareceram centralizar-se em torno de ir a uma porção de corridas de cavalos e fazer visitas rápidas à casa da irmã de Foxy na Espanha. Houve, entretanto, algumas pequenas clemências. Brigid simplesmente adorou o vestido da Srta. Queenie, descrevendo-o, com aprovação, como *vintage*. A irmã de Foxy também usaria um vestido naquele estilo. Seria muito adequado.

O casamento foi exatamente tão terrível quanto Orla havia temido. Muito exagerado, com um toldo gigantesco e ostentação por toda parte.

Os O'Hara se esmeraram; até reformaram algumas poucas casas da cidade que tinham comprado durante o *boom* das propriedades, mas que se encontravam vazias desde a recessão. Receberam uma rápida mão de tinta e novos móveis, para que a família Farrell se hospedasse nelas, o que foi recebido com muita aprovação.

O padrinho de Foxy, Conor, outro palhaço que deixara para trás as raízes irlandesas junto com o sotaque, fez um discurso profundamente vulgar, no qual disse que um dos privilégios de ser padrinho era poder passar a mão numa dama de honra e que isso não seria um suplício tão grande aquela noite. Foxy riu de modo estrondoso. Orla olhou fixamente para a frente como uma estátua, tentando não encontrar o olhar de Chicky.

Chicky sussurrou para seu irmão Brian que felizmente ele estava fora de tudo aquilo. Mas Brian, que ainda sofria por ter sido rejeitado pela família O'Hara, tinha mágoas duradouras com relação a Sheila — agora separada do marido jogador outrora considerado um excelente partido.

Depois que os recém-casados haviam partido para o aeroporto Shannon, Conor se aproximou de Orla.

— Ouvi dizer que você tem sua própria casa — falou ele.

— Você tem um jeito maravilhoso — disse ela, com admiração. — Aposto que todas as moças o adoram.

— Não estamos falando de todas as moças. Estamos falando de você, esta noite. Que tal? — propôs ele, tomando as observações dela ao pé da letra.

Orla o fitou, pasma. Ele não percebera que ela o estivera despachando. Se Conor e Foxy eram banqueiros, não admirava a economia ocidental ter chegado àquele estado.

— Mesmo se eu tivesse de morrer tentando descobrir o que afinal é sexo, eu não passaria perto de você, Conor — respondeu ela, sorrindo amavelmente.

— Lésbica — cuspiu ele para Orla.

— É, deve ser isso. — Orla estava alegre.

— Tá, então seja uma destruidora de bailes. Eu só perguntei porque era o esperado.

— Claro que foi por isso, Conor. — O tom de Orla era apaziguador.

A Srta. Daly estivera percorrendo uma grande trilha através das montanhas para evitar ir ao casamento. Tinha conhecido dois dentistas franceses que estavam de férias ali e iam viajar para Donegal no dia seguinte. Ela iria com eles. Tinham um carro com um rack no teto — perfeito para sua bicicleta.

Orla se sentou e a fitou, boquiaberta.

— Eu sei, Orla, o mundo está dividido em pessoas como eu e pessoas como Brigid. Você tem sorte de estar no meio-termo.

Ela tinha pouco tempo para pensar a respeito. O casamento de Rigger estava chegando. Seria algo muito mais normal.

Chicky serviria cordeiro assado no Chalé de Pedra, e elas fizeram um bolo magnífico para Rigger e Carmel. Em comparação com aquela tolice no toldo e a postura das facções Farrell e O'Hara, foi algo muito relaxante e encantador.

Quando tudo terminou e os Hickey foram para casa felizes, Chicky, Orla e a Srta. Queenie se sentaram e se parabenizaram mutuamente.

O trabalho principal de construção estava quase completo na Casa de Pedra; restavam apenas o design e a decoração a serem aprovados. Chicky ainda queria contratar profissionais, e Orla insistia que ninguém recebesse pagamento algum até provar que podia fazer o serviço. Ela achava que Chicky seria perfeitamente capaz de fazer aquilo sozinha, afinal, tinha as informações confiáveis de como aquilo fora. A Srta. Queenie podia lhes dizer como tinha sido o aspecto daquele lugar nos velhos tempos.

Chicky entendia de conforto e estilo, mas estava hesitante e não dividia as próprias ideias.

Estamos investindo um bom dinheiro para as pessoas virem e ficarem aqui. Não queremos que digam que o lugar não é autêntico, de mau gosto ou qualquer coisa do gênero.

— Conheci vários desses designers em Londres — disse Orla. — Alguns são brilhantes, concordo, mas muitos deles são caubóis vestindo roupas de príncipes. Você precisaria vigiá-los como uma águia.

Decidiram-se por um casal chamado Howard e Barbara. Vieram bem recomendados por Brigid, que os conhecera junto com Foxy Farrell numa festa em Dublin.

Orla os detestou à primeira vista. Estavam no início da casa dos 40 e tinham sotaques afetados, além de usarem com abundância as palavras "querido, querida" e "tão", em geral quando estavam minimizando alguma coisa.

— Querida, você não deve nem *pensar* em manter aquele relógio de pêndulo no saguão. Seria *tão* perturbador para os ritmos do sono.

— Sempre teve um relógio de pêndulo no saguão — disse a pobre Srta. Queenie, brandamente.

— Ora essa, estamos falando sobre tornar este lugar aceitável, não estamos? Foi para isso que viemos, querida.

Elas deram a Howard e Barbara um dos melhores quartos, com as grandes janelas e sacadas com vista para o mar. Ambos fungaram quando olharam em torno. Trocaram olhares ao descerem a escada. Estremeciam de leve diante das coisas de que não gostavam, como o piso de pedra na cozinha. Deveria ser arrancado e substituído por um piso muito bom, de madeira sólida. Orla disse que o piso de pedra era autêntico e estava ali desde que a casa fora construída, na década de 1820.

— Está vendo só? — declarou Howard. — Já é hora de ele sair daí.

— Mas Orla ganhou essa batalha. O piso de pedra não era negociável.

Barbara e Howard não queriam que o salão matinal se chamasse Salão Srta. Sheedy. Disseram que era um tanto *bobinho*, e, querida, se havia alguma coisa que pudesse derrubar um lugar era ter nele um elemento sentimental. Deixaram seu próprio quarto numa grande confusão, com toalhas jogadas no chão do banheiro e uma surpreendente quantidade de xícaras de café, copos e cinzeiros sujos, apesar da diretriz de não fumar mencionada repetidas vezes.

Não apreciaram a horta murada, afirmando ser muito amadora; os hóspedes estariam acostumados com um paisagismo muito mais amplo e mais bem-cuidado. Fecharam a cara diante de Gloria, afirmando ser anti-higiênico ter um gato em qualquer lugar próximo de comida. Em vão, a Srta. Queenie, Chicky e Orla tentaram convencê-los de que Gloria era uma gata com maneiras impecáveis, que jamais se aproximava de uma mesa quando uma refeição estava em curso. É preciso admitir que Gloria confundiu a perna de Howard com um poste para arranhar e, quando, alarmada pelos berros dele, tentou subir por dentro da perna da sua calça, Barbara gritou e agitou os braços para a pobre gata, que correu para trás do sofá e se escondeu, tremendo, até ser socorrida pela Srta. Queenie. A essa altura, Orla não era a única que detestava o casal.

Derrotados pelo lobby pró-Gloria, ambos voltaram sua hostilidade para o fato de Carmel estar tão obviamente grávida. Eles esperavam que ela fosse mantida bem fora da equação quando o bebê nascesse. A última coisa que hóspedes desejavam era o som de um recém-nascido berrando. Isso traria muitas vibrações negativas.

Eles jamais elogiaram a deliciosa comida que Chicky e Orla lhes serviram; em vez disso, sugeriram que a Casa de Pedra tivesse uma adega adequada e pediram conhaques maiores, depois do jantar.

Orla se tornou muito firme. Depois do café da manhã do segundo dia, disse que esperava que estivessem preparados para dar conselhos práticos sobre a decoração, os materiais e as cores que sugeririam, junto com recomendações de onde deveriam encontrar tudo.

Barbara e Howard ficaram ligeiramente espantados com isso. Haviam imaginado vários dias absorvendo a sensação do lugar, disseram. Era disso que Orla suspeitava. Trouxe um coador de café para o escritório, depois do desjejum, e se sentou com expectativa junto do computador.

— É uma casa de um período georgiano muito tardia, claro — disse Orla, confiante. — Consultei a internet para pesquisar esse tipo de casa no período e imprimi algumas delas, para discussão. Estive me interrogando que referências vocês ofereceriam a nós para podermos realizar comparações.

Eles olharam para ela, alarmados.

— Bem, claro que sabemos tudo sobre casarões georgianos clássicos... — começou Barbara.

Orla podia detectar enrolação a quilômetros de distância.

— Sim, mas claro que este não é um casarão. É a pequena residência de um cavalheiro e, de fato, quase vitoriana, em vez do que era claramente georgiano. Nós nos interrogamos que planos de cores vocês teriam trazido para serem examinados.

— Tudo depende muito de onde partimos, querida, não é? É *tão* fútil como dizer qual o comprimento de um pedaço de cordão. Apenas perguntar quais as cores... — começou sonoramente Howard.

— E onde pensam que devemos procurar os tecidos? — Orla folheava um monte de outros impressos. Viu Howard e Barbara se entreolharem.

Chicky entrou na conversa.

— Temos nossas próprias ideias, claro, mas estávamos ansiosos com verdadeiros profissionais que nos guiassem. Vocês devem ter muito mais experiência e contatos do que nós.

— Não percebi que vocês entendiam tanto de computadores — comentou Barbara a Orla, friamente.

— Vocês estão falando da minha geração. — Orla sorriu. — Eu estava pensando, a propósito, por que vocês não têm um site.

— Nunca precisamos disso — respondeu Barbara, presunçosamente.

— Então, como é que as pessoas encontram vocês? — O olhar de Orla emanava inocência.

— Por meio de recomendações pessoais.

— Sim, é como encontram seus *nomes*, mas como sabem o que vocês de fato *fizeram*?

Outra vez, sua expressão era inocente, mas havia desafio ali.

Quando a reunião terminou, ficou claro que chegara a hora de se separarem.

Barbara mencionou um pagamento pelo tempo deles e pelos conselhos fornecidos até então. Chicky e Orla olharam uma para a outra, perplexas. Howard sugeriu que se separassem como amigos, já que nenhum dano fora causado. Desejavam sucesso para o empreendimento. Falaram em tons de pesar e descrença diante da possibilidade de a Casa de Pedra permanecer aberta por mais de uma semana, *se* chegasse mesmo a abrir.

Rigger os levou de carro até a estação.

Ele informou depois que ficaram sentados em completo silêncio durante a viagem. Quando ele perguntou se voltariam para supervisionar a decoração, responderam que isso não estava previsto.

— Bem, espero que tenham apreciado a visita — dissera Rigger aos dois.

— Apreciar seria um termo *tão* forte para isso, querido — responderam eles, enquanto Rigger erguia a bagagem de ambos para colocá-la no trem.

Chicky, Carmel e Orla escolheram suas cores e tecidos aquela noite e providenciaram tudo no dia seguinte. Fora uma lição, tudo aquilo. Talvez houvesse designers maravilhosos ali, mas elas não os haviam descoberto. E não restava tempo para tentar de novo. Teriam de confiar em si mesmas.

Pouco a pouco, o lugar tomou forma.

O site delas estava pronto e no ar, com fotos das vistas da Casa de Pedra, bem como com descrições completas do que o lugar podia oferecer. Receberam muitas indagações, mas até o momento nenhuma reserva definitiva.

Orla enviou um comunicado de imprensa para todos os jornais, revistas e programas de rádio. Ofereceu uma Semana de Inverno na Casa de Pedra como prêmio em várias competições, com a justificativa de que isso lhes traria publicidade. Comprou um grande álbum e pediu à Srta. Queenie que guardasse qualquer recorte que resultasse disso. Entrou em contato com aeroportos e escritórios de turismo, clubes de livros, grupos de observadores de pássaros e clubes esportivos; criou uma página no Facebook e uma conta no Twitter.

Chicky adorava ser capaz de acessar um mundo tão amplo dali do pequeno escritório na Casa de Pedra. Elas haviam aperfeiçoado seus cardápios e os postavam na internet; agora tinham sua rotina diária, com fornecedores e entregas elaboradas e programadas para funcionar sem problemas. Aos poucos, chegaram as reservas e elas estavam prestes a receber os primeiros visitantes quando Carmel deu à luz gêmeos.

A Srta. Queenie disse a Orla que jamais fora mais feliz. Havia tanta coisa acontecendo na Casa de Pedra naqueles dias, e ela estava ali, no centro de tudo. O salão matinal agora era oficialmente chamado Salão Srta. Sheedy. Havia fotografias restauradas da infância delas, mostrando Beatrice, Jessica e a Srta. Queenie quando meninas. Ela conhecia todos em Stoneybridge agora, e não apenas umas poucas pessoas. Tivera refeições deliciosas e uma casa calorosa. Quem poderia ter adivinhado que a vida melhoraria tanto conforme ela ia ficando mais velha?

— Mas eu me preocupo com Chicky. Ela trabalha tanto — confidenciou a Srta. Queenie a Orla, abanando a cabeça. — Ainda é uma mulher jovem, digo, bem, jovem para mim. Recebe uma porção de olhares de admiração, mas nunca pensa em olhar para alguém como possível marido.

— E que tal *eu*, Srta. Queenie? Não se preocupa comigo também?

— Não, Orla, nem um pouquinho. Você trabalhará aqui com Chicky como prometeu até seu ano terminar e, então, irá embora e conquistará o mundo. Isso fica bem claro em relação a você.

Em vez de ficar satisfeita com tamanho voto de confiança, Orla de repente se sentiu solitária. Ela *não queria* ir embora e conquistar o mundo. Queria permanecer ali e vê-lo dali mesmo.

— Não estou com pressa alguma de sair daqui, Srta. Queenie — Orla ouviu a si mesma dizer.

— É perigoso ficar tempo demais em Stoneybridge. Não podemos nos casar com as gaivotas, nem com os gansos, você sabe — disse a Srta. Queenie.

— Mas a senhora não falou a si mesma que nunca foi mais feliz do que agora?

— Fiz o melhor que pude e tive sorte. Muita sorte — declarou a Srta. Queenie.

Na manhã seguinte, quando Orla levou o chá para a velha senhora, percebeu, com apenas um olhar, que a Srta. Queenie tinha morrido durante o sono. Suas mãos estavam entrelaçadas. Seu rosto, calmo.

Ela parecia vinte anos mais jovem, como se a artrite e as dores tivessem desaparecido.

Orla nunca tinha visto alguém morto. Não era muito assustador.

Ela levou a xícara de chá para o quarto de Chicky.

Chicky já estava acordada. Quando viu a jovem, percebeu imediatamente o que havia acontecido.

— *Não deve* existir um Deus. Ele não deixaria Queenie morrer antes de este lugar abrir. É tão injusto — chorava Chicky.

— Sabe, de certa forma, talvez tenha sido melhor assim — ponderou Orla.

— O que você *pode* estar querendo dizer, Orla? Ela estava louca para fazer parte de tudo.

— Não. Ela estava nervosa. Chegou a me perguntar mais de uma vez se jantaria junto com os hóspedes ou não.

— Mas é claro que sim.

— Tinha medo de estar velha e frágil demais... Palavras dela, não minhas.

— Como você pode estar tão calma? Pobre Queenie. Pobre, querida Queenie. Ela não teve uma vida.

Orla estendeu a mão.

— Venha e a veja por si mesma, Chicky. Basta dar uma olhada em seu rosto. Saberá que ela teve uma vida, e que você lhe deu uma.

Entraram no quarto onde a Srta. Queenie dormira por mais de oitenta anos. Desde a década de 1930, quando fazia dez anos que a Irlanda era um Estado.

Gloria, a gata, também entrou. Não subiu na cama, mas olhou respeitosamente da porta, como se soubesse que nem tudo estava bem. Elas permaneceram ali em pé olhando para o rosto da Srta. Queenie. Chicky se inclinou e lhe tocou a mão fria.

— Nós a deixaremos orgulhosa, Queenie — disse ela, e fecharam a porta ao sair. Foram contar a Rigger e Carmel o que acontecera e lhes pedir para que chamassem o Dr. Dai.

Stoneybridge deu um grande adeus à Srta. Queenie Sheedy. Uma grande aglomeração de gente se reuniu diante da Casa de Pedra para caminhar atrás do carro fúnebre, enquanto ele a conduzia vagarosamente até a igreja.

O padre Johnson disse que, no domingo seguinte, pela primeira vez em muitas décadas, não haveria uma Sheedy naquela igreja. Contou que a Srta. Sheedy o visitara na semana anterior e lhe perguntara se podiam cantar "Lord of the Dance" em seu funeral, quando quer que ocorresse. O padre Johnson respondera que todos ali já teriam partido haveria muito tempo para receber sua recompensa no céu quando a própria Srta. Queenie estivesse pronta para ir; o Senhor, entretanto, agia de formas misteriosas, e agora ela partira para se unir às suas amadas irmãs, deixando para trás a lembrança de uma vida bem vivida.

A congregação inteira cantou "Lord of the Dance". Assoaram narizes e enxugaram lágrimas, com o pensamento de Queenie espiando pais e filhos, bem-humorada, durante anos, por tanto tempo que já nem lembravam mais desde quando.

Rigger foi um dos quatro que carregaram o pequeno caixão para o túmulo. Havia tristeza em seu rosto enquanto ele se lembrava de como a velha dama o acolhera em sua casa e ficara tão entusiasmada com tudo, desde a horta murada até o Chalé de Pedra, além dos passeios no furgão dele e da chegada dos gêmeos.

Rigger lamentava que Rosie e Macken não fossem ter uma adorável figura de vovó como aquela em suas vidas. Eles contariam a todos sobre ela. Um dia, quando ele fosse carregado para seu túmulo, poderiam contar aos próprios filhos sobre a grande Srta. Queenie, uma bela relíquia de um passado muitas vezes tempestuoso na Irlanda.

Como não havia parentes da família Sheedy, Rigger foi chamado para colocar a primeira pá cheia de barro no túmulo. Ele foi seguido por Chicky e Orla. E a grande aglomeração manteve-se ali em pé em silêncio, até o Dr. Dai, com uma poderosa voz de barítono galês, cantar de repente "Abide with me". Então, todos desceram morro abaixo, voltando.

Chá e sanduíches foram servidos na Casa de Pedra. Gloria procurara a Srta. Queenie por toda parte e agora se encontrava sentada, confusa, do lado de fora da porta da frente, lambendo-se furiosamente.

Logo que Orla se ocupou servindo a comida, recompôs-se o suficiente para perceber quantas pessoas que haviam assistido ao casamento de Brigid e Foxy tinham vindo de Londres. A Srta. Daly soubera da notícia por parte de alguém e apareceu com um dos dentistas franceses, de quem agora se tornara amiga íntima. Todos os O'Hara estavam ali, com a hostilidade anterior esquecida; todos os construtores, fornecedores, fazendeiros locais, o pessoal da fábrica de malhas e Aidan, um procurador de uma cidade próxima que diziam ser apaixonado por Chicky.

A Srta. Queenie teria batido palmas e dito: "Imaginem todos aparecendo por minha causa! Mas que gentileza!"

Aidan puxou Orla de lado, a fim de lhe dizer que a Srta. Queenie fizera seu testamento na semana anterior. Deixara tudo o que possuía para Chicky, menos dois minúsculos legados, um para Rigger e outro para Orla.

Também perguntou a Orla se achava que Chicky sairia com ele para jantar, caso lhe pedisse gentilmente.

Orla respondeu que talvez ele devesse esperar até a Casa de Pedra estar aberta ao público, pois Chicky, naquele momento, encontrava-se muito concentrada nisso, mas lhe garantiu que não havia ninguém mais no território.

— Eu não causaria problema algum — declarou ele.

— Meu Deus, isso já seria uma grande vantagem — disse Orla, olhando ardentemente para alguns tios e o miserável Foxy.

— Devo reconhecer que Barbara e Howard fizeram um grande trabalho neste lugar — afirmou Foxy, aprovando tudo.

— Não é mesmo? — concordou Chicky.

Rigger estava prestes a abrir a boca e dizer como eles tinham sido inúteis, mas Orla franziu a testa. A vida é curta. Chicky decidira vivê-la dessa maneira. Que deixassem as coisas rolarem.

Apenas mais alguns dias se passariam antes da chegada dos primeiros hóspedes. A lotação estava quase esgotada. Somente um quarto permanecia desocupado. Orla e Chicky se sentavam todas as noites, examinando a lista de pessoas. Vinham da Suécia, da Inglaterra e de Dublin. Algumas de carro, outras de trem. Rigger fora avisado do horário de chegada de todos.

Examinaram repetidas vezes os cardápios, checando se havia todos os ingredientes. Tentavam imaginar todas aquelas pessoas sentadas em torno da mesa à noite e reunindo-se, todas as manhãs, para a primeira refeição. Tinham deixado uma seleção de revistas e romances no Salão Srta. Sheedy; havia mapas, livros sobre pássaros e guias de prontidão. Botas Wellington, guarda-chuvas e capas de chuva, tudo disponível no armário de agasalhos.

Aos poucos, Gloria superou seu curto período de luto pela Srta. Queenie e voltou a se sentar junto da lareira, com um ronronar que acalmaria até o coração mais perturbado.

— Você agora já tem seu dinheiro para escapar, Orla — disse Chicky, na véspera da inauguração.

— Sempre tive meu dinheiro para escapar — declarou Orla.

— Não vou prender você. Já me deu tudo o que prometeu e ainda mais.

— Por que todos estão tentando livrar-se de mim? — perguntou Orla. — Queenie agia do mesmo jeito. Na noite da véspera da sua morte, ela disse que eu não podia me casar com as gaivotas e gansos de Stoneybridge.

— E tinha razão — concordou Chicky.

— E quanto a *você*? Aidan me fez perguntas a seu respeito.

— Ah, deixa isso pra lá, Orla!

— Aposto que Walter gostaria que você se casasse de novo.

— Sim, de fato.

— E então?

— Então o quê? Arrancar o Dr. Dai da esposa? Tirar o padre Johnson do sacerdócio? Oferecer pela internet "rica viúva com negócio próprio"? — Chicky riu. — É sobre *você* que estamos falando. Você só tem uma vida, Orla.

— Então, o que há de errado em viver aqui durante algum tempo? — perguntou Orla. — Ir embora antes de um ano administrando este lugar seria insuportável para mim.

Chicky tornou a afundar em sua cadeira. Gloria se esticou em aprovação.

O relógio de pêndulo no saguão bateu meia-noite.

Aquele era o dia em que a Casa de Pedra abriria as portas ao público. Elas não ficariam sentadas sozinhas naquela cozinha durante muitas das noites futuras.

Ergueram os copos uma para a outra, enquanto, do lado de fora, as ondas se quebravam na praia e o vento fustigava as árvores.

Winnie

Claro que Winnie gostaria de ter se casado. Ou de ter tido um parceiro de vida. Quem não gostaria?

Ter alguém de prontidão para agir em sua defesa. Alguém com quem partilhar a vida e, no final, com quem ter filhos. Claro que era o que ela queria. Mas não a qualquer preço.

Ela jamais se casaria com o bêbado com o qual uma amiga tinha se casado — um homem que se mostrou tão abusivo na festa de casamento que ainda se sentir repercussões disso anos depois.

Ela não teria se casado com aquele sujeito controlador e tampouco com o pão-duro. Entretanto, uma porção dos homens com quem suas amigas tinham se casado eram pessoas boas, calorosas, felizes, que haviam tornado muito completas suas vidas.

Se pelo menos existisse alguém assim por ali.

E, se fosse o caso, como Winnie poderia encontrá-lo? Tentara o namoro pela internet, os eventos de busca de parceiros e a ida a clubes. Nada funcionara.

Ao chegar na casa dos 30 anos, Winnie já havia praticamente desistido. Tinha uma vida ocupada: trabalhava como enfermeira para uma agência, um dia aqui, uma noite acolá, nos hospitais de Dublin. Ia para o cinema, encontrava-se com amigas, frequentava aulas de culinária e lia um bocado.

Não podia dizer que a vida era triste e solitária. Longe disso, mas amaria ter conhecido alguém e saber que aquele era o homem certo. Simplesmente saber.

Winnie era otimista. Nas enfermarias, sempre comentavam que ela era uma ótima enfermeira com quem se poderia trabalhar porque o tempo todo encontrava um motivo para se alegrar. Os pacientes gostavam muito dela — sempre reservava tempo para tranquilizá-los e lhes dizer como iam bem e como a medicina moderna melhorara. Não desperdiçava tempo lamentando-se nas cantinas dos hospitais, dizendo que os homens da Irlanda eram uma tribo muito deficiente. Apenas convivia com o fato.

Ainda nutria uma vaga esperança de que existisse amor por ali, em alguma parte — somente com um pouco menos de certeza de que poderia, de fato, encontrá-lo.

Foi em seu trigésimo quarto aniversário que ela conheceu Teddy.

Ela fora com três amigas — todas casadas, todas enfermeiras — jantar no restaurante Ennio's, perto do cais, à margem do Liffey. Winnie usava seu novo casaco preto e prateado. A cabelereira a convencera a fazer um tratamento condicionador muito caro nos cabelos. As moças disseram que ela estava ótima, mas sempre lhe diziam isso. Simplesmente não parecera funcionar para atrair um parceiro para o resto da vida.

Foi uma noite maravilhosa, com todos os funcionários indo até a mesa e cantando "Feliz aniversário", oferecendo um licor italiano por conta da casa. Na mesa ao lado, dois homens as observavam, com admiração. Cantaram "Feliz aniversário" com tanta empolgação que o restaurante os incluiu numa rodada de bebidas de cortesia. Eles eram educados e eram cuidadosos para não se intrometer demais.

Peter contou que era um hoteleiro de Rossmore e seu amigo, Teddy Hennesy, fazia queijo lá naquela parte do mundo. Vinham a Dublin toda semana, porque a mulher de Peter e a mãe de Teddy gostavam de ir a shows. Os homens preferiam experimentar um novo restaurante a cada vez. Aquela era a primeira visita deles ao Ennio's.

— E sua esposa não vem a Dublin também? — perguntou Fiona a Teddy, de forma bastante mordaz.

Winnie sentiu que corava. Fiona sondava o terreno, vendo se Teddy estava disponível. O homem não pareceu notar.

— Não, não tenho esposa. Ocupado demais fazendo queijo, é o que todo mundo diz. Não, sou descompromissado. — Ele era meio infantil e ansioso; os cabelos macios caíam-lhe sobre os olhos.

Winnie pensou ter sentido que ele a fitava.

Entretanto, ela não devia tornar-se tola e exageradamente otimista. Talvez ele pudesse ver que, das quatro mulheres, ela era a única sem uma aliança. Talvez fosse pura imaginação.

A conversa fluiu fácil. Peter lhes contou sobre o hotel. Fiona tinha histórias da clínica cardiológica onde trabalhava. Barbara descreveu alguns dos desastres que o marido David enfrentara, organizando seus trabalhos de cerâmica. Ania, a moça polonesa, treinada como enfermeira, mostrou-lhes fotos do filho ainda engatinhando.

Teddy e Winnie falaram pouco, mas olharam-se apreciativamente, aprendendo pouco um sobre o outro, a não ser que se sentiam bem, estando ali. Depois foi hora de os homens irem embora, pegar as senhoras no teatro. A viagem de carro até Rossmore demoraria duas horas.

— Espero que tornemos a nos encontrar — disse Teddy a Winnie.

As três outras mulheres se ocuparam dizendo altos adeuses a Peter.

— Espero que sim — concordou Winnie. Nenhum dos dois fez qualquer movimento de dar um número de telefone ou endereço.

Peter fez isso para eles, no final.

— Posso dar a vocês, senhoras, meu cartão comercial e, se souberem de algum outro bom restaurante como este, podem passar a sugestão para nós? — perguntou ele.

— Está ótimo, Peter. Ah, Winnie, você tem um cartão aí? — indagou Fiona, significativamente.

Winnie escreveu seu endereço eletrônico e o número de telefone nas costas de um cartão que anunciava o vinho a baixo custo vendido no Ennio's. E depois os homens foram embora.

— Ora essa, Fiona, você poderia ter colocado um letreiro neon sobre minha cabeça dizendo "Solteirona Desesperada" — protestou Winnie.

Fiona encolheu os ombros.

— Ele era simpático. O que fazer, deixar o homem escapar?

— Fabricação de queijos! — refletiu Barbara. — Muito tranquilo, eu acho.

— Sra. Hennessy... Soa muito bem — comentou Ania, com um sorriso.

Winnie suspirou. Ele era simpático, sem dúvida, mas ela deixara para trás muito antes as esperanças causadas por encontros casuais.

Teddy telefonou para Winnie no dia seguinte. Ele estaria em Dublin outra vez no fim de semana. Será que ela gostaria de encontrá-lo para tomar um café ou algo assim?

Conversaram durante a tarde inteira num grande café ensolarado. Havia tanta coisa para dizer e ouvir. Ela lhe contou sobre sua família — três irmãs e dois irmãos, espalhados pelo mundo inteiro. Disse-lhe que era uma série de adeuses no aeroporto, lágrimas e promessas de visitas, mas Winnie jamais desejaria ir para a Austrália ou para os Estados Unidos. Era muito caseira.

Teddy fez sinais afirmativos com a cabeça, concordando. Ele era exatamente igual. Jamais desejara ir para muito longe de Rossmore.

Quando Winnie tinha 12 anos, sua mãe morrera, e tudo se tornara sombrio na casa da família. Cinco anos depois, seu pai se casara outra vez; uma mulher amável, mas distante, chamada Olive, que fazia joias e as vendia em mercados e feiras no país inteiro. Era difícil dizer se ela *gostava* de Olive ou não. A mulher era distante e parecia viver em outro mundo.

Teddy era filho único, e sua mãe era viúva. O pai morrera num acidente na fazenda muitos anos antes. Sua mãe fora trabalhar na fábrica de leite local, a fim de ganhar dinheiro e mandá-lo para uma escola realmente boa. Ele gostava das coisas lá, mas sua mãe tinha ficado muito desapontada por não se tornar médico ou advogado. Isso seria uma recompensa pelas longas e duras horas que ela havia trabalhado.

Ele adorava fazer queijo. Ganhara vários prêmios e formara um pequeno negócio, bom e firme. Teddy conhecera uma porção de boas pessoas e era até capaz de dar emprego em Rossmore a trabalhadores que poderiam ter precisado ir embora a fim de procurar serviço no exterior. A mãe dele, que se revelara uma fantástica mulher de negócios depois dos seus anos na fábrica de leite, fazia a contabilidade e se envolvia bastante com o negócio.

Winnie falou de sua vida como enfermeira e explicou o que significava estar registrada numa agência. A pessoa literalmente não sabia onde trabalharia no dia seguinte. Podia ser um dos grandes e reluzentes novos hospitais particulares. Podia ser um tumultuado hospital no centro da cidade, uma ala de maternidade ou um abrigo para idosos. Por um lado, era ótimo, porque havia uma imensa variedade, mas, por outro, significava que a pessoa não chegava a conhecer muito bem os pacientes — não havia muita continuidade nem envolvimento no tratamento.

Ambos tinham passado férias na Turquia, gostavam de ler thrillers e os dois foram vítimas de amigos bem-intencionados tentando enfiá-los em namoros e casá-los. Aconteceria ou não, disseram um ao outro, amistosamente. Mas sabiam que se encontrariam outra vez muito em breve.

— *Gostei* de hoje — disse ele.

— Quem sabe não cozinho algo para você da próxima vez?

O rosto de Teddy se iluminou.

*

E, depois disso, ele passou a fazer parte da vida de Winnie. Não uma parte imensa, mas talvez duas vezes por semana.

Durante várias visitas ao apartamento dela, ele foi embora antes da meia-noite e seguiu de carro pela longa estrada de volta a Rossmore. Então, uma vez, Teddy perguntou se ela concordaria, talvez, que ele permanecesse durante a noite. Winnie disse que, de fato, seria muito agradável.

Uma ou duas vezes, eles até saíram para um fim de semana juntos, mas tinha de ser um fim de semana curto. Winnie logo aprendeu que nada podia mudar nem mudaria os planos da mãe dele. Teddy nunca estava livre numa sexta-feira, porque era o dia que levava a mãe para jantar no hotel de Peter.

Sim, todas as sextas-feiras, disse ele, pesarosamente. Era algo tão pequeno, e mamãe gostava tanto. E, quando se pensava em tudo de que ela abrira mão por ele, ao longo dos anos...

Winnie refletiu sobre isso, sem dizer nada. Teddy não *parecia* um filhinho da mamãe, mas ela sentia que ele estava nervoso em apresentá-la à mãe. Como se ela pudesse não passar em algum teste. Mas isso era fantasia. Ele era um homem adulto. Winnie não o apressaria.

Em vez disso, concentrou-se na ideia de tirarem um pequeno período de férias juntos.

Winnie ouvira falar daquele lugar que estava abrindo no Oeste, chamado Casa de Pedra. A foto no folheto era muito atraente. Mostrava uma grande mesa onde todos os hóspedes se reuniam à noite, um gatinho bonitinho, preto e branco, sentado junto de uma lareira acesa; prometia comida excelente, caseira, e conforto, com caminhadas, observação de pássaros e a oportunidade de explorar uma orla espetacular.

Não seria aquele um lugar ótimo para uma viagem? Se pelo menos ela conseguisse tirá-lo dali e quebrar a prisão daquelas preciosas sextas-feiras à noite com a mãe dele.

A mãe dele!

Era melhor conhecer logo a mãe dele antes de sugerir sequestrar o menino dela para o oeste da Irlanda! Por outro lado, aquele lugar parecia ser de fato popular. Teddy simplesmente adoraria a ideia quando lhe fosse transmitida e, se não lhe conviesse, sempre haveria a possibilidade de cancelar a reserva...

E então *veio* a hora de conhecê-la — essa mãe que sacrificara tanto por seu rapaz, a mãe cujas noites de sexta-feira não poderiam nunca ser perturbadas. Ela pediu a Teddy que trouxesse a amiga Winnie de Dublin, a fim de jantarem no hotel e almoçarem no dia seguinte.

Winnie tomou muito cuidado com o que vestiria, procurando o que achou que agradaria à Sra. Hennessy.

Essa velha senhora raramente se deslocava de Rossmore. Ela suspeitaria de qualquer coisa chamativa.

O casaco prateado e preto de Winnie talvez fosse vistoso demais. Em vez disso, optou por usar um sensato terninho azul-marinho.

— Estou muito nervosa por conhecê-la — confidenciou a Teddy.

— Tolice. Vocês se darão tão bem juntas que terão de chamar os bombeiros para separar as duas — brincou ele.

Ela tomaria o trem para Rossmore com sua pequena nécessaire para passar a noite fora. Peter e sua esposa Gretta a haviam convidado para ficar no hotel deles, como sua convidada. A Sra. Hennessy não ficaria sabendo onde eles passariam a noite, de modo que essa parecia a opção sensata.

— Nós lhe daremos nosso melhor quarto. Você precisará do conforto de todos, depois de conhecer a fera — dissera Peter.

— Mas pensei que você gostasse dela! — Winnie ficou espantada.

— É uma grande dama, sem dúvida, e a melhor companhia possível, mas você nunca viu uma mãe animal, na selva, tão protetora da sua ninhada quanto Lilian. Ela afasta todos, um por um. — Peter riu daquilo tudo.

Winnie fingiu não ouvir o que ele dizia. Linhas de combate não seriam desenhadas sobre Teddy. Ele era adulto, um homem que podia tomar as próprias decisões e as tomaria.

Teddy foi esperá-la na estação.

— Mamãe fez também uma grande lista de convidados para o almoço de amanhã — informou ele, encantado. — Ela diz que devemos fazer com que compense você ter vindo de tão longe.

— Muito generoso da parte dela — murmurou Winnie. — E verei também sua casa. — Estava muito satisfeita por já ter embrulhado um pequeno presente para a Sra. Hennessy. Aquilo tudo daria muito certo.

No hotel, Peter e Gretta encontravam-se num estado de alta excitação.

— Quer ver seu quarto agora e trocar de roupa para o jantar? — perguntou Gretta.

— Não, de forma alguma. Não há problemas em ir assim como estou mesmo — respondeu Winnie. Sabia que a Sra. Hennessy admirava a pontualidade e detestava ficar esperando.

— Como você quiser — disse Gretta, em tom de dúvida.

Winnie movimentou-se com determinação para dentro do bar e salão de refeições do Rossmore Hotel. Ela tranquilizaria a velha senhora e a conquistaria. Era tudo uma questão de deixá-la perceber que não representava uma ameaça, e não era nenhuma rival. Estavam inteiramente juntas naquilo.

Não conseguiu ver nenhuma figura idosa sentada nas grandes poltronas. Talvez a lendária pontualidade da Sra. Hennessy tivesse sido exagerada. E então ela viu Teddy saudando uma mulher altamente glamorosa que se encontrava sentada no bar.

— Aí está você, mamãe! Nos derrotou, como de costume! Mamãe, esta é minha amiga Winnie.

Winnie olhou fixamente, descrente. Aquela não era uma velha dependente e frágil. Era alguém no início dos seus 50 anos, bem-tratada, maquilada e vestida com ousadia. Usava um casaco de brocado dourado sobre um vestido de seda cor de vinho. Parecia ter ido diretamente do cabelereiro. A bolsa e os sapatos eram feitos de um couro macio e caro. Usava joias da maior classe.

Devia haver algo errado.

A boca de Winnie se abriu e fechou. Jamais lhe ocorrera não ter o que dizer, mas, naquele momento, descobriu-se inteiramente sem palavras.

A Sra. Hennessy, porém, foi capaz de lidar com a própria sensação de surpresa com muito mais dignidade.

— Winnie, que prazer conhecê-la! Teddy me contou tudo a seu respeito. — Seus olhos avaliaram Winnie da cabeça aos pés e tornaram a subir.

Winnie se sentiu muito consciente dos seus sapatos grandes e confortáveis. E por que vestira o terninho sem graça, azul-marinho? Ela parecia alguém que entrara para mudar o lugar dos móveis do hotel, não para um jantar a rigor com aquele ícone de estilo.

Teddy irradiava satisfação na direção de uma e de outra, vendo o que ele sempre desejara: um bom encontro entre sua mãe e sua namorada. E permaneceu encantado durante toda a refeição, enquanto a mãe paparicava Winnie, minimizava-a e quase ria em sua cara. Teddy Hennessy não viu nada disso. Viu apenas os três se estabelecendo como um grupo familiar.

A Sra. Hennessy disse que *claro que* Winnie devia chamá-la de Lilian; afinal, eram amigas, agora.

— Você é tão diferente do que eu esperava — comentou ela, em tom de admiração.

— Ah, é mesmo? — A pobre Winnie se indagou se alguma vez em sua vida fora tão insegura e desajeitada.

— Sim, de fato. Quando Teddy me contou que conhecera uma enfermeirazinha em Dublin, acho que pensei em alguém muito mais jovem, mais tola, de alguma maneira. É maravilhoso encontrar uma pessoa tão amadurecida e sensata.

— Ah, é isso que pareço? — Ela reconheceu o verdadeiro significado das palavras: amadurecida e sensata queriam dizer grande, chata, comum e velha. Pôde ouvir o suspiro de alívio que Lillian Hennessy permitia sair silvando de seus lábios perfeitamente maquilados. Essa Winnie não era ameaça alguma. Seu filho de ouro não se apaixonaria por uma mulher tão pouco atraente quanto aquela.

— E é tão *bom* para Teddy ter pessoas adequadas para encontrar quando está em Dublin — prosseguiu Lilian numa voz que era quase, mas não inteiramente, uma torrente. — Alguém que o mantenha fora dos caminhos perigosos e impeça que se vincule a pessoas inconvenientes.

— De fato, sou ótima para isso — declarou Winnie.

— Verdade? — Os olhos de Lillian eram duros.

Por um momento, Teddy pareceu perplexo.

— Bem, tenho 34 anos e me impedi, até agora, de ter qualquer relacionamento inadequado — disse Winnie.

Lillian gritou de encantamento.

— Mas você não é mesmo maravilhosa? Ora, claro que Teddy tem apenas 32, então precisamos cuidar dele — tilintou ela.

Lillian conhecia todo mundo no salão de jantar e fazia acenos com a cabeça ou com a mão para todos. Algumas vezes, até apresentou Winnie como "uma velha, *velha* amiga nossa, de Dublin". Ela escolheu o vinho, queixou-se de que os queijos Hennessy não eram adequadamente exibidos no prato de queijos e, finalmente, pôs um fim à noite, falando do seu convite para almoçar no dia seguinte.

— Andei numa confusão imensa, indagando-me quem convidaria junto com você, mas agora que a conheci vejo que estará perfeitamente à vontade com qualquer pessoa. Então, encontrará uma porção de velhotes simpáticos por aqui. Todos muito provincianos, receio, em comparação com os de Dublin, mas tenho certeza de que encontrará umas poucas pessoas com afinidades. — Depois, já estava do lado de fora, no saguão, batendo com o dedo do pé elegantemente calçado, até Teddy acompanhar Winnie ao elevador.

— *Sabia* que seria maravilhoso — comentou ele. E, com um rápido beijo na face, foi embora levar a mãe de carro até sua casa.

No Hotel Rossmore, Winnie chorou até não ter mais lágrimas. Viu seu rosto manchado no espelho. Um rosto velho e comum, que podia ser apresentado a velhotes simpáticos. Alguém que não faria ninguém entrar numa confusão. Onde a mulher arranjara essas frases?

Ela chorou por Teddy. Será que ele era mesmo um homem, para deixá-la na frente da porta do elevador e correr atrás da mãe vestida com exagero e enlouquecida pelo poder, ou era um boneco, que não tinha qualquer intenção de ter um relacionamento de verdade com ela?

Ela *não* iria para aquele almoço horroroso no dia seguinte. Daria desculpas e tomaria o trem de volta para Dublin. Deixaria que fizessem as coisas como quisessem. Os últimos poucos meses tinham sido um paraíso de tolos. Em sua idade, Winnie deveria saber que estava se iludindo.

E, por falar em idade, Lillian dissera que Teddy estava com 32 anos, fazendo isso soar como se ele ainda fosse uma criança. Ele faria 33 dentro de duas semanas. Era apenas 14 meses mais jovem do que Winnie. Ela e Teddy já haviam rido da diferença de idade. Para eles, era algo sem importância. Como Lillian conseguira mudar tudo e fazê-la parecer algum tipo de predadora, espreitando o jovem e indefeso Teddy?

Ora, não tinha importância. Aquela era a última vez em que via algum dos dois.

Caiu num sono agitado e acordou com dor de cabeça.

Gretta estava em pé ao lado da sua cama, segurando uma bandeja com o café da manhã.

— O quê? Não pedi...

— Meu Deus, Winnie, você jantou com Lillian. Deve estar precisando de uma transfusão de sangue ou de um tratamento contra choque, mas eu lhe trouxe café, croissants e um Bloody Mary para ajudar na sua recuperação.

— Não me importo com ela. Vou voltar para Dublin no próximo trem. Não deixarei que ela acabe comigo. Acredite no que digo: sei quando devo sair de cena.

— Primeiro, beba o Bloody Mary. *Vamos*, Winnie, beba. Está cheio de coisas boas, como suco de limão, sal de aipo e Tabasco.

— E vodca — complementou Winnie.

— Para necessidades desesperadas, remédios desesperados. — Gretta estendeu a taça e Winnie tomou a bebida.

— Por que ela me odeia? — Winnie queria saber.

— Ela não odeia você. Simplesmente tem medo de perder Teddy. Mostra as garras sempre que alguém parece poder levá-lo embora. Esse lado dela surge quando está em pânico. Mas não vai se sair tão bem dessa vez.

Durante o café, Gretta explicou que, naquele dia, havia um casamento no hotel, e um cabelereiro estava disponível. Ela podia ir até o quarto e fazer um rápido penteado em Winnie e, em seguida, ela seria a artista da maquilagem.

— É tarde demais para essa reforma — gemeu Winnie. — Ela me viu como eu estava. Por escolha própria, não trouxe nenhuma roupa elegante, porque não queria ofuscá-la. *Eu, ofuscá-la?* Eu devia estar louca.

— Vou lhe emprestar uma roupa linda. Ela nunca a viu. É coisa fina: um Missoni. Realmente de alto nível. Comprei num desses outlets. Isso vai fazer os olhos dela saltarem.

— Não quero nada com os olhos dela; não ligo mais para ela ou o filho.

— Nenhum de nós se preocupa com ela, também, mas todos amamos Teddy. Você é a única que pode salvá-lo. Vá em frente, Winnie.

Um almoço. Você pode fazer isso. Acredite ou não: por baixo de tudo isso, ela é uma pessoa muito decente.

E, sem saber como, Winnie se viu no chuveiro, depois com um cabelereiro e, em seguida, tendo as sobrancelhas feitas e com um blush aplicado em cima dos seus ossos malares. Além disso, usava sombra de olhos combinando com os lindos tons de lilás e aquamarine da blusa do designer italiano.

— Mesmo que vá deixar o palco, saia lutando — advertiu Gretta, enquanto admirava os resultados.

— E você volte e enfrente o casamento, Gretta. É seu ganha-pão. Seu meio de vida.

— Não me preocupo com o casamento. Preocupo-me em livrar Teddy das garras daquela mulher. Escute, Winnie, ela *é* nossa amiga, mas Teddy *precisa* ter o direito de viver a própria vida, e você é a única que vai conseguir isso. Não sei como, mas acontecerá por seu intermédio.

— Não vou dar nenhum ultimato. Ou Teddy quer estar comigo ou não quer.

— Ah, Winnie, se a vida fosse assim tão fácil. Você não realiza casamentos toda semana, como nós fazemos o ano inteiro; não conhece os caminhos pedregosos que levam ao altar.

— Preferiria um caminho sem pedra alguma, um caminho fácil, e caminhar por ele sozinha — declarou Winnie.

— Você pode fazer isso. Corra atrás, Winnie — implorou Gretta.

Lillian reunira mais de uma dúzia de pessoas para o almoço. Salmão fresco foi servido, com batatas e ervilhas salteadas. Havia saladas muito elegantes, com aspargos e abacate, nozes e gorgonzola.

Winnie olhou ao redor. Era uma casa muito confortável, encantadora: havia pisos de madeira com tapetes; grandes sofás cobertos com tecido chintz e cadeiras haviam sido postas por toda parte, e fotografias de família emolduradas cobriam a mesa lateral.

Um gazebo, onde se encontrava uma mesa de bebidas de verão, dava para um jardim bem-cuidado. Aquele era o domínio de Lillian.

Winnie ficou impressionada, mas não iria bajular, admirar e elogiar. Em vez disso, concentrou-se nos outros convidados. Descobriu a contragosto que gostava dos amigos de Lillian.

Sentou-se junto do advogado local, que falou sobre como a Irlanda se tornara muito litigiosa, com pessoas procurando compensação por toda parte, e lhe contou histórias maravilhosas sobre casos de que ele ouvira falar. Do seu outro lado, estavam Hannah e Chester Kovac, que tinham fundado e administravam um centro de saúde da região, e eles conversaram sobre os problemas no serviço de saúde. À sua frente, havia um cavalheiro chamado Neddy, que administrava um abrigo para idosos, e a esposa Clare, diretora da escola dali; os amigos deles, Judy e Sebastian, contaram-lhe que haviam começado com uma pequena agência de notícias no centro da cidade, mas agora tinham uma grande loja na rua principal de Rossmore. Houvera uma grande polêmica em torno de um possível boicote, quando as pessoas acharam que aquilo tiraria negócios da cidade, mas se descobriu que faziam um bom negócio vendendo somente aos dublinenses que tinham suas segundas casas na área de Whitehorn.

Eram pessoas normais, calorosas, e pareciam perfeitamente à vontade com Lillian Hennessy. A mulher deveria ter uma porção de outras coisas a seu favor que não estava mostrando a Winnie.

Notou Lillian lançando-lhe olhares de vez em quando, com certo ar de especulação. Era como se percebesse que Winnie, desde a noite anterior, mudara mais do que apenas sua aparência. O que Winnie não notou, porém, foi a maneira como o advogado não parava de tornar a encher sua taça com o que ele disse ser um excelente Chablis. Quando os morangos foram servidos, Winnie não pensava com tanta clareza quanto desejava.

Descobriu-se olhando para o rosto de Teddy e pensando em como ele tinha uma aparência boa e calorosa. Admirou a cortesia dele com os amigos da mãe e sua ansiedade para que todos se divertissem. Ele a olhava muito, lá do outro lado, e sempre sorria, como se o sonho da sua vida estivesse realizado e Winnie tivesse encontrado seu lar.

Lillian era uma boa anfitriã; Winnie tinha de admitir.

Conseguia fazer os convidados circularem, de modo a falarem com outras pessoas. Winnie observara a pequena dança e decidiu levantar-se e ir para o banheiro, a fim de evitar ser encurralada por Lillian.

Mas não se movimentou a tempo.

— Que linda blusa Missoni — disse-lhe Lillian, com admiração.

— Obrigada — respondeu Winnie.

— Posso perguntar onde você a conseguiu?

— Foi um presente. — Winnie encerrou o interrogatório.

— Espero que não tenha se entediado aqui. Tenho certeza de que pensa que isto aqui é, na verdade, uma escapada para o mundo caipira.

Lillian, com seu vestido de linho creme, com casaco igual, parecia vestida para um casamento da alta sociedade.

— Eu adorei tudo — declarou Winnie. — Que amigos maravilhosos você tem.

— Estou certa de que você também tem uma porção de bons amigos em Dublin.

— Bem, sim, tenho. Como você, gosto de pessoas, então acho que tenho uma porção de amigos. — Winnie sentiu sua voz soar metálica e distante. Ela devia, de fato, estar um pouquinho bêbada. Precisava tomar muito cuidado.

Os olhos de Lillian pareceram estreitar-se, mas o olhar penetrante continuava ali. Com um choque, Winnie percebeu que Lillian, muito possivelmente, a odiava. Chegava a esse ponto. Era algo territorial. Winnie não colocaria as mãos no filho de ouro. Sua mãe lutaria por ele. Winnie estava quase cansada demais para se defender. A noite de choro, a exaustão por todos os preparativos da manhã, o Bloody

Mary no café da manhã e todo aquele vinho não habitual na hora do almoço estavam pesando. Por que travar uma batalha que jamais poderia ganhar?

Então Winnie viu Teddy sorrindo para ela, orgulhosamente, do outro lado da mesa. Ele a amava, de fato. Não achava que ela era velha e chata. Ele era bom demais para que Winnie desistisse sem lutar.

— Sua casa é muito elegante, Lillian. Teddy teve sorte de crescer num lugar tão lindo.

— Obrigada.

Os olhos de Lillian estavam tão duros quanto na noite da véspera. Agora não havia qualquer tentativa de esconder a hostilidade.

— Agora posso entender por que você não quer sair de férias. Tem tudo aqui. — Winnie esperava que o sorriso estivesse bem fixado em seu rosto.

— Ah, mas eu gosto de viajar, claro, de ver coisas, visitar lugares. E você não, Winnie? Quero dizer, quais são seus planos para as férias, este ano?

Teddy aproximara-se, para se unir a elas. Sorria de uma para a outra. As coisas iam melhores do que ele sonhara. De repente, Winnie descobriu-se descrevendo a Casa de Pedra para os dois.

Lillian ficou interessada.

— Parece mesmo bom, quase como um retiro. E com quem você acha que irá? Tenho certeza de que poderá encontrar alguém, se lá é tão bom quanto diz. É o tipo de lugar para onde eu mesma adoraria ir, e penso que atrairia uma clientela mais sofisticada. Conhece alguém que gostaria de lá? Uma das suas amigas enfermeiras? Ou preferem todas lugares mais ensolarados? — Ela não estava cedendo.

— Sim, de fato, tem razão, mas nem todos querem fugir para o sol quando esfria aqui. — Winnie hesitou. — Na verdade, *gosto* do vento e da chuva, quando o lugar é lindo e quando há um gostoso banho quente e um bom jantar no fim do dia. Tenho certeza de que uma porção de gente sente a mesma coisa.

— Ah, mas claro que você vai achar alguém. — Lillian parecia desdenhar dela.

— Eu estava pensando que talvez Teddy pudesse ir comigo — falou ela, com uma coragem proporcionada pela bebida, brava como uma leoa.

— Teddy! — Lillian pareceu tão alarmada quanto se o nome de um criminoso de guerra internacional fosse sugerido.

— Que ideia maravilhosa! — exclamou Teddy, encantado. — Essa parte do país está muito preservada e o inverno será bem mais atraente do que seguir as multidões do verão. Acha que conseguirá fazer uma reserva?

— Não haverá problema algum — disse Winnie.

O aspecto de Teddy era o de quem tivesse todos os seus aniversários chegando ao mesmo tempo.

— Por que não vamos *todos*? — perguntou ele. — Parece tão maravilhoso, e, agora que vocês já se conhecem, não seria ótimo se nós três fôssemos? — Ele olhou da mãe para a namorada, encantado com a maneira como as coisas estavam acontecendo.

Como Teddy podia ter deixado de perceber o silêncio pasmo com que seu comentário foi recebido? Ele, entretanto, parecia não ter notado.

— Não posso imaginar nada de que eu gostasse mais — declarou ele, olhando outra vez de um rosto para o outro.

Foi Lillian quem primeiro achou o fôlego para falar.

— Claro, como você mesmo acabou de dizer, pode de fato ser difícil conseguir uma reserva — começou a dizer, numa tentativa.

Agora era a vez de Winnie. Não lhe ocorreu qualquer resposta inteligente. Ela só se descobriu capaz de falar a verdade.

— Eu, mais ou menos provisoriamente, já reservei uma semana. — Winnie baixou os olhos.

— Ora, mas não é *maravilhoso*? — Teddy estava satisfeitíssimo. — Agora, está combinado. Para que data?

Winnie falou a data. Aquilo não podia estar acontecendo. Não era possível ele querer levar a mãe nas férias dos dois. Se algum dia se casassem, será que ele também a convidaria para a lua de mel? Por favor, meu Deus, torne a data impossível.

Ela viu que o rosto de Teddy se fechou.

— Ah, *não*! É a semana da conferência dos fabricantes de queijo. É a única semana do ano em que não posso fazer isso — disse ele.

Winnie agradeceu a Deus do fundo do seu coração e disse que prestaria muito mais atenção a ele, no futuro.

— Ah, bem, foi tolice minha fazer uma reserva sem verificar se você podia ir, mas foi apenas um acerto informal. Telefonarei para eles e lhes direi... — Winnie falava em tom de quem se desculpa e teve a esperança de que seu alívio não transparecesse.

— E poderia estar muito frio, até úmido — Lillian argumentou rapidamente.

Mas Teddy tinha outra ideia.

— Vocês *duas* devem ir juntas.

Lillian tossiu, mas pareceu refletir um pouco sobre o assunto.

— Não, querido; esperaremos e combinaremos isso para outra ocasião.

— Seria um pouco como "Hamlet" sem o príncipe — comentou Winnie, com um terrível sorriso forçado, que ela julgou parecer o de uma caveira.

— Há outros fins de semana, outros lugares — implorou Lillian.

— Não vamos nem pensar em ir sem você — Winnie praticamente rasgou em frangalhos a toalha de mesa de Lillian, de um bom linho.

— Mas o que mais eu poderia querer, enquanto estiver fora, do que pensar em vocês duas passando férias juntas? Conhecendo-se melhor. As duas pessoas que amo. — Ele estava sendo claramente sincero, e ambas as mulheres ficaram presas na armadilha.

— Bem, claro que chegaremos a nos conhecer, Teddy, é apenas que não queremos que você perca essas férias — começou Lillian.

— Sua mãe podia ir a Dublin, e eu a acompanharia por um dia, enquanto você estiver fora. — Winnie sentiu um lamento na voz.

— Esse lugar parece tão certo para as duas. Já está reservado. Devem ir — afirmou ele.

— Pode ser o grupo errado para nós. Pode ser apenas uma casa cheia de jovens. — Lillian se agarrava a qualquer argumento. — Mas não é uma data que atraia jovens, claro — disse, finalmente.

— Sim, podemos ficar deslocadas. — Winnie fez sinais afirmativos com a cabeça, tão ardentemente que temeu que sua pobre, cansada e confusa cabeça caísse.

Mas esses eram apenas os arquejos de morte de peixes encalhados. Elas olharam uma para a outra. Ambas sabiam que recusar seria perdê-lo. E nenhuma das duas queria dar esse passo. Começaram a recuar.

Lillian cedeu primeiro.

— Mas, se é isso que você realmente quer... Sim, pensando bem, há uma porção de coisas a favor. Certamente, eu ficaria muito feliz de ir com você, Winnie.

— O quê? — Winnie teve a sensação de ser atingida por um tiro.

— Teddy tem razão. Precisamos *mesmo* nos conhecer. Então, eu poderia ir com você, sem problemas. E, sabe, creio que eu gostaria disso.

Winnie sentiu a sala se inclinar sob os pés.

Precisava falar naquele momento mesmo, do contrário concordaria em ir passar uma semana de férias com aquela mulher cheia de ódio. Sua garganta, entretanto, estava seca, e ela não conseguiu encontrar a voz. Percebeu que acenava afirmativamente com a cabeça, como uma estúpida. Era como uma mulher se afogando, com as águas fechando-se por cima dela, mas sem ser capaz de reagir. Percebeu que, falasse ela ou *não*, acabaria indo para o oeste com Lillian Hennessy.

O rosto pequeno e cheio de desprezo de Lillian encontrava-se bem próximo do seu. Estava planejando essa semana no oeste como sua maneira de destruir o que quer que Teddy e Winnie pudessem pensar em ter.

Winnie ficou ereta.

Em sua cabeça, ela disse: *Tudo bem, vamos lá, vamos ver quem ganha*, mas em voz alta declarou:

— É uma grande ideia, Lillian. Tenho certeza de que teremos ótimos momentos. Confirmarei a reserva para nós duas.

De alguma maneira, a refeição chegou ao fim, e era hora de Teddy levá-la de carro até a estação.

— Estaremos em contato antes de irmos — disse Lillian, da porta do saguão.

— Viu? — perguntou Teddy. — Eu sabia que vocês duas se dariam bem.

— Sim, ela foi muito gentil, muito acolhedora.

— E vocês duas irão passar férias juntas. Isso não é mágico?

— Sim, ela disse que gostou do que ouviu sobre esse lugar lá em Stoneybridge.

— Mamãe não sai de férias com ninguém, sabe. Ela é muito seletiva. Então, deve ter gostado de você imediatamente.

— Sim, isso não é ótimo? — falou Winnie.

Sentia-se anestesiada e derrotada, como se sua ressaca estivesse prestes a se fazer sentir. Era uma advertência para ter cuidado com o vinho no almoço pelo resto da sua vida. Uma advertência que chegara tarde demais.

Winnie olhava fixamente para fora da janela enquanto o trem se arremessava através da Irlanda rural. Que tipo de pessoa trabalhava movimentando o gado por aqueles pequenos campos verdes ou cavando para fazer aquelas plantações na terra dura? Eram pessoas que jamais beberiam vinho demais na hora do almoço ou em qualquer outra hora. Elas jamais teriam concordado em passar uma semana de férias com a mulher mais cheia de ódio da Irlanda. Ela tentou dormir, mas, exatamente quando o ritmo do trem começava a embalá-la e a colocá-la numa espécie de estado de repouso, recebeu uma mensagem de texto no celular.

Era de Teddy.

Sinto tanto sua falta. Você iluminou todo o grupo no almoço. Eles ficaram todos loucos por você. E eu também estou. Mas você jamais saberá como você foi maravilhosa com minha mãe. Ela não falou de outra coisa a não ser das férias dela com você. Você é brilhante e eu te amo.

Isso não a alegrou. Fez com que se sentisse ainda pior com relação a si mesma. Ela era uma mulher adulta, não uma colegial. Metera-se numa grande confusão. Dentro de dez semanas, iria para a Casa de Pedra com Lillian Hennessy. Era como tomar chá com o Chapeleiro Maluco. Era como um daqueles sonhos terríveis que são ao mesmo tempo tolos e assustadores.

As amigas notaram uma mudança em Winnie. Ela apenas encolhia os ombros quando lhe perguntavam sobre sua visita a Rossmore. Mal ousavam perguntar se Teddy ainda a visitava. Winnie recusou a ideia de ir a qualquer tipo de viagem com elas.

Fiona e Declan lhe imploraram que fosse até a casa que haviam alugado em Wexford. Lá haveria muito espaço, e elas adorariam sua companhia. Mas Winnie não quis nem pensar nisso. Tampouco na sugestão de que ela fizesse uma excursão pela Itália com Barbara e David, que já iriam para lá. E as fotos de Ania, do barco que iam alugar no Rio Shannon, não lhe despertaram o mínimo interesse.

— Você precisa fazer *alguma coisa* nas férias — disse Fiona, desesperada.

— Ah, eu farei. Vou passar uma semana de inverno no oeste. Será ótimo. — Ela conseguiu fazer com que isso parecesse um tratamento de canal dentário.

— E Teddy vai com você? — Às vezes, Barbara podia ser corajosa.

— Teddy? Não, é na mesma semana da coisa a que ele comparece todos os anos. A coisa dos fabricantes de queijo.

— Você não podia ter escolhido outra semana? — questionou Fiona.

Winnie parecia não ter ouvido.

Teddy continuava a visitá-la e estendia a permanência no pequeno apartamento de Winnie uma ou duas vezes por semana. Ele estava mais alegre e feliz do que nunca e parecia ter como certo que as férias planejadas eram o resultado natural de uma amizade imediata entre as duas mulheres. Algo que ele sempre achara provável, mas nunca acreditara que fosse tão espetacular. Teddy estava muito carinhoso e de todas as maneiras era o perfeito amigo, amante e companheiro para o resto da vida. Ele já estava quase falando sobre casamento. Winnie tentara manter as coisas leves.

— Ah, isso ainda está bem longe — ria ela.

— Já pensei em tudo. Precisamos, de qualquer forma, de um escritório para os queijos em Dublin. Poderíamos viver a metade do tempo em Rossmore e a outra metade aqui.

— Não há pressa, Teddy.

— Há, sim. Adoraria que tivéssemos um imenso casamento em Rossmore, para exibir você a todos.

Winnie não disse nada.

— Claro, se você preferir, podemos realizá-lo aqui em Dublin, com todos os seus amigos. O dia é seu, a escolha é sua, Winnie.

— Não estamos bem assim?

Winnie sabia que poderia não haver futuro algum a considerar quando ela e a mãe dele voltassem daquelas malfadadas férias na Casa de Pedra.

*

Houve várias cartas, mensagens de texto e telefonemas entre Winnie e Lillian. Era necessário o máximo de habilidade e autocontrole para Winnie não gritar pelo telefone que fora tudo um erro terrível.

E, então, Teddy partiu para a reunião dos queijos e, na manhã seguinte, Winnie dirigiu para Oeste, partindo de Dublin, e Lillian Hennessy seguiu para noroeste, saindo de Rossmore.

Encontraram-se na Casa de Pedra. Chegaram, por acaso, quase na mesma hora e estacionaram os carros. O de Winnie era um calhambeque muito velho e surrado que ela comprara de um dos porteiros num hospital onde trabalhara. Lillian dirigia um Mercedes-Benz novo.

A bagagem de Winnie era uma grande sacola de lona que ela carregava. Lillian tinha duas malas combinando uma com a outra, as quais deixou ao lado do carro.

A Sra. Starr esperava na porta da frente. Era uma mulher pequena, possivelmente no meio de seus 40 e poucos anos. Tinha cabelo curto e cacheado, um grande sorriso e um leve sotaque americano. Sua acolhida foi muito calorosa. Ela correu para fora, a fim de pegar as malas de Lillian, e as conduziu para uma cozinha grande e aquecida. Em cima da mesa, havia bolinhos quentes, manteiga e geleia. Um grande fogo a lenha ardia numa das extremidades, um sólido fogão a gás na outra. Era exatamente como no folheto.

Elas foram levadas para dentro e se sentaram imediatamente.

— Vocês são as primeiras hóspedes — disse a Sra. Starr. — As outras pessoas chegarão mais ou menos daqui a uma hora. Gostariam de tomar chá ou café?

Dentro de pouquíssimo tempo, a Sra. Starr havia descoberto mais sobre Lillian e Winnie do que qualquer das duas mulheres jamais soubera. Lillian falou do fato de seu marido ter morrido quando o filho era apenas uma criança pequena e do dia terrível em que recebera a notícia. Winnie explicou que seu pai era casado com uma mulher muito agradável, que fazia joias, e disse que seus irmãos e irmãs estavam no exterior.

Se a Sra. Starr achou que as duas mulheres eram amigas e companheiras de férias improváveis, não deixou isso transparecer de forma alguma.

Winnie insistiu que Lillian ficasse com o quarto com a vista para o mar. Era um quarto tranquilo e acolhedor, com uma grande sacada envidraçada. Havia vários tons de verde calmantes, nenhuma televisão, mas um pequeno banheiro com chuveiro. Esse lugar fora reformado de uma maneira muito bonita. O quarto de Winnie era parecido, mas menor, e dava para o estacionamento.

Winnie percebeu como se sentia cansada. A viagem de carro fora longa, o tempo estava úmido, e as estradas, à medida que ela se aproximava de Stoneybridge, tornavam-se estreitas e difíceis de atravessar. Ela, de fato, iria deitar-se e descansar. O quarto tinha uma cama grande e outra menor. Se elas fossem as amigas que Lillian conseguira deixar implícito que eram, poderiam com facilidade ter partilhado o quarto. Ou poderiam até servir mais chá uma para a outra, da bandeja já posta, com um pequeno bule e pote de biscoitos. Ou então dar uma olhada juntas nos livros, mapas e folhetos sobre a área que se encontravam na mesinha de cabeceira.

Winnie, entretanto, já não se preocupava mais com o que qualquer pessoa pensasse. A Sra. Starr era uma hoteleira, uma proprietária de terras e mulher de negócios. Tinha pouco tempo para especular sobre a dupla estranha que chegara na condição de primeiras hóspedes.

Winnie se sentiu deslizando para o sono. Ouviu o murmúrio de conversas no andar de baixo, enquanto novos hóspedes eram recepcionados. De alguma forma, era reconfortante. Seguro, como o lar costumava ser anos e anos antes, quando sua mãe estava viva, e a casa, cheia de irmãos e irmãs, chegando e saindo.

A Sra. Starr dissera que tocaria o gongo Sheedy vinte minutos antes do jantar. Aparentemente, as três irmãs Sheedy, que tinham vivido numa pobreza aristocrática na casa durante muitos anos, sempre tocavam o gongo, todas as noites. As damas muitas vezes comiam sardinhas ou feijões cozidos sobre torradas como refeição da noite, mas o gongo sempre soava pela casa. Era disso que sua mãe e seu pai teriam gostado.

Winnie acordou com o som meloso do gongo. Meu Deus! Agora ela tinha de dar conta de uma noite com Lillian bajulando a todos e mais seis noites naquele lugar selvagem e distante. Ela devia ter estado louca ao permitir que as coisas fossem tão longe assim. Era a única explicação.

Antes de sair do quarto, recebeu uma mensagem de texto.

> *Tenha uma ótima noite. Queria tanto estar aí com as duas em vez de aqui. Eu costumava gostar dessas reuniões, mas agora me sinto sozinho e sinto falta de ambas. Contem-me como é o lugar. Amo muito vocês.*

Os outros hóspedes estavam se reunindo. A Sra. Starr lhes pedira que se apresentassem uns aos outros, pois queria concentrar-se na comida. Ela tinha uma jovem sobrinha chamada Orla, que a ajudava a servir.

Winnie viu Lillian, muito bem-vestida, como se poderia esperar, calibrando as engrenagens e começando a seduzir as pessoas. Explicava a um rapaz sueco que ela e Winnie eram velhas, *velhas* amigas, e não se viam havia muito tempo, por isso desejavam tanto caminhar muitos quilômetros e pôr a conversa em dia.

Ela conversou com uma professora aposentada cujo nome era Nell. Essa visita, para ela, fora um presente do pessoal da sua escola. Eles disseram que lhe faria bem, mas Nell não tinha tanta certeza. Lillian baixou a voz e disse que ela também tinha dúvidas, no início, mas sua velha, *velha* amiga Winnie insistira que ela viesse. Até agora, Lillian tinha de admitir que parecia tudo muito agradável.

Winnie conversou com Henry e Nicola, um médico e a esposa, da Inglaterra. Tinham encontrado o lugar na internet, quando procuravam por algum local bem tranquilo. Winnie achou que talvez eles tivessem sofrido a perda de uma pessoa próxima. Estavam pálidos e pareciam um pouco abalados, mas talvez ela estivesse apenas imaginando coisas. Outro casal parecia vagamente insatisfeito e não disse muita coisa. Havia outras pessoas mais adiante na mesa. Winnie os conheceria mais tarde.

Comeram truta defumada com creme de raiz-forte e pão preto como entrada, depois um cordeiro assado talhado com perícia pela Sra. Starr. Havia também pratos vegetarianos e uma imensa torta de maçã. O vinho foi servido em garrafas ornamentais antigas, de cristal lapidado. As irmãs Sheedy costumavam servir o suco de laranja e a limonada nessas mesmas garrafas. Eram antiguidades lindas e pareciam realmente fazer parte da casa.

Winnie não pôde deixar de admirar a maneira como tudo estava funcionando. Os hóspedes pareciam conversar com facilidade. A Sra. Starr tivera inteira razão de não ficar de um lado para outro apresentando uns aos outros. Tudo estava perfeitamente limpo, e a jovem Orla empilhara um grande monte de louça na lavadora e fora para casa. A Sra. Starr uniu-se a eles para o café.

Ela explicou que o café da manhã seria servido em um buffet contínuo, mas, se as pessoas desejassem comer refeição ainda quente, deveriam reunir-se às nove. Um almoço embalado para viagem seria fornecido a qualquer pessoa que precisasse, ou então podiam ter uma lista de pubs que serviam almoços leves na região. Havia bicicletas do lado de fora, se alguém quisesse usá-las, e também binóculos, guarda-chuvas e até uma seleção de galochas. Ela lhes falou sobre os vários passeios a pé que podiam experimentar e os pontos de interesse locais. Havia muita beleza nos vários riachos e enseadas, que eram ótimos para percorrer quando o tempo estava calmo. Havia trilhas para o alto dos rochedos, embora os caminhos de descida até o mar precisassem de muito cuidado. Havia cavernas que valia a pena explorar, mas primeiro era necessário verificar as marés. A Caverna Majella era uma interessante. Fora um grande ponto de encontro para namorados durante o verão, ela explicou. O namoro facilmente interrompido pela maré, e então o rapaz e a moça que perambulassem por ali precisavam ficar durante muito mais tempo do que esperavam, até o mar recuar, liberando-os...

Depois do jantar, Winnie passou uma mensagem de texto para Teddy, a fim de lhe dizer que o lugar era encantador e muito diferente e que ambas se sentiram muito bem recebidas. Acrescentou que também o amava profundamente, mas se indagou se isso era de fato verdade.

Talvez ela estivesse vivendo em algum lugar perdido no tempo, uma Terra do Nunca. Desempenhando um papel, fazendo sua parte, colocada agora e possivelmente para sempre como a velha, *velha* amiga da sua futura sogra. Caiu num sono profundo e só acordou quando bateram na porta.

Lillian, inteiramente vestida, maquilada e pronta para rodar.

— Achei que você não desejaria perder os pratos quentes — disse. — Em nossa idade, precisamos de um bom começo de dia.

Winnie sentiu uma raiva incontrolável. Será que Lillian pensava seriamente que eram da mesma idade?

— Descerei dentro de dez minutos — informou ela, esfregando os olhos.

— Ah, querida, você não tem uma vista para o mar — falou Lillian.

— Mas tenho montanhas lindas e, justamente, *adoro* montanhas — respondeu Winnie, através de dentes que rangiam.

— Certo. Uma coisa ótima com relação a você, Winnie, é que se satisfaz com pouco. Vejo você lá embaixo, então.

Winnie ficou em pé embaixo do chuveiro. A semana à sua frente parecia interminável e ela não podia culpar mais ninguém a não ser a si mesma...

O rapaz sueco partira com a pequena e intensa mulher chamada Freda. Henry, o médico inglês, e a mulher estavam pedindo peixe cavala grelhado. Outros hóspedes olhavam para o mapa que a Sra. Starr providenciara e falavam com entusiasmo dos lugares para onde poderiam ir. Havia um americano chamado John que, sofrendo com a diferença de fuso horário, parecia muito cansado.

O tempo estava claro — sem necessidade de guarda-chuvas ou de galochas. Já havia almoços embalados dentro de papel encerado, para os que os desejassem. Outros estavam com os nomes dos pubs da lista.

Por volta das dez, todos os hóspedes já tinham saído da Casa de Pedra, e a sobrinha da Sra. Starr, Orla, chegara para arrumar os quartos. Uma rotina fora estabelecida. Era como se aquelas férias se realizassem havia anos, em vez de estar dando seus primeiros e vacilantes passos.

Winnie e Lillian tinham escolhido a caminhada pelos rochedos. Oito quilômetros com vistas espetaculares e, então, chegava-se a West Harbour. Lá, iriam para o Brady's Bar. E, depois do almoço, pegariam o ônibus que partia de hora em hora para Stoneybridge.

Winnie olhou para trás, nostalgicamente, na direção da Casa de Pedra.

Como seria bom voltar e se sentar com a Sra. Starr à mesa, tomando mais chá, comendo pão caseiro fresco e conversando sobre o mundo. Em vez disso, ela tinha horas de competição de ironias com Lillian Hennessy. Porém, quando chegaram ao Brady's Bar, Winnie sentiu que os músculos dos ombros tinham relaxado. As vistas haviam sido espetaculares, como prometido. Lillian se mantivera misericordiosamente calada.

Agora, no entanto, ela voltara ao seu jeito teimoso e cheio de opiniões.

— Foi uma caminhada agradável, sem dúvida, mas não realmente desafiadora — pronunciou.

— Cenário lindo. Eu poderia olhar para aquele céu imenso para sempre — comentou Winnie.

— Ah, de fato, mas devemos ir pelo outro caminho amanhã, pegar a rota para o sul. Há muito mais coisas para ver, segundo a Sra. Starr. Todos aqueles pequenos riachos e enseadas; podemos espiar as cavernas.

— Parecia uma rota mais difícil. Vamos ver se algum dos outros hóspedes fez isso primeiro. — Winnie estava cautelosa.

— Ah, são todos uns frouxos. Não embarcarão em uma aventura. E foi para isso que viemos, não, Winnie? Um último gesto aventureiro, antes de nos instalarmos na meia-idade.

— Você não está se instalando em lugar algum — respondeu Winnie.

— Não, mas você está mostrando sinais perigosos de se tornar muito "meia-idade". Onde está sua disposição, Winnie? Amanhã, pegaremos um almoço para viagem e chegaremos à face sul de Stoneybridge.

Winnie sorriu como se concordasse. Não tinha vontade de se colocar em risco pelo fato de Lillian estar fazendo joguinhos. Mas seria possível tratar disso na manhã seguinte. Enquanto isso, ela simplesmente passaria o tempo sendo encantadora, agradável e imperturbável. O prêmio era Teddy.

Por favor, querido, bondoso Deus, que ele valha a pena tudo isso.

Voltaram para a Casa de Pedra no ônibus e os hóspedes retornavam das excursões; o fogo a lenha ardia na lareira. Todos bebiam chá e comiam bolinhos. Era como se tivessem sempre levado essa vida.

No jantar, Winnie sentou-se na frente de Freda, que disse ser uma bibliotecária assistente. Winnie explicou que era enfermeira.

— Você tem compromisso com alguém?

Lillian estava escutando.

— Estamos todas um pouco além dos interesses amorosos em nossa idade — intrometeu-se ela.

— Não sei... — Freda estava pensativa. — Eu não estou.

— Uma mulher muito estranha essa — disse Lillian mais tarde, num sussurro.

— Eu a achei muito divertida, devo admitir — contrariou Winnie.

— Como já disse antes, Winnie, você é inteiramente destituída de exigências. É espantoso como pede pouco da vida!

Os lábios de Winnie se esticaram num sorriso.

— Sou assim mesmo. — Ela sorriu, afetada. — Como você disse, me satisfaço fácil.

Todos os outros falavam sobre como estaria o tempo no dia seguinte. Tempestades vinham do sul, informou a Sra. Starr, então era preciso muito cuidado. Aqueles riachos e enseadas se enchiam muito rapidamente; mesmo as pessoas locais haviam sido enganadas pela força do vento e das marés. Winnie suspirou com alívio. Pelo menos o plano maluco de Lillian de se comportar como exploradora seria cancelado.

Entretanto, quando pegaram o almoço embalado, na manhã seguinte, Lillian se encaminhou na direção a qual haviam sido alertadas para não tomar. Winnie fez uma pausa, por um instante. Ela podia recusar-se a ir. Mas Lillian talvez tivesse razão. A Sra. Starr estava sendo supercautelosa para proteger a si mesma.

Winnie podia fazer aquilo. Pelo amor de Deus, tinha 34 anos de idade. Lillian tinha, no mínimo, 53. Ela já tolerara tanta coisa, investira tanto tempo e paciência — não daria o fora agora.

De início, foi maravilhoso. Os salpicos do mar eram salgados e as pedras, grandes e ameaçadoras. Os gritos dos pássaros selvagens e o bater das ondas tornavam a conversa impossível. Continuaram a caminhar juntas, fazendo pausas para olhar o Atlântico e refletir que do outro lado estava a seis mil quilômetros de distância, nos Estados Unidos.

E, então, encontraram a entrada para a Caverna Majella, sobre a qual lhes falara a Sra. Starr. Ali era abrigado e o vento não as cortava pela metade. Sentaram-se numa protuberância rochosa, a fim de abrir o pão com queijo e o frasco de sopa fornecidos para elas. Os olhos de ambas ardiam, as faces estavam vermelhas e chicoteadas pelo vento e pelo ar do mar. As duas se sentiam em forma, vivas e com muita fome.

— Estou satisfeita por termos continuado a luta e virmos até aqui — disse Winnie. — Valeu a pena.

— Você não queria, realmente. — Lillian sentia-se triunfante. — Pensou que eu estava sendo imprudente.

— Ora, se fiz isso, estava errada. É bom dar um empurrão em si mesma, um pouquinho. — Enquanto falava, Winnie sentiu um grande respingo de água em seu rosto; uma onda entrara profundamente na caverna. Porém, estranhamente, ela não se retirava outra vez para o mar, como achavam que aconteceria: em vez disso, foi seguida por várias outras ondas, entrando e se quebrando aos pés delas. As duas mulheres se movimentaram para trás com rapidez. As ondas, entretanto, continuavam a vir, as águas escuras, frias, mal dando qualquer tempo para a onda anterior recuar. Sem palavras, elas subiram para uma protuberância de pedra ainda mais alta. Estariam bem ali, bem acima do nível da água.

As ondas não paravam de chegar, e, numa tentativa para escalar ainda mais alto, Lillian chutou as duas sacolas de lona que guardavam a comida do piquenique, os telefones celulares de ambas e as meias secas e quentes. As duas observaram enquanto as ondas carregavam as sacolas para o mar.

— Quanto tempo demora para a maré baixar? — perguntou Lillian.

— Seis horas, eu acho. — Winnie estava ríspida.

— Então virão nos buscar — afirmou Lillian.

— Não sabem onde estamos — disse Winnie.

Então não falaram mais. Apenas o som do vento e das ondas enchia a Caverna Majella.

— Fico pensando quem era Majella — comentou Winnie, depois de um longo tempo.

— Existiu um São Gerardo Majella — disse Lillian, em tom de dúvida. Era a primeira vez que ela falava, sem um senso de certeza.

— É muito provável que seja esse — concordou Winnie. — Vamos esperar que ele tenha o costume de tirar pessoas dessas situações, seja ele quem tenha sido.

— Você concordou em vir. Você *disse* que estava feliz por termos continuado batalhando.

— Eu estava. Naquela hora.

— Você reza? — perguntou Lillian.

— Não, não muito. E você?

— Antigamente, sim. Agora, não.

Não parecia haver algo mais a dizer, então permaneceram sentadas em silêncio, ouvindo o bater das ondas e o uivo do vento. Havia apenas uma beirada mais alta, para a qual talvez elas precisassem escalar, se as coisas piorassem.

Estavam com frio, molhadas e assustadas.

E não ajudavam em nada uma à outra.

Winnie imaginou se morreriam ali. Pensou em Teddy e em como a Sra. Starr teria de lhe dar a notícia. Ele nunca saberia que suas últimas horas haviam sido preenchidas por um ódio frio da mãe dele e por uma sensação de imenso arrependimento por ter permitido a si mesma ser sugada para dentro daquele jogo idiota de fingimento que só poderia terminar mal. Como poderia saber que chegaria àquele ponto?

Ela não podia ver o rosto de Lillian, mas sentia seus ombros tremerem e seus dentes baterem. Também deveria estar assustada. Mas era por *sua* maldita culpa. Mesmo assim, fosse como fosse que tivessem chegado até ali, estavam ambas naquilo.

Depois de muito tempo, Lilian disse:

— Não tem realmente importância, de uma forma ou de outra, mas por que estamos aqui juntas? Em Stoneybridge, quero dizer. Você me odiou à primeira vista. Ambas amamos Teddy, isso deveria ser um laço, não é?

Era a primeira vez que seu amor por Teddy era mencionado. Ali, na Caverna Majella, enquanto elas encaravam a morte por afogamento ou hipotermia. Até aquele momento, Winnie fora tratada como alguma velha idiota na menopausa que estava tomando conta de Teddy pelas duas.

— Eu amo Teddy — afirmou Winnie em voz alta. — E ele ama você, então tentei conhecê-la e gostar de você. Só isso.

— Mas não funcionou, não é? — perguntou Lillian, com um tom sombrio. — Chegamos aqui por acidente. Eu não queria estar aqui com você, como você também não queria estar comigo. Você descobriu o lugar, a Casa de Pedra, levou adiante a ideia de vir até aqui hoje. E, agora, veja como estamos.

Um silêncio.

— Diga alguma coisa, pergunte alguma coisa — implorou Lillian.

— Quantos anos você tem, Lillian?

— Cinquenta e cinco.

— Parece muito menos.

— Obrigada.

— Por que finge que eu e você somos da mesma idade? Você tinha 21 quando nasci.

— Porque eu queria que você fosse embora e deixasse Teddy como ele estava, comigo.

Outro silêncio.

Finalmente, Winnie falou.

— Bem, no fim, nenhuma de nós duas ficou com ele.

— Acha que vamos sair daqui? — A voz envelhecera muito. Aquela não era a Lillian das Certezas.

Uma pequena quantidade de compaixão foi filtrada pelo subconsciente de Winnie. Ela tentou segurá-la, contê-la, mas aquela faísca continuava ali.

— Dizem que a pessoa tem de ser positiva e se manter ativa — respondeu ela, mudando de posição.

— Ativa? Aqui? O que podemos fazer para nos mantermos ativas aqui?

— Eu sei o que fazer. Podemos nos movimentar. Acho que poderíamos cantar.

— Cantar, Winnie? Você perdeu a cabeça?

— Você *perguntou*, não foi?

— Tá, então comece.

Winnie fez uma pausa para pensar. A canção favorita da sua mãe era "Carrickfergus"*.

Eu queria estar em Carrickfergus,
Somente para as noites em Ballygrand
Gostaria de nadar ao longo do fundo do mar,
Pensando nos dias lá em Ballygrand...

Ela fez uma pausa. Para sua surpresa, Lillian também cantou.

Mas o mar é grande e eu não posso mais nadar
Nem tenho asas para voar
Se eu pudesse achar um bom barqueiro
Para transportar a mim e ao meu amor.

E então ambas pararam para pensar sobre as palavras que haviam acabado de cantar.

— Talvez houvesse uma canção um pouco mais adequada, mas não me veio nada à cabeça — desculpou-se Winnie.

Pela primeira vez, ela ouviu uma risada autêntica de Lillian. Não era uma intromissão, uma crítica ou uma zombaria. Ela realmente achara aquilo engraçado.

---

* *"I wish I was in Carrickfergus,/Only for nights in Ballygrand./I would swim over the deepest ocean/Only for nights in Ballygrand.../*
But the seas are wide and I can't swim over,/And neither have I wings to fly./ I wish I could find me a wide handy boatman,/To ferry over my love and I".

— Acho que você poderia ter escolhido "Cool Clear Water" — disse, finalmente.

Lillian cantou "The Way You Look Tonight". Contou que o pai de Teddy cantara essa canção para ela uma noite antes de morrer na ceifadeira.

Winnie cantou "Only the Lonely". Encontrara o disco pouco depois de seu pai se casar com a estranha e distante madrasta joalheira. E então Lillian cantou "True Love", e disse que, depois que o pai de Teddy morreu, sempre esperou encontrar alguém novamente, mas nunca aconteceu. Ela trabalhara durante longas horas e tentara com um esforço excessivo transformá-los em pessoas importantes em Rossmore. Não houvera tempo para o amor.

Winnie cantou "St. Louis Blues". Uma vez ela ganhara uma competição de talentos cantando isso num pub, e o prêmio fora um pernil de cordeiro.

— Será que estamos desperdiçando nossas vozes, no caso de precisarmos gritar pedindo socorro? — questionou Lillian. Ela perguntou como se realmente quisesse ouvir o que Winnie diria.

— Acho que ninguém nos ouvirá, cantemos ou não. Nossa melhor esperança é a de manter pensamentos positivos — sugeriu Winnie. — Você sabe alguma canção dos Beatles? — E então cantaram "Hey Jude".

Lillian disse que se lembrava de sua mãe dizer que os Beatles eram depravados, porque tinham cabelo comprido. Winnie contou que a madrasta jamais soubera quem eles eram e que até seu pai era vago a respeito deles. Era muito difícil ter uma conversa de verdade com eles a respeito de qualquer coisa.

— Eles sabem que você está aqui? — perguntou Lillian.

— Ninguém sabe que estamos aqui. Esse é o problema — suspirou Winnie.

— Não, quero dizer no oeste da Irlanda. Eles sabem sobre Teddy?

— Não. Eles mal conhecem qualquer um dos meus amigos.

— Talvez você deva levá-lo para conhecê-los. Ele disse que não conhecia ainda sua família.

— Bem, você sabe... — Winnie encolheu os ombros, como se fizesse pouco de tudo aquilo.

— Ele levou você para me conhecer.

— Sim, ele fez isso, não foi? — A lembrança daquele encontro ainda era amarga, e Winnie amaldiçoou sua tolice tentando assumir aquela sogra do inferno, trocando chifradas com ela e fingindo amizade para ganhar o filho. Olha só como aquilo havia terminado. Naquela gruta, esperando pelo pior, uma morte lenta por afogamento ou, na melhor das hipóteses, por febre reumática.

— Não fiquei lá muito satisfeita no início — admitiu Lillian, depois de uma pausa. — Nem você, mas foi você quem sugeriu virmos para cá.

— Eu *não* sugeri que você viesse. Eu lhe falei da Casa de Pedra e do fato de que queria vir para cá com Teddy, foi apenas isso. Você mesma se convidou.

— Ele me convidou. E você levou tudo adiante.

— Não importa agora — disse Winnie. Havia derrota em seu tom de voz.

— Não se deixe abater por isso, por favor. Estou assustada. Preferia você quando era forte. Lembra-se de alguma outra canção?

— Não. — Winnie era teimosa.

— Você *deve* conhecer mais algumas canções.

— Que tal "By The Rivers of Babylon"? — sugeriu Winnie.

Aconteceu que Lillian estivera num casamento na Igreja de Santo Agostinho, em Rossmore, em que a noiva e o noivo haviam escolhido essa como uma das músicas matrimoniais, e o padre polonês, achando que se tratava de uma antiga tradição irlandesa, cantou junto.

Winnie disse que, certo ano, quando ela estava trabalhando no turno de Natal num hospital, todos fizeram uma fila de conga e dançaram pelas enfermarias cantando para animar os pacientes e, então, até a irmã mal-humorada da enfermaria concordou que tinha funcionado.

Então Lillian disse que nada superava "Heartbreak Hotel", e cantaram essa. Winnie comentou que na verdade ela preferia Elvis interpretando "Suspicious Minds", mas elas só sabiam um verso da canção, que falava alguma coisa sobre ficar preso numa armadilha. Mesmo assim, cantaram isso repetidas vezes, até começar a soar sem sentido.

Durante uma tentativa com "Sitting On the Dock Of The Bay", de Otis Redding, ambas notaram que o nível da água baixara. Mal ousaram dizer isso, temendo que outra onda imensa quebrasse ali dentro. Entretanto, quando ficou claro que a maré mudara e que a garganta de ambas se encontrava em carne viva de tanto cantar e também por causa dos borrifos de sal, elas estenderam as mãos uma para a outra. Frias, molhadas e trêmulas, só mantiveram o aperto durante uns poucos segundos. Palavras teriam destruído a frágil esperança e a abalada paz que haviam conseguido alcançar.

Agora, era uma questão de esperar.

A Sra. Starr telefonou para Rigger quando se tornou óbvio que duas das suas hóspedes estavam desaparecidas. Ele reuniu um grupo de busca, incluindo os cunhados de Chicky.

— Eu as alertei sobre os rochedos do sul, então vocês podem ter certeza de que foi para lá que elas se dirigiram — informou-lhes ela, com uma voz apertada.

Rigger perguntou se havia algum lugar específico sobre o qual ela lhes falara e, quando Chicky pensou a respeito, ficou claro o que acontecera. Ela vira o desafio no rosto de Lillian Hennessy quando a senhora rejeitara os avisos quanto ao mau tempo, na noite anterior. E notara como Lillian partira sem dar qualquer indicação do lugar para onde ia aquela manhã.

Os homens disseram que tomariam a direção da Caverna Majella e telefonariam logo que tivessem alguma notícia.

No entanto, antes de chegar alguma notícia sobre elas, houve um telefonema de Teddy Hennessy, que disse ser filho de Lillian e estar telefonando da Inglaterra. Ele se desculpou por incomodar, mas disse que não conseguia falar com sua mãe nem com Winnie pelos telefones celulares. Elas deviam tê-los desligado.

Chicky Starr era profissional e cautelosa. Não adiantava alertá-lo de qualquer perigo possível até ter certeza de que havia uma necessidade real de se preocupar. Assim, tomou nota, cuidadosamente, do número do telefone dele.

— Elas foram caminhar pelas trilhas dos rochedos e deverão estar logo de volta, Sr. Hennessy.

— E estão se divertindo? — Ele parecia ansioso para ouvir que tudo corria bem.

— Sim; sinto muito que não estejam aqui para lhe falar elas próprias a respeito. Ficarão aborrecidas por perderem seu telefonema.

— Recebi uma mensagem de texto de Winnie a noite passada. Ela disse que o lugar é maravilhoso.

— Fico contente por estarem satisfeitas com tudo. — A Sra. Starr sentiu um nó na garganta. — É bom ver velhas amigas se divertirem... — Que Deus a ajudasse e ela não tivesse de falar com aquele homem de uma maneira totalmente diferente dentro de umas poucas horas.

— Lillian, como eu disse, é minha mãe. Essas férias foram a maneira que as duas acertaram para se conhecerem melhor, entende? É bom saber que está funcionando tão bem.

A voz dele soava esperançosa e entusiasmada. Como poderia ela contar-lhe que sua mãe dura e irritável não estava se dando bem de forma alguma com Winnie, que na verdade era sua namorada? A relação não fora sequer reconhecida. Como a história seria reescrita, se o pior tivesse acontecido?

Ela ficou com a mão na garganta até Orla puxar sua manga perguntando se a refeição deveria ser servida naquele momento ou não. Chicky juntou as forças e fez com que os hóspedes se sentassem. Todos estavam ansiosos para saber notícias das mulheres desaparecidas, e havia uma atmosfera de perturbação na mesa.

— Elas estão bem, sabem — disse Freda, de repente. — Estão ótimas. Não precisam se preocupar. Elas devem estar com frio e fome, mas estarão ótimas — falou isso com grande confiança, mas tudo parecia em câmera lenta até o telefone tocar.

Elas estavam salvas. O grupo de busca as encaminhava primeiro para a casa do Dr. Dai, mas não parecia haver nada mais grave do que o frio e o choque. Sem dar qualquer demonstração do seu alívio, Chicky Starr disse aos outros convidados que Winnie e Lillian tinham sido apanhadas pela maré e precisariam de banhos quentes, e que todos deveriam começar o jantar sem esperar por elas.

Quando entraram pela porta, pálidas e embrulhadas em tapetes e cobertores, todos deram vivas.

Lillian tornou tudo muito leve.

— Agora que todos vocês me viram sem minha maquiagem, eu jamais me recuperarei disso! — riu ela.

— Vocês ficaram presas pela maré? — Freda estava ansiosa para saber o que acontecera.

— Sim, mas nós sabíamos que a maré teria de baixar outra vez — respondeu Winnie. Ela estava tremendo, mas não haveria drama algum.

— Vocês não ficaram assustadas? — O médico inglês e sua mulher estavam preocupados.

— Não, na verdade não. Winnie foi ótima. Ela cantou o tempo inteiro para nos manter animadas. Por sinal, ela canta "St. Louis Blues" muito satisfatoriamente. Deveria dar um recital para nós uma noite dessas.

— Só se você cantar "Heartbreak Hotel" — rebateu Winnie.

A Sra. Starr interrompeu.

— Lilian, seu filho telefonou da Inglaterra. Eu disse que você lhe telefonaria quando voltasse.

— Vamos tomar um banho primeiro — declarou Lillian.

— Você chegou a contar a ele que... — começou Winnie.

— Eu lhe disse que vocês estavam atrasadas, apenas isso.

Elas a olharam com gratidão.

Lillian estava com um ar pensativo.

— Winnie, por que *você* não telefona para ele? É seu companheiro. E, de qualquer jeito, era com *você* que ele queria falar. Diga a ele que falarei com ele em outra ocasião. — E ela se dirigiu para o banheiro.

Só Chicky Starr e Freda O'Donovan viram algum significado nessa observação. Ambas perceberam que alguma imensa mudança ocorrera durante as longas horas esperando que uma maré alta do Atlântico mudasse. O futuro seria somente um mar de rosas, mas não era apenas o clima que parecia muito mais calmo e menos perturbado do que naquela manhã.

John

John teve de se lembrar que estavam falando com ele quando chamaram seu nome em voz alta. Fazia tanto tempo que ninguém o chamava de John — seu nome verdadeiro ou, pelo menos, o nome que recebera no orfanato, muitos anos antes.

Todos os demais o conheciam como Corry.

Havia um personagem chamado Corry num livro infantil que as freiras costumavam ler na hora de dormir. Um menininho engatinhando, que parecia um anjo e que todos amavam. Então, John julgou ser um bom nome e as freiras aceitaram chamá-lo assim.

Havia um jardineiro no orfanato, um velho que vinha de um lugar chamado Salinas. Ele sempre contava a todos que aquela era uma parte ótima do mundo e que um dia, quando tivesse dinheiro suficiente, voltaria para lá e compraria uma casinha.

Corry costumava repetir seguidamente o nome Salinas. Gostava dele.

Ele não tinha sobrenome algum. Esse seria o seu sobrenome.

Ele era Corry Salinas e, quando tinha 16 anos, achou seu primeiro emprego, em uma lanchonete.

Havia um contrato para servir almoços para equipes de filmagem, e Corry logo chamou a atenção de todos. Não era apenas por seus olhos escuros e seu nariz curvado, por seu cabelo que cacheava levemente nas têmporas, pelo olhar inteligente que sempre parecia sorrir com uma expressão cúmplice — era a maneira como ele lembrava quem gostava de manteiga de amendoim e quem gostava de queijo light. Nada era problema demais; até as estrelinhas mais cansativas e obcecadas consigo mesmas, as quais mudavam de ideia e diziam que ele entregara o sanduíche errado, ficaram impressionadas.

— Não sei como você consegue ter tanta paciência. — Monica, que trabalhava com ele, explodia com mais facilidade.

— Há outras lanchonetes. Queremos que escolham a nossa, então é preciso um pouco de esforço extra no início.

Corry era alegre. Ele não tinha medo de trabalho duro. Vivia num quarto em cima de uma lavanderia e limpava o lugar todas as manhãs, em vez de pagar aluguel.

Ele não precisava gastar dinheiro algum com alimentação, porque havia sempre algo para comer na lanchonete. Sua poupança crescia, e cada centavo era destinado às aulas de atuação. Não havia como morar em Los Angeles e não querer ser parte da indústria.

Ele e Monica agora estavam nessa.

A boa aparência de Corry significava que ser figurante seria fácil. Mas essa não era realmente uma opção. Significaria ficar disponível o dia inteiro para uma coisa que rendia consideravelmente menos dinheiro do que ele ganhava no negócio da alimentação. Ele ficaria fora até conseguir um papel com fala, quem sabe um agente.

Tudo fazia parte do sonho.

O sonho de Monica era diferente. Ela achava que eles deveriam mudar-se para um lugar próprio e estabelecer um negócio de fast food juntos. Por que trabalhar todas as horas da vida deles apenas para tornar o patrão mais próspero?

Corry, entretanto, mantinha-se firme. Seu sonho era ser ator. Ele não podia comprometer-se em tempo integral com um negócio de alimentação.

Monica se chateava com isso. Vira mais pessoas desperdiçarem uma vida inteira correndo atrás do sonho de Hollywood. O pai dela fora uma dessas pessoas. Mas Corry era o amor da sua vida, esse lindo rapaz com rosto expressivo e confiança de que conseguiria entrar para o cinema. Ela não queria pressioná-lo e correr o risco de perdê-lo.

E, então, Monica engravidou. Ela não sabia como contar a Corry. Temia muito que ele dissesse que não podia se envolver. Os anticoncepcionais eram responsabilidade dela. E Monica não se esquecera propositalmente de tomar a pílula. Ela passou dias se indagando como contar a ele de uma maneira que o deixasse menos perturbado. No final, não precisou fazer isso; Corry adivinhou.

— Por que não me contou antes? — Ele parecia cheio de amor.

— Não queria destruir seu sonho.

— Agora temos dois sonhos: uma família e uma carreira no cinema — afirmou ele.

Casaram-se três semanas depois, e Monica se mudou para cima da lavanderia. Eles arranjaram ainda mais trabalho para aumentar os rendimentos. Aulas de atuação custam bastante dinheiro, e as pessoas lhes diziam que ter um bebê também não saía barato.

Na ocasião em que Maria Rosa nasceu, Corry Salinas tinha um agente e fora colocado no papel de um dos três garçons cantores numa grande comédia musical. Não era um grande papel, seu agente explicara, mas ele estaria no caminho. Era um projeto para uma atriz idosa e difícil que tornaria a vida de todos um inferno durante a filmagem. Mas, caso gostassem dele, quem sabe o que viria em seguida?

Corry fez o possível para gostarem dele. Foi atencioso e interminavelmente paciente, durante longos, longos dias de trabalho. Tratou o Primeiro Assistente de Diretor como se fosse Deus. Fez sucos frescos especiais para a estrela de cinema difícil. Ela disse a todos que ele era bonitinho.

Os outros dois garçons cantores podiam deixar a irritação deles transparecer, mas Corry nunca fazia isso. Seu sorriso imediato e sua vontade de agradar renderam frutos. Quando a filmagem terminou, ofereceram-lhe um papel em outro filme.

Maria Rosa era o bebê mais lindo do mundo.

A família de Monica fez muito para ajudar, enquanto aguardavam, esperançosos, que o marido dela conseguisse um emprego sério com um pagamento adequado. Corry não tinha família para ajudá-lo, mas muitas vezes levava o bebê, em seu carrinho, até o orfanato onde fora criado, e era muitíssimo bem recebido. Ele sempre perguntava se podiam dizer-lhe alguma coisa, por menor que fosse, sobre seus pais verdadeiros, e eles sempre respondiam que não. Corry fora deixado nos portões do orfanato, com mais ou menos três semanas de vida e com uma carta em italiano implorando que cuidassem dele e lhe dessem uma boa vida.

— E vocês me deram mesmo uma boa vida — Corry sempre lhes dizia.

No orfanato, as freiras o amavam. Muitos dos outros órfãos de quem tinham cuidado haviam ficado amargos e tristes, ressentidos por passar a vida numa instituição. Agora os tempos tinham mudado, e as freiras podiam ir ao cinema e ao teatro. Elas prometeram a Corry que iriam a tudo em que ele aparecesse e chegaram até a fundar um fã-clube.

Monica falou que seria muito difícil subir e descer da lavanderia com o carrinho de bebê, mas Corry disse que ainda não podiam se mudar. A carreira de ator era perigosa. Eles de fato teriam um lar lindo para o bebê, mas não naquele momento.

O segundo filme, no qual Corry fazia o papel de um adolescente perturbado, com a atriz idosa e difícil no papel de sua madrasta, estava muito além das possibilidades da diva. A época dela tinha passado, disse o crítico de cinema, e ela estava acabada. O rapaz, no entanto! Mas que talento! E então as ofertas começaram a chegar.

Corry comprou a casa que Monica tanto desejava. Mas, quando Maria Rosa chegou aos 3 anos, tudo começou a se despedaçar. Ele passava cada vez mais tempo no apartamento de solteiro que o estúdio lhe havia providenciado. Precisava aparecer em recepções, boates e noitadas beneficentes.

Monica leu que o nome dele estava sendo associado ao de Heidi, a coestrela do último filme. Na semana seguinte, quando Corry chegou em casa, para passar dois dias inteiros, ela lhe perguntou diretamente se havia alguma verdade no que as colunas de fofoca diziam.

Corry tentou explicar que o pessoal da publicidade exigia esse tipo de circo.

— Mas há alguma verdade nisso? — perguntou Monica.

— Bem, estou dormindo com ela, sim, mas não é importante, nada que se compare com você e Maria Rosa — respondeu ele.

O divórcio foi rápido, e ele podia ver Maria Rosa todos os sábados e durante as férias de dez dias a cada ano.

Corry Salinas não se casou com Heidi, como fora confiantemente previsto pelas colunas de fofoca. A atriz agiu mal com relação a isso. Ela conseguiu muita publicidade como vítima de um safado.

Monica permaneceu em silêncio e não deu qualquer entrevista. Nunca estava em casa quando Corry chegava para pegar Maria Rosa aos sábados; o pai ou a mãe dela entregava a criança, com poucas palavras e um olhar ressentido e desapontado.

Algumas vezes, Corry se sentia solitário e tentava pedir a Monica que repensasse a situação. A resposta era sempre a mesma.

— Não guardo rancor de você, mas, por favor, entre em contato comigo apenas por meio dos advogados.

Os papéis estavam melhorando; os anos passavam.

Ele se casou com Sylvia quando tinha 28 anos. Uma festa de casamento muito diferente da primeira. Sylvia era de uma família muito rica, que ganhara fortunas com hotelaria. Uma filha linda e muito mimada, à qual nada fora negado e, quando insistiu num gigantesco casamento, como presente do seu vigésimo primeiro aniversário, conseguiu isso também.

Corry estava pasmo por aquela moça deslumbrante encontrar-se tão apaixonada por ele. Aceitou todos os acertos que a família de Sylvia sugeriu. Um pedido, o de que sua própria filha de 10 anos, Maria Rosa, fosse uma das daminhas, foi recusado diretamente com tanta firmeza que ele não tornou a mencionar o assunto.

Os advogados de Sylvia combinaram uma série de acordos pré-nupciais com os advogados de Corry. A publicidade do casamento foi intensa, e os direitos das fotografias tornaram-se alvo de uma disputa acalorada.

O dia em si passou apagado. Quando Corry se lembrava, um tanto nostalgicamente, da pequena festa de casamento, quando ele e Monica tinham 18 anos e estavam cheios de esperanças, afastava o pensamento da mente. Isso fora naquele tempo; agora era diferente.

O agora não durou muito. Corry era requisitado para longas horas no estúdio, para experimentar roupas, para turnês publicitárias, para festivais internacionais de cinema. Sylvia ficava entediada. Ela jogava muito tênis e levantava dinheiro para obras de caridade.

Para o trigésimo aniversário de Corry, Sylvia planejou outro evento luxuoso. Foi numa época em que ele estava muito exposto aos olhos do público, com seu último filme, no qual desempenhava o papel de um médico perturbado, com uma difícil escolha moral a fazer. Os cartazes em toda parte mostravam o rosto sensível de Corry refletindo sobre o que faria. As mulheres ansiavam por conhecê-lo e tirar a expressão torturada de seus olhos.

Ele examinou a lista de convidados. O pessoal mais importante de Hollywood e da hotelaria estava bem representado. O nome de sua filha não estava lá.

Dessa vez, ele de fato insistiu.

— Ela tem 12 anos. Vai ler a respeito disso. Ela *precisa* estar lá.

— A festa é *minha* e não quero que ela esteja lá. Ela faz parte do seu passado, não do seu presente nem do seu futuro. De qualquer modo, eu estava pensando que está na hora de nós termos nosso próprio filho. — Sylvia era muito insistente. Ela só concordara em se encontrar com a enteada, Maria Rosa, meia dúzia de vezes, desde o casamento, dizendo que não tinha jeito para lidar com meninas pequenas; eram todas tão tolas e davam risadas sem motivo.

Havia um toque de tanto desprezo na maneira como ela falava, algo que enviava uma mensagem, a de que Sylvia sempre conseguiria o que *ela* desejava. O sorriso de botão de rosa que Corry outrora achara tão sedutor agora parecia mais uma careta.

Ele sondou a esposa antes de pedir para incluir algumas das pessoas do orfanato onde fora criado.

— Mas, querido Corry, eles estariam *tão* deslocados. Será que você não consegue enxergar isso?

— Eles nunca estarão deslocados em minha vida. Me criaram, fizeram de mim quem sou.

— Ora, mande dinheiro a eles, querido, ajude-os no levantamento de fundos, isso vale o dobro de um convite para uma festa badalada, na qual eles se sentirão como peixes fora d'água.

Corry de fato já mandava dinheiro para o orfanato. Ele estava na junta de um comitê para levantamento de fundos, mas essa não era a questão. Três daquelas gentis freiras de trajes comuns, como ele as chamava, gostariam tanto de ser convidadas para um grande evento com comida. Como poderiam aquelas mulheres que tinham cuidado dele desde que fora encontrado na soleira da sua porta estarem deslocadas em algum lugar?

Ele sentiu uma veia na testa; uma sensação de algo pulsando. Até se sentiu meio tonto. Podia ouvir a própria voz, como se ela estivesse distante. Não parecia vir de dentro.

— Não quero uma festa, se não posso ter nela minha filha e as pessoas que me educaram, alimentaram e vestiram.

— Você está cansado demais, Corry. Você trabalha em excesso — comentou Sylvia.

— É verdade, trabalho demais mesmo. Mas estou falando sério. Nunca falei mais sério em minha vida.

Sylvia disse que, no momento, eles deviam deixar a questão de lado.

— Se você enviar esses convites, *então* poderemos deixar a questão de lado.

— Não vou me deixar ser intimidada ou chantageada para fazer algo que não quero fazer.

— Ótimo — falou Corry, e o casamento terminou.

Foi bastante indolor, considerando tudo. Os advogados de Corry trataram com os advogados de Sylvia. Acordos foram combinados. Entretanto, em seguida, ela descobriu que uma vida social sem Corry Salinas ao seu lado não era nem de longe tão brilhante quanto antes. Sylvia foi tentada a dar entrevistas sobre seu tempestuoso casamento.

Corry as leu com descrença. Não tinha sido de forma alguma daquela maneira.

Ele tentou dizer à sua filha, Maria Rosa, que a vida com Sylvia fora uma série de acontecimentos encenados dentro de um aquário de peixinhos vermelhos, para instigar a admiração e a inveja de outros. Não houvera nenhuma daquelas discussões violentas. Diante dela, Corry sempre cedera. A verdade era que ele e Sylvia mal se conheciam.

— Por que você se casou com ela, então, papai?

— Acho que fiquei lisonjeado — respondeu, simplesmente.

Maria Rosa era mais sábia do que as outras meninas da sua idade e ouvira a mesma explicação por parte da sua mãe, então acreditou nele.

Durante as duas décadas seguintes Corry Salinas se tornou um nome conhecido não apenas nos Estados Unidos, mas no mundo inteiro. Ele podia levantar dinheiro para qualquer filme em que estivesse envolvido. Era visto com mulheres elegantes de um lado para outro, em ocasiões destacadas, premières de filmes, estreias na Broadway, aberturas de exposições e nos mais grandiosos e mais caros iates do Mediterrâneo. Os colunistas de fofocas sempre o casavam com estrelas de cinema, herdeiras e até figuras menores da realeza, mas nada aconteceu de fato.

Maria Rosa tinha olhos escuros e um aspecto romântico como o de Corry, mas era prática e de temperamento equilibrado, como Monica. Ela herdara a ética de trabalho deles. Formou-se como professora, e prestava serviço voluntário no exterior. O estilo de vida do pai, na lista das maiores celebridades, não a atraía nem de longe. Enquanto crescia, isso fora o inimigo de qualquer possibilidade de vida familiar.

Passara tempo demais da sua juventude fugindo de paparazzi e recusando-se a falar com pessoas, para não ser citada erroneamente na imprensa. Como filha de Corry Salinas, qualquer porta se abriria para ela, mas Maria Rosa nunca quis atravessá-las.

Nunca foi hostil nem ressentida com relação ao pai. Sempre que voltava a Los Angeles, ligava para ele a fim de sugerir uma pizza ou um jantar mexicano em algum restaurante nas proximidades, onde pudessem sentar-se tranquilamente numa mesa, sem toda a publicidade inevitável que Corry Salinas arrastava para onde quer que fosse.

Ele ouviu da filha que Monica se casara novamente com um sujeito gentil chamado Harvey, que tinha uma floricultura. Sua mãe jamais fora tão feliz, explicou Maria Rosa; o único problema era o fato de não haver qualquer sinal de um casamento próximo para *ela*, que lhe trouxesse netos. Mas, suspirou Maria Rosa, ela simplesmente não conhecera ninguém. E, por Deus, aquela cidade não era uma assustadora advertência de como o casamento podia dar terrivelmente errado?

As pessoas muitas vezes diziam que era injusto como os homens tinham uma aparência melhor ao envelhecer; Corry ainda podia desempenhar apaixonantes papéis de protagonista quando as mulheres na casa dos 50 anos lutavam para conseguir papéis com personagens mais marcantes. Ele, entretanto, sabia que isso não podia durar para sempre.

Quando Corry chegou ao final da casa dos 50 anos, percebeu que precisava de um papel profundamente inesquecível para representar.

Algo de peso e sensibilidade. Um papel que ficasse associado a ele para sempre. Porém esse papel ainda não tinha aparecido.

Seu agente, chamado de Trevor, o Incansável, tentara encaminhá-lo para um seriado de televisão, mas Corry nem queria ouvir falar disso. Quando estava começando, sempre pensou que apenas atores velhos e fracassados iam para a televisão. A verdadeira arena eram os filmes; nada mais contava.

Trevor suspirou.

Corry não acompanhava as novas tendências, disse. Eles estavam na Idade de Ouro da televisão, afirmou. Havia escritores fabulosos fazendo seus melhores trabalhos para a televisão. Havia um papel em oferta exatamente com o peso que ele estava procurando — o papel de Presidente dos Estados Unidos! Corry podia escrever sua própria passagem para o papel. A verdadeira regra para o sucesso era ser adaptável, ele não parava de dizer. Mas Corry não quis ouvir.

Não era uma questão de mudar de agente. Não àquela altura. Trevor era de fato incansável em seus esforços para descobrir o papel perfeito para seu cliente mais famoso. E Corry conhecia o velho ditado na indústria de que mudar de agente era como mudar de cadeira no deque do Titanic.

Corry sempre fora descontraído e de fácil convívio. De repente, tornara-se teimoso, profundamente certo de que sabia melhor das coisas do que os agentes, os estúdios e toda a indústria.

Não escutara as bondosas freiras que desejavam que ele fosse padre, nem o homem que dirigia a primeira lanchonete e oferecera a Corry um emprego fixo. Passara a não dar ouvidos àqueles que diziam que suas aulas de atuação eram uma despesa com que ele não podia arcar. Corry sempre fora seu próprio patrão.

Logo faria 60 anos. Trevor queria ser capaz de anunciar alguma coisa grande, para coincidir com esse aniversário, mas apareceu apenas com outra oferta para a televisão.

— Esse papel é um presente — implorou Trevor. — Você faz o papel de um italiano que pensa ter uma doença fatal e volta para a Itália a fim de encontrar suas raízes, antes de morrer. Então ele encontra uma mulher. As atrizes estão fazendo fila para atuar nesse papel, achando que você será o ator principal; você nem acreditaria nos nomes que temos.

— Televisão, não — afirmou Corry.

— Tudo mudou, acredite em mim. Veja os prêmios! Estão todos indo para os astros da televisão, agora.

— Não, Trevor.

E assim ficaram as coisas durante semanas.

Corry contou tudo a Maria Rosa.

— Por que você não aceita, papai? Nenhuma das minhas amigas tem tempo para ir ao cinema. Todas veem televisão ou baixam coisas em seus computadores. Está tudo mudado. Tudo mudou.

Maria Rosa tinha mais razão do que ambos sabiam. O gerente de negócios de Corry, que sempre o aconselhou bem, fora duramente atingido pela recessão. Os investimentos não haviam recompensado, de modo que foram feitos outros investimentos, mais apressados e não tão aconselháveis. Tudo explodiu no dia em que o gerente morreu num desastre de automóvel.

Ele batera de frente com uma parede, deixando para trás uma confusão financeira que demoraria anos para ser desembaraçada.

Agora, pela primeira vez em décadas, Corry teve de tomar uma decisão em sua carreira com base inteiramente na necessidade de ganhar dinheiro. A maior parte de suas propriedades tinha sido vendida, um pedaço de cada vez.

Trevor foi seu habitual agente incansável, mantendo os problemas financeiros de Corry Salinas longe da imprensa. Entretanto, pigarreou várias vezes com relação ao seriado na televisão. E, dessa vez, Corry teve de escutar.

O pessoal do dinheiro teria uma reunião em Frankfurt. Queriam que Corry estivesse lá para mostrar seu interesse. Isso os ajudaria a levantar o financiamento. Seria imenso, disse Trevor. Corry poderia conseguir de volta suas propriedades.

— Só quero ter certeza de que minha filha não passará necessidade — disse Corry, sombriamente, enquanto fazia a mala para a viagem à Alemanha.

Corry sempre embarcava discretamente segundos antes da decolagem. Enfiou-se em seu assento na primeira classe com o mínimo de movimentação. Se outros passageiros o reconheceram, não deram sinal. Ele recebeu o contrato e uma cópia do roteiro para o novo seriado de televisão e os abriu, cheio de relutância. Ele simplesmente não botava fé no projeto que, de acordo com Trevor, o Incansável, causaria uma reviravolta positiva em sua vida financeira e o tornaria, ainda mais do que já era, um nome famoso. Quando chegasse a Frankfurt, se instalaria no hotel, tomaria um banho, trocaria de roupa, e só então decidiria o que fazer. Sentia-se cansado e, depois de uns poucos minutos em seu assento confortável, caiu no sono.

Acordou e percebeu que o avião ainda não decolara. A aeromoça da cabine lhe oferecia um pouco de suco de laranja fresco. Houvera um atraso, disseram-lhe, uma verificação nos instrumentos, mas tudo estava bem, e o piloto informou que decolariam dentro de pouco tempo.

Corry deu uma olhada no relógio; houve um anúncio. Aquele avião não iria a lugar algum. O voo fora cancelado. Estavam sendo feitos acertos para colocar todos no voo do dia seguinte. Qualquer pessoa que não quisesse esperar seria transferida para outra companhia aérea, mas haveria escalas durante o voo. No dia seguinte, seria tarde demais; ele perderia a reunião. Tanta coisa feita para se acomodar num hotel com antecedência. Trevor jamais acreditaria naquilo. Ele nunca o perdoaria.

No aeroporto, havia um verdadeiro inferno, enquanto todos tentavam mudar para diferentes empresas aéreas; no fim, só havia voos saindo do aeroporto Shannon, na Irlanda. Só assim ele teria alguma chance de chegar, afinal, a Frankfurt. Corry teve exatamente o tempo para telefonar para Trevor, que, para poupar tempo, iria pegá-lo. Ele acertaria para que a imprensa fosse fotografá-lo atravessando o aeroporto. Contaria uma história sobre o voo atrasado, daria algumas entrevistas e depois o levaria diretamente para a reunião. Acontecesse o que acontecesse, ele precisava estar lá. Todos estavam contando com ele.

Todos estavam contando com ele, é? Ah, bem. Ele se atrasaria, mas talvez chegasse a tempo. Sabia que não tornaria o avião mais veloz nem encurtaria a viagem preocupando-se a respeito, então dormiu enquanto o avião seguia para leste, pela noite e, então, aterrissava na Irlanda.

Corry olhou para os pequenos campos verdes lá embaixo, parecendo uma colcha de retalhos. Podia ver a linha costeira. Alguns anos antes, Maria Rosa estivera na Irlanda com um grupo de estudantes. Ela disse que gostara. Todos que ela encontrara tinham algum tipo de história para contar. Ele pensou, fantasiosamente, em como seria passar férias com a filha. Ela agora estava no início de seus 40 anos — uma mulher bonita absorvida em seu trabalho, igualmente à vontade na floricultura com sua mãe e Harvey ou tomando drinques com o pai no topo dos hotéis de Hollywood.

Ainda não havia sinal de um romance em sua vida, mas ela ria disso e, então, Corry parou de indagar. A filha podia até *gostar* de passar férias com ele. Logo que chegasse em casa, ele lhe telefonaria e sugeriria isso.

Olhou outra vez para o relógio. Ia ser muito apertado. Ele precisaria correr para pegar o voo de conexão para a Alemanha.

Foi, na verdade, apertado demais. Corry ficou ali em pé espiando o voo para Frankfurt partir sem ele.

O incansável Trevor estaria esperando no aeroporto, a máquina de publicidade encontraria um avião no qual ele não estava viajando. Ligou para o celular de Trevor e segurou seu próprio telefone longe do ouvido enquanto o agente esbravejava, protestava e manifestava sua ira com a notícia. Finalmente, ele esgotou os adjetivos e insultos e sua voz soou apenas cansada.

— Então, o que você *vai* fazer? — perguntou ele.

— Estou cansado. Muito cansado — respondeu Corry.

— *Você* está cansado? — A voz de Trevor se elevava outra vez, perigosamente. — *Você* não tem motivo para estar cansado. O resto de nós é que temos coisas que nos deixam cansados, como tentar explicar o que jamais poderá ser explicado.

— Foi a companhia aérea... — começou Corry.

— Não me fale de companhia aérea. Se você quisesse mesmo estar aqui, estaria.

— Será que não podem fazer a reunião esta noite, ou amanhã?

— Claro que não podem. Quem você acha que são essas pessoas? Voaram todos para cá especialmente para isso. Entraram em aviões que não ficaram presos no asfalto — ralhou Trevor, furioso.

— Então vou ficar aqui por uma semana. Se é tarde demais para a reunião, ela que vá para o inferno. Vou fugir por um tempinho.

— Ei, isso não é hora... Já combinei tudo.

— E eu tentei chegar aí, mas a companhia aérea não me deixou partir. Até logo, Trevor. Falarei com você dentro de uma semana.

— Mas para onde você vai? O que está fazendo? Não pode sair por aí perambulando desse jeito!

— Sou um homem adulto. Um homem *velho,* como você nunca se cansa de insinuar. Posso tirar uma semana ou um mês de férias aqui, se quiser. Verei você outra vez em Los Angeles. — Corry fechou seu telefone e desativou a recepção de chamadas.

Foi pegar outro café para tomar. Esse tipo de liberdade era novo para ele. Escapara da reunião que tanto temia. Agora podia fazer o que quisesse sem consultar domador, gerente ou agente algum. Estava verdadeiramente livre.

A companhia aérea lhe fizera um favor.

Mas para onde iria? Talvez devesse comprar um guia turístico ou encontrar uma agência. Em cima das mesas ao redor, havia vários folhetos oferecendo sugestões do que fazer na região. Havia um banquete num castelo medieval. Uma excursão para um rochedo espetacular chamado Moher, que se dizia ser uma das Maravilhas do mundo. Havia pacotes de golfe. Nada disso atraiu Corry.

Uma pequena folha, entretanto, anunciava "Uma Semana de Inverno" e prometia uma casa calorosa, acolhedora, além de quilômetros de areia, rochedos e pássaros selvagens. Ele ligou para o número a fim de saber se havia vaga.

Uma mulher com voz agradável disse que havia, de fato, um quarto para ele, e o orientou a alugar um carro e dirigir para o norte. Ele deveria telefonar novamente quando chegasse a Stoneybridge, a fim de ser informado de como chegar até a casa.

— E com relação ao pagamento? — começou Corry. Ele não queria dar seu nome, e até havia uma possibilidade de que não fosse reconhecido, o que seria uma verdadeira delícia.

— Veremos isso quando chegar aqui — respondeu a Sra. Starr, de modo lacônico. — E seu nome é...?

— John — informou Corry, sem fazer uma pausa.

— Certo, John, pode fazer tudo calmamente, e tenha muito cuidado com os motoristas irlandeses; eles têm a tendência de parar de repente, sem indicar nada. Esteja preparado para isso e não terá problemas.

Os ombros dele estavam menos tensos. Era um turista comum, indo tirar férias comuns. Não haveria recepção para a imprensa, nenhum bando de repórteres do show business seguindo-o.

Era uma manhã fria e clara. Corry Salinas alojou a mala no carro alugado e dirigiu obedientemente rumo ao norte.

De agora em diante, devia lembrar-se de que se chamava John.

*

Os outros hóspedes pareciam acomodados. A casa tinha um aspecto exatamente igual ao que aparecia no folheto. John virou sua gola para cima, a fim de cobrir parcialmente o rosto.

Estava muito acostumado com as pessoas olhando duas vezes quando o encontravam para terem certeza de que era ele mesmo, e com gritos de "Ah, meu Deus, você é Corry Salinas!". Na Casa de Pedra, entretanto, ninguém o reconheceu. Talvez o Incansável Trevor tivesse razão quando disse que Corry Salinas corria sério risco de se tornar uma marca esquecida.

Quando perguntaram, ele lhes disse que era um homem de negócios de Los Angeles tirando uma merecida semana de férias. E depois começou a sentir que não havia mais necessidade alguma de virar a gola para cima. Se o reconhecessem, não diriam nada. Mas era muito mais provável que não fizessem a mínima ideia de quem ele era.

A comida era boa, e a conversa, descontraída, mas John se sentia muito cansado. Estava acostumado a interpretar alguma coisa, fazer uma performance. Aquilo não era necessário ali, o que representava um alívio, mas, por outro lado, ele se sentiu um pouco perdido. Qual *era* o seu papel?

John foi o primeiro a ir para a cama. Pediu que lhe perdoassem e acreditassem que ele não inventara a Linha Internacional de Data. Eles riram e lhe disseram que dormisse bem.

E John, de fato, dormiu bem, imediatamente, em sua cama confortável, mas o fuso horário significou que não dormiu por muito tempo. Ainda funcionava no horário da Califórnia, de modo que acordou às 3 horas da madrugada, alerta e preparado para enfrentar o dia.

Preparou um chá e olhou pela janela, para as ondas que quebravam na praia abaixo. Ele queria telefonar para Maria Rosa. Eram oito ou nove horas mais cedo em sua terra. Talvez ela tivesse voltado para o apartamento depois de um longo dia lecionando.

Pegou o celular, mas, antes de ligar para o número dela, fez uma pausa. Será que estaria mesmo interessada em saber que ele tinha embarcado naquelas férias bizarras? Ela era sempre cortês, mas distante, como se qualquer coisa que o pai fizesse ocorresse num labirinto irreal, infantil, de estimativas, críticas e centímetros de colunas de publicidade. Para Maria Rosa, isso tinha pouco a ver com o mundo real.

Depois ele disse a si mesmo que parasse de analisar aquilo.

Ligou para o número.

— Maria Rosa? É o papai.

— Oi, papai. Como vão as coisas?

— Ótimas. Estou preso na Irlanda, veja só. Perdi a conexão quando viajava para a Alemanha.

— A Irlanda é boa, papai. Você poderia estar em lugares piores.

— Eu sei. É ótima. Muito selvagem, onde estou, bem no Atlântico.

— E fria, imagino.

— Sim, mas é um hotel com aquecimento. Vou ficar aqui por uma semana.

— Isso é bom, papai.

Ela estava interessada? Entediada? Era tão difícil saber a seis mil milhas de distância.

— Só pensei em ligar para dizer olá.

— É bom ouvir você.

Houve uma pausa. Ela estaria encerrando a conversa?

— É bom ouvir você também. — Ele estava relutante em deixá-la desligar. — Pode ouvir as ondas quebrando do lado de fora? São realmente imensas. É como uma espécie de rufar de tambores.

— Que horas são aí? — perguntou ela.

— Um pouco mais das 3 da manhã — respondeu ele.

— Ei, papai, você precisa dormir.

Corry desejou boa noite e se sentiu mais solitário e perdido do que já se sentira alguma vez na vida.

*

Depois disso, entrou num cochilo intermitente e, quando desceu para a refeição matinal, sentia-se sem energia e grogue. Várias pessoas já estavam à mesa e demonstraram pena devido ao seu cansaço causado pela diferença de fuso horário. Uma jovem chamada Winnie, que era enfermeira, deu-lhe conselhos bons e práticos, e, embora ele prometesse que os seguiria, permitiu-se ser persuadido a experimentar um desjejum irlandês completo, como remédio alternativo. A Sra. Starr colocou diante de John uma cafeteira cheia de café e lhe disse que se servisse.

Depois do desjejum, demorou-se diante de uma última xícara, enquanto Orla tirava a mesa e a Sra. Starr se ocupava com mapas, binóculos e almoços embalados para os hóspedes que partiam para caminhadas. Quando o último saiu, ele viu os ombros dela relaxarem e percebeu quanta ansiedade havia por trás daquela fachada.

A Sra. Starr captou o olhar de John ao se virar e ver que ele a estava observando.

— Esta é nossa primeira semana — explicou.

— Mas posso perceber que você não é nenhuma novata no negócio — disse ele.

— Tem razão — respondeu ela —, mas não era meu próprio negócio. Eu trabalhava para outra pessoa. Agora estou com a responsabilidade toda em cima de mim. Então escute, John, o que gostaria de fazer hoje? Gostaria de tomar outra xícara de café, enquanto lhe digo o que há por aqui?

Eles conversaram amistosamente, tomando outro bule de café; e então, renovado, John partiu sob o sol forte para sua caminhada do primeiro dia.

Seguindo o conselho de Chicky, escolheu seguir por terra adentro. Caminhando por uma estrada solitária, viu grandes carneiros com caras pretas e chifres retorcidos. Ou seriam bodes selvagens? Em sua infância e adolescência, teve pouco tempo para estudar a natureza. Havia imensas lacunas em sua compreensão de muitas coisas.

Encontrou um pequeno pub e foi do dia ensolarado e frio para dentro do interior escuro, onde um fogo baixo ardia numa pequena grelha e meia dúzia de homens ergueram os olhos de suas canecas de cerveja, interessados em ver um estrangeiro entrar.

John os cumprimentou amavelmente. Ele era americano, explicou, sem necessidade, e estava hospedado na Casa de Pedra. A Sra. Starr sugerira que aquele pub seria um bom lugar para visitar.

— Uma mulher decente, Chicky Starr. — Satisfeito com o elogio, o proprietário poliu os copos com mais vigor do que nunca.

— Ela passou a maior parte da vida nos Estados Unidos. Você a conhece de lá? — perguntou um velho.

— Na verdade, não. Apenas vi um anúncio ontem no aeroporto Shannon, e aqui estou!

Tinha sido apenas ontem? Ele já se sentia completamente desligado de qualquer outra vida.

Um homem grande, com um boné imenso, lançou em John um olhar penetrante. Ele tinha um rosto largo e vermelho e pequenos olhos curiosos.

— Sabe, você tem uma aparência meio familiar. Tem certeza de que nunca andou por aqui?

— Nunca. Esta é minha primeira visita. Vocês sem dúvida vivem numa parte maravilhosa do mundo.

Isso os satisfez. John aprendera a desviar facilmente a atenção para longe de si mesmo, acrescentando um elogio ao dizer que eles tinham sorte por viver ali.

— Chicky Starr era casada com um ianque, sabe. Ele morreu num terrível acidente de automóvel, o pobre diabo — comentou o homem de rosto vermelho.

— Que o Senhor tenha piedade da alma dele — disseram os outros, em uníssono.

— Isso é terrível — falou John.

— Sim, ela ficou muito abatida. Mas tem uma coragem incrível. Voltou para cá, para sua própria gente, e comprou a antiga casa das Sheedy. Levou um século ajeitando tudo. Você não acreditaria em todo o trabalho que foi feito naquela casa.

— Não há dúvida de que é um lugar muito confortável para ficar — afirmou John.

— Quando voltar para sua terra, dirá aos seus amigos, nos Estados Unidos, para irem lá?

— Com certeza. — John se indagou se conhecia alguém em Los Angeles que fosse para um fim de mundo como aquele.

Eles o deixaram tomar a sopa e a caneca de Guinness. John se sentia estranhamente à vontade na companhia deles e ficou escutando enquanto conversavam sobre o velho Frank Hanratty, que pintara seu velho furgão de um tom berrante de rosa para encontrá-lo sem dificuldade. Frank ainda estava dirigindo por ali, espiando tudo através dos óculos, sem ver nada à sua frente nem atrás. Mas não lhe acontecera nenhum acidente. *Ainda*.

Segundo parecia, Frank jamais se casara, mas tinha uma vida social melhor do que a de qualquer um deles; visitava a todos, aqui, ali e acolá, e era bem recebido onde quer que fosse. Era louco por cinema e dirigia o furgão cor-de-rosa por sessenta quilômetros toda semana, para ver pelo menos dois filmes na cidade grande...

A conversa dos homens deslizava em torno de John. Ele teve uma imagem dessa vida tranquila, sem maiores exigências, que o sujeito chamado Hanratty levava, feliz com a maneira como as cartas do baralho se haviam disposto. Indagou-se se deveria pagar uma bebida para alguém. Isso aconteceria num filme. Mas os homens poderiam se sentir ofendidos. Ele lhes deu seu grande e envolvente sorriso e prometeu que voltaria.

— Ótima sopa com frango — elogiou.

Ele não poderia ter dito nada que agradasse mais ao proprietário.

— Aquele frango estava correndo de um lado para outro do pátio ontem de manhã — comentou ele, orgulhosamente.

Um dia de caminhada fez maravilhas para a sua recuperação, e John dormiu profundamente aquela noite. Acordou às seis, mas ficou feliz em ficar deitado na cama ouvindo os sons do vento e do mar. Ele teve certeza de que estavam mais altos naquele dia. O vento parecia ter mudado de direção e agora batia contra as janelas; quando finalmente se levantou, viu que as ondas estavam com um aspecto escuro e zangado.

Claro que, durante a refeição matinal, a Sra. Starr emitiu alertas relativos ao tempo para todos. Ele pensara que poderia tentar a caminhada para baixo, até a praia, pelas pequenas enseadas rochosas, mas, diante daquelas advertências, desistiu. Sem certeza quanto ao roteiro alternativo que escolheria, descobriu-se diante de uma última xícara de café, enquanto os outros hóspedes estavam atarefados perto da porta; quando o último deles partiu, John sorriu para Chicky Starr e, levantando uma sobrancelha, convidou-a a se unir a ele.

— Ouvi dizer que você passou uma temporada em Nova York — disse ele.

John começou a desejar que chegasse a hora das conversas dos dois. Havia algo reconfortante em ser capaz de ter uma conversa normal com pessoas que não faziam ideia de sua outra vida e não tinham qualquer expectativa. Na manhã seguinte, mais uma vez, John ficou para trás e foi o último a partir depois do café da manhã. Espiou Orla tirando os pratos.

— Você tem sorte de ter uma família para ajudá-la aqui — disse John.

— Sim. Orla tinha outros planos, mas não funcionaram, então acho que ela está feliz por permanecer aqui, por algum tempo, pelo menos.

Em geral, a Sra. Starr jamais parecia apressada, mas naquela manhã em particular ela aparentava estar ligeiramente preocupada.

— Estou atrapalhando você de alguma forma, Sra. Starr?

— Estou de fato um pouco distraída. Meu carro morreu enquanto eu estava tentando fazê-lo andar, e Dinny, da oficina, aparecerá para consertá-lo, mas só à noite. Rigger, nosso gerente, tem de ir ao médico com seus bebês; eles estão tomando vacinas. Orla e eu precisamos ir fazer compras. Estou exatamente pensando em como poderemos...

— Por que não as levo de carro? — sugeriu ele, imediatamente.

— Não, isso não seria certo. São *suas* férias.

Orla estava à mesa, escutando.

— Ah, vá, Chicky, John não se incomoda. E são apenas quinze minutos pela estrada. Irei com ele e pegarei uma carona para voltar.

Ficou combinado.

Seguiram de carro amistosamente na direção da cidade. Orla era uma moça bonita, com uma conversa descontraída.

— Não é justo lhe pedir que faça isso em suas férias, mas é a primeira semana de Chicky neste trabalho. Ela tem muito em que pensar. Achei que não se importaria.

— Não, estou muito satisfeito de ajudar. E, aliás, irei com você. Na verdade, gosto de ir a lojas — confessou-lhe John.

Ele, de fato, ficou encantado com as conversas de Orla com o açougueiro, o fabricante de queijo, e todas as apalpadelas e cutucadas nas verduras da mercearia. Logo tudo se encontrava embalado e pago.

Orla estava muito grata.

— Muitíssimo obrigada. Pedirei agora a um dos O'Hara uma carona de volta, e assim você poderá partir e aproveitar o dia.

— Eu ia tomar outro café — admitiu John. — Estou vendo um bom lugar ali. Por que não coloca as compras no carro e vamos para o café por dez minutos?

Conversaram com facilidade. Orla lhe contou que quase fora para Nova York, a fim de visitar tio Walter e Chicky, mas, então, houve o acidente. O pobre tio Walter havia morrido.

Orla disse que fizera um curso em Dublin e que, depois, ela e a amiga Brigid tinham ido para Londres trabalhar. Fora muito divertido por algum tempo, mas então sua amiga ficara noiva de um sujeito maluco e se casara com ele; e, de qualquer jeito, ela se sentira inquieta e com saudade do mar e dos rochedos de Stoneybridge. Não haveria trabalho algum para ela sem Chicky. Havia alguma coisa curativa naquele lugar. Algo que a ajudou a tirar a dor do seu coração.

— Acho que entendo o que quer dizer quando fala que este lugar é curativo — disse John. — Estou aqui por pouco tempo, mas posso sentir como ele atua sobre mim.

— Deve ser muito diferente da vida a que está acostumado — disse ela, com simpatia.

— Muito — confessou ele, sem se estender sobre a vida que estava acostumado a levar.

— Acho que você não poderia sentar-se e tomar uma xícara de café como esta no lugar onde vive...

Ele lhe lançou um olhar penetrante.

— O que quer dizer? — perguntou, finalmente.

— John, claro que sabemos que você é Corry Salinas. Chicky e eu soubemos desde o momento em que o vimos.

— Mas não disseram. — Ele ficou espantado.

— Você chegou aqui como John. Queria manter sua privacidade. Por que deveríamos dizer algo?

— E os outros, os hóspedes? *Eles* sabem?

— Sim. O sujeito sueco percebeu na primeira noite, e o casal inglês, Henry e Nicola, perguntou discretamente a Chicky se você estava disfarçado.

— É verdade o que falei. Eu *estava* a caminho de uma reunião de negócios na Alemanha e vim *mesmo* para cá por uma decisão do momento.

— Claro. E chame a si mesmo como quiser, John: é sua vida, são suas férias.

— Mas, se todos sabem...? — disse ele, em tom de dúvida.

— Honestamente, eles respeitarão seu desejo de ser uma pessoa comum. De qualquer forma, estarão principalmente concentrados nas próprias vidas.

— Tornaria mesmo a vida mais fácil, se já sabem. Mas eu estava esperando deixar aquele mundo para trás, pelo menos por algum tempo, e passar um período sem toda aquela bagagem.

— Deve ser desesperador ter de explicar tudo e lhe perguntarem se conhece Tom Cruise ou Brad Pitt.

— Não é tanto isso; a questão é que as pessoas têm expectativas tão altas a meu respeito. Acham que sou realmente os sujeitos que interpreto nos filmes. Sempre sinto que decepciono todo mundo.

— Ah, duvido. Todos aqui acham que você tem muito charme. Eu também. Pessoalmente, me afastei dos homens, mas você deixaria qualquer uma com os olhos brilhando.

— Você está zombando de mim. Sou um homem velho, muito velho — riu ele.

— Ah, não estou zombando de você, acredite no que digo. Mas suponho que desejaria se divertir mais com tudo isso: com o fato de ser mundialmente famoso, ter sucesso, todos o amarem. Se eu tivesse feito tudo o que você fez, estaria encantada comigo mesma e andaria por aí sorrindo para todo mundo.

— É apenas desempenhar papéis — declarou ele. — Esse é meu trabalho diário. Não quero ter de fazer isso também na vida real.

Orla pensou seriamente nisso.

— Mas você pode ser você mesmo com a família, não pode? — perguntou ela.

— Não tenho família, só uma filha. Telefonei para ela, na Califórnia, na noite passada.

— Você lhe falou sobre a Casa de Pedra? Ela virá e trará a família para cá apenas por um dia?

— Ela não tem família. É professora.

— Tenho certeza de que ela sente muito orgulho de você. Vai para a escola dela e conversa com os garotos?

— Não. Meu Deus, não. Nunca faço isso.

— Eles não adorariam conhecer um astro do cinema? — perguntou Orla, surpresa.

— Ah, Maria Rosa não desejaria isso — respondeu ele.

— Aposto que desejaria. Você perguntou a ela?

— Não. Não quero empurrar a mim mesmo e a meu tipo de vida em cima dela.

— Meu Deus, mas você é o pai mais maravilhoso do mundo. *Por que* não tenho pais como você?

Corry estava de volta posição de ouvinte, na qual ele sempre se sentia à vontade.

— Eles são difíceis? — quis saber ele, cheio de simpatia.

— Bem, para ser honesta, sim. Acho que eles querem que eu seja diferente. Eles acham que é um tanto cedo demais para eu ter minha própria casa para morar. Acham que estou me desperdiçando, lavando pratos para Chicky. Acham que é isso que faço. Querem que eu me case com um dos malditos O'Hara e tenha uma casa grande e comum, com colunas na frente e três banheiros.

— É o que eles dizem?

— Não precisam dizer; está no ar, como uma grande nuvem em forma de cogumelo.

— Talvez eles apenas desejem o melhor para você e não saibam expressar isso.

— Ah, não, minha mãe sempre sabe expressar o que quer, em geral de quatro maneiras diferentes, todas dizendo a mesma coisa: que estou desperdiçando minha vida.

— E, deixando de lado o que você chama de os malditos O'Hara, há alguém de quem goste *mesmo*? — Ele era gentil, interessado, não invasivo.

— Não. Como lhe disse, mais ou menos fechei a porta para os homens.

— É uma pena. Alguns são pessoas muito boas. — Ele deu um sorriso maravilhoso, ligeiramente irônico, cheio de divertimento conspiratório.

— Não quero correr o risco. Tenho certeza de que entende isso também.

— Sim, entendo. Fui casado duas vezes e me envolvi com mais uma porção de mulheres. Realmente não as entendo, mas nunca desisti delas!

— É diferente para você, John, você tem o mundo inteiro para fazer suas escolhas.

— Você me parece uma moça que teria uma gama de escolhas bastante ampla, Orla.

— Não. Não posso voltar meus pensamentos para esse tipo de coisa. Na melhor das hipóteses, é uma espécie de compromisso. Na pior, um pesadelo.

— Você nunca se apaixonou?

— Verdadeiramente, não. Você sim?

— Por Monica, minha primeira mulher, sim. Tenho certeza disso. Talvez fosse por sermos tão jovens e tudo tão novo e empolgante, e tivemos Maria Rosa. Mas acho que foi amor.

— Então você teve mais do que eu.

— Está decidida a evitar isso, a coisa do amor?

— Não, mas realmente estou decidida a não deixar que me façam de tola e a não assumir compromissos. Já vi muito com relação a isso. Minha mãe e meu pai têm muito pouco o que conversar, e acho que nunca tiveram... Minha tia Mary é casada com um homem que vale por cem somente porque tem uma grande propriedade, mas ele na verdade não sabe nada de nada. Chicky realmente se casou por amor, mas, então, seu companheiro foi varrido da face da Terra num acidente de automóvel. Nada disso faz o amor parecer muito bom!

— Talvez você se meta numa armadura antes que eles tenham uma oportunidade de conhecê-la — sugeriu ele.

— Talvez. Não quero ser uma destruidora de corações nem nada parecido. Simplesmente, essa é a maneira como as coisas acontecem.

— Não. Eu não queria dizer que...

— E acho que a *verdadeira* irritação são meus pais. Eles estão interessados *demais* em minha vida. Está ficando cada vez mais difícil não mostrar a eles como isso me aborrece.

— Ah, os pais sempre fazem as coisas erradas, Orla. É próprio deles — John parecia pesaroso.

— Você parece lidar bem com sua filha.

— De jeito nenhum. Quero tanto para ela. Quero que ela tenha o melhor, mas *sei* que não dou isso. As coisas sempre saem erradas.

— E que tipo de pais *você* teve?

— Nenhum. Não tenho ideia de quem foi meu pai, e minha mãe nunca voltou para me procurar.

— Ah, lamento muito. — Orla estendeu o braço e colocou sua mão na dele. — Sou mesmo uma idiota. Não sabia. Perdoe-me.

— Não, não tem importância. Estou apenas lhe contando por que insisto tanto nisso de família — explicou John. — Nunca soube nada a respeito da minha mãe, a não ser o fato de que falava italiano e me deixou embrulhado na porta de um orfanato, há quase sessenta anos. Passei horas, semanas e anos me indagando a seu respeito, esperando que estivesse bem, tentando descobrir o motivo para ela se desfazer de mim assim. — A mão de Orla ainda estava na sua. Ela a apertou, por solidariedade.

— Aposto que ela também pensava em você o tempo todo. *Aposto* que sim. E veja o que você fez com sua vida! Ela ficaria tão orgulhosa.

— Será? Certo, eu me tornei famoso, mas, como você diz, não obtenho disso alegria suficiente, divertimento suficiente. Ela poderia querer que eu aproveitasse a vida, fosse mais feliz, menos inquieto.

— Vamos fazer um trato — sugeriu Orla. — Terei uma cabeça mais aberta com relação aos homens. Não vou supor que sejam todos uns chatos que gostam de gritar. Farei aquela coisa americana de assumir que os estranhos são apenas amigos que você ainda não conheceu!

— Não acho que seja apenas americana — declarou John, em tom defensivo.

— Possivelmente não. De qualquer jeito, não vomitarei com o pensamento de sair com um dos horrendos irmãos ou tios de Brigid O'Hara. Darei a eles uma chance. Isso parece razoável?

— Com certeza. — Ele sorriu com a veemência dela.

— *Você*, por outro lado, vai gostar de ser quem é. As pessoas adoram encontrar uma celebridade, John. Faz bem a elas. Levamos vidas monótonas. O fato de encontrar um astro de cinema é ótimo. Seja suficientemente generoso para entender isso.

— Prometo que sim. Não tinha visto o assunto por esse ângulo.

— Ah, e com relação à sua filha, talvez você deva dizer a ela o tipo de coisas que me disse sobre o amor. Eu adoraria ter um pai que falasse assim.

— Nunca falei assim antes — confessou ele.

— Não, mas você poderia começar agora e talvez lhe dizer que adoraria vê-la e conhecer os amigos dela, se isso não fosse desconfortável para elas nem para eles. Aposto que sua filha ficaria satisfeita.

— Acho que tenho medo de que ela me rejeite.

— Vou encarar homens que talvez me rejeitem. Chegamos a um acordo, não é?

— Certo. E você vai tratar seus pais com menos severidade também? Eles podem estar deixando você maluca, mas o que eles *de fato* desejam é o melhor para você.

— Sim, tentarei. Provavelmente, serei canonizada ainda durante a vida, mas tentarei! — riu ela.

Eles apertaram mãos, marcando o pacto, e começaram a seguir de carro de volta para a Casa de Pedra.

No caminho, passaram pelo Clube de Golfe Stoneybridge. Havia alguns poucos fanáticos pelo esporte no gramado. Em frente à porta, estava estacionado um furgão de um tom de rosa forte.

— Ah, meu Deus, Frank já está tomando uísque quente — suspirou Orla.

John freou de repente.

— Adoraria tomar um uísque quente também — confessou ele.

— Você não pode, não é sócio do Clube. De qualquer jeito, acabou de tomar o café da manhã.

Mas John estacionara o carro e caminhava em direção à porta principal.

Agora alarmada, Orla correu atrás dele.

Sozinho no bar, num banco alto, espiando um jornal com uma lupa, estava sentado um velho com cabelo despenteado. Ele ergueu os olhos quando a porta se abriu com uma pancada. Um completo estranho atravessou-a, um homem na casa dos seus 50 anos, com um caro casaco de couro.

— Ora, se não for Frank Hanratty, eu não me chamo Corry — disse o estranho.

— Hmm... Sim? — Frank raramente era abordado por pessoas que o conheciam de fato e praticamente nunca por alguém que não o conhecia.

— Como vai você, Frank, meu velho amigo?

Frank o espiou.

— Você é Corry Salinas — afirmou ele, finalmente, em tom de descrença.

— Claro que sou. Quem mais seria?

— Mas como é que você *me* conhece?

— Estávamos justamente falando a seu respeito no pub, ontem. Sei que você é um grande conhecedor de filmes e agora o encontro aqui.

— Mas como você sabia que eu estava aqui? — O pobre Frank estava perplexo.

— O furgão do lado de fora não é seu? — perguntou John, como se fosse simples assim.

Frank fez um sinal afirmativo com a cabeça, pensativamente. Fazia sentido, claro.

— E você vai tomar um uísque quente, não é, Corry? — ofereceu Frank.

— Beber de manhã não me faz bem, mas adoraria uma xícara de café. Você conhece minha amiga Orla?

Permaneceram ali sentados conversando sobre filmes, e o rapaz que os servia levou o café deles para uma mesa.

— Não consigo acreditar que você entrou aqui para me ver. — Frankie sentia-se mais feliz do que nunca fora, algum dia, em toda a sua vida.

John e Orla se entreolharam.

O pacto fora selado.

Henry e Nicola

Quando Henry se formou em medicina, seus pais esperavam que ele seguisse a carreira e se especializasse, talvez em cirurgia. Sua mãe e seu pai, ambos médicos, lamentavam não terem estudado mais. Imaginem os mundos que isso poderia ter aberto, diziam, nostalgicamente.

Henry, entretanto, foi inflexível. Ele seria clínico geral.

Não havia espaço algum para ele no consultório dos pais, mas Henry encontraria uma pequena comunidade onde ele e Nicola logo conheceriam a todos, teriam filhos e fariam parte do lugar.

Henry conhecera Nicola durante a primeira semana na faculdade de medicina. Embora tão jovens, ambos souberam, em questão de semanas, que era para ser. Os pais dos dois imploraram a eles que esperassem, que deixassem o romance correr um pouco mais antes de se casarem. Quatro anos depois, afirmaram que não esperariam mais.

Foi um casamento pequeno, alegre, na cidade natal de Nicola. Todos os cōnvidados disseram que, num mundo complicado, cheio de confusão e mal-entendidos, Henry e Nicola se destacavam como dois rochedos em meio a um mar tempestuoso.

Eles se prepararam para carreiras como clínicos gerais, com estágios de seis meses numa maternidade, numa clínica cardiológica e numa pediátrica. Logo se sentiram preparados para pendurar os nomes do lado de fora de uma porta e, enquanto procuravam o lugar perfeito para se instalarem, também decidiram tentar ter um filho. Estava na hora.

Foi difícil encontrar o lugar perfeito para morar, mas ainda mais difícil foi conceber um filho. Eles não conseguiam entender isso. Eram médicos, afinal; sabiam tudo sobre ocasiões certas e sobre épocas de fertilidade. Um exame médico não mostrou qualquer problema aparente. Eles foram encorajados a continuar tentando, o que, com certeza, já estavam fazendo. Depois de um ano, tentaram a fertilização *in vitro*, e isso também não funcionou.

Eles suportaram os bem-intencionados e irritantes comentários dos seus pais, que esperavam ser avós, e dos amigos, que ofereciam serviços de babá.

Aquilo poderia ou não acontecer. Henry e Nicola podiam contemporizar qualquer coisa. Sobreviveram até mesmo a uma tragédia que se desdobrou à frente deles, durante um procedimento numa unidade de emergência hospitalar. Um rapaz totalmente drogado levou sua namorada espancada e, diante de todos, matou-a com um tiro e depois se suicidou.

Superficialmente, eles lidavam muito bem com tudo: Henry e Nicola foram muito elogiados pela maneira como enfrentaram a situação e protegeram os outros pacientes de um trauma. Por dentro, entretanto, o choque fora muito sério e permaneceu a lembrança da manhã em que, a uma distância de menos de dois metros, testemunharam duas vidas terminarem. Eles eram treinados para lidar com a vida e com a morte, mas aquilo foi cru demais, cruel demais, insano demais. Deixou marcas. Eles reduziram os esforços para encontrar um lugar perfeito para morar e clinicar. Em comparação com a violência que tinham visto tão de perto, isso não parecia mais importante.

Um dia, Nicola viu um anúncio pedindo um médico de bordo para uma companhia de cruzeiros que navegava pelo Mediterrâneo. Eles riram juntos disso. Que vida: tênis no deque, coquetéis com o capitão e lidar com probleminhas de indigestão ou queimaduras de sol. Seria uma verdadeira aventura. E alguma coisa pareceu clicar dentro dos dois. Haviam sempre trabalhado duro; nunca tiveram tempo para férias no exterior. Talvez fosse disso que precisassem.

Um pouco de sol, um descanso, uma mudança. Qualquer coisa que pudesse apagar a lembrança daquele dia e a inútil sensação de culpa que tinham por não terem a capacidade de prever melhor o que faria um viciado em drogas e quais suas intenções.

Então, candidataram-se e foram para a entrevista.

A empresa de navegação disse que só podia empregar um médico, mas que ambos poderiam viajar juntos, se o outro trabalhasse fazendo algo diferente a bordo.

Nicola ofereceu-se para ensinar *bridge* e administrar a biblioteca do navio.

— Ou você poderia ser a médica — disse Henry —, e eu faria alguma outra coisa.

— Eles só desejariam que você dançasse com as velhas. Acho que você está mais seguro com um jaleco branco, numa cirurgia — riu Nicola.

E eles assinaram o contrato.

Henry e Nicola eram um casal muito popular no navio e facilmente se adaptaram àquela vida. Os passageiros de cruzeiros eram, sobretudo, ansiosos e inocentes; seus problemas de saúde relacionavam-se principalmente com a velhice. Precisavam ser tranquilizados e encorajados. Henry era muito bom nas duas áreas.

Nicola obtinha cada vez mais sucesso em seu pequeno mundo. Ela até iniciou aulas de tecnologia, ensinando os passageiros a lidarem com seus celulares e com o Skype, e a desenvolverem as habilidades básicas em computação.

Eles viram lugares que jamais teriam visitado de outra forma. Como poderiam ir aos mercados e feiras de Tânger, aos cassinos de Monte-carlo, às ruínas de Pompeia e Éfeso? Ficaram em pé junto ao Muro das Lamentações, em Jerusalém, e nadaram no mar azul de Creta.

A intenção era ser apenas um emprego por seis meses, mas, quando a companhia ofereceu uma renovação do contrato, foi muito difícil dizer não. Aquela era a primeira vez em que já haviam estado totalmente descontraídos; tinham tempo para conversar um com o outro, trocar experiências. Havia naquilo uma leveza de espírito que jamais tinham experimentado antes. O terrível acontecimento dos tiros na emergência começava a se tornar menos doloroso.

E o programa para o cruzeiro de inverno que lhes foi oferecido seria no Caribe. De outra forma poderiam ver algum dia lugares tão distantes? Que oportunidade! Tornaram a assinar o contrato.

Enquanto caminhavam pelas antigas fazendas, na Jamaica, ou se sentavam em meio às exóticas flores em Barbados, parabenizavam a si mesmos pela boa sorte que haviam tido. Algumas vezes, falavam em voltar para a medicina "real" e para aquela história de ter uma família através da adoção. Mas não era uma conversa frequente. Eles simplesmente tinham sorte por passar aquele período fora.

E nem tudo era lazer. Eles faziam o que lhes pediam que fizessem. Cuidavam das pessoas a bordo. Henry salvou a vida de um menino ao descobrir que ele estava com apendicite e fazendo com que fosse transportado de avião para um hospital. Nicola realizou um procedimento de emergência e salvou uma idosa prestes a morrer sufocada. Henry confirmou que uma mocinha de 16 anos estava grávida e a ajudou a dar a notícia aos pais. Nicola ficava sentada durante horas seguidas com uma mulher deprimida que pensara em vir para o cruzeiro com o objetivo de pôr fim à própria vida. A mulher escreveu para o presidente da empresa de navegação para dizer que jamais em sua vida recebera tanta atenção e que agora se sentia muito melhor.

Então Henry e Nicola receberam a oferta de um cruzeiro para a Escandinávia na primavera seguinte.

Nicola teve uma nova ideia, que passou ao diretor do cruzeiro. Por que não conseguir um cabelereiro para ensinar aos homens como secar o cabelo de suas esposas?

Ele a olhou perplexo.

Ela, entretanto, insistiu. As mulheres gostariam do envolvimento e do cuidado de um parceiro que soubesse o básico. Os homens aceitariam a ideia porque isso os faria economizar.

— E que tal ao nosso salão de beleza? — perguntara o diretor do cruzeiro.

— As mulheres precisaram primeiro fazer um corte e penteado em seu salão. Acredite no que digo, adorarão isso. Tudo vai se acomodar.

E ela tinha razão: as aulas de secagem de cabelo ficaram entre as atividades mais populares no navio.

Ambos adoraram a linha costeira da Noruega, subindo de Bergen até Tromsø. Ficavam em pé lado a lado espiando as paisagens, nos corrimãos do navio, e apontando os fiordes um para o outro. A luz era espetacular. Os passageiros constituíam a mistura habitual de gente experiente em cruzeiros e os que iam pela primeira vez, intimidados pela quantidade de divertimento, comida e bebida oferecida.

Foi no terceiro dia depois da partida que Beata, uma das comissárias, foi procurar Henry. Ela, uma moça polonesa loura e atraente, disse que o assunto era muito constrangedor, de fato muito constrangedor.

Henry lhe disse que fosse com calma e explicasse o problema. Ele torceu para que a moça não lhe dissesse que havia algo seriamente errado com ela, mas Beata, apertando as mãos e desviando o olhar, acabava com essas esperanças.

Era a respeito de Helen Morris, uma mulher que se encontrava na cabine 5347. Ela estava lá com a mãe e o pai. Beata fez uma pausa.

Henry sacudiu a cabeça.

— Bem, aqueles são as cabines familiares, não são? Qual é o problema, exatamente?

— Os pais — respondeu Beata. — O pai dela é cego e a mãe tem demência.

— Não, isso não é possível — disse Henry. Eles têm de declarar quaisquer condições preexistentes antes de embarcar. Precisam assinar um documento. É para o seguro.

— Ela tranca a mãe na cabine e leva o pai para uma caminhada pelo deque a fim de tomar um pouco de ar fresco, depois ela o tranca e leva a mãe para dar uma caminhada. Eles nunca desembarcam para excursões. Todos fazem as refeições na cabine.

— E por que você está me contando isso? Não deveria contar ao capitão ou ao diretor do cruzeiro? — Henry estava confuso.

— Porque ela seria obrigada a desembarcar no próximo porto. Eles não se arriscariam a ter essas pessoas a bordo. — Beata sacudiu a cabeça.

— Mas o que eu posso fazer? — Henry estava realmente perdido.

— Você *sabe*, agora, é apenas isso. Eu apenas não pude manter isso em segredo. Você e sua esposa são muito gentis. Descobrirão uma saída para a questão.

— Essa mulher, Helen Morris, qual é a idade dela?

— Uns 40 anos, eu acho.

— E *ela* é uma pessoa normal, uma pessoa *equilibrada*, Beata?

— Sim, ela é uma pessoa muito boa. Vou para a cabine deles e levo as refeições lá. Ela confia em mim. Disse que era a única maneira de dar férias a eles. Você saberá o que fazer.

Henry e Nicola conversaram sobre o assunto naquela noite. Sabiam o que *deveriam* fazer. Deveriam informar que um passageiro mentira sobre a saúde e incapacidade de seus pais. Sabiam que a ampla cobertura do seguro que a companhia pagava não cobriria essa fraude.

— Mas para quem vamos apelar?

— Por que você não a procura e conversa com ela? — sugeriu Nicola.

— Não quero ser forçado a me tornar cúmplice dela.

— Não, você fará o que tem de fazer, mas não deixe que ela seja um nome, uma estatística. Converse com ela, Henry. Por favor.

Procurou por eles na lista de passageiros. Não havia menção alguma a deficiência ou incapacidade de qualquer dos pais. O endereço de Helen era no oeste de Londres, onde ela morava com ambos.

Henry bateu na porta da cabine 5347. Helen era uma mulher pálida, com um cabelo comprido e liso e grandes olhos ansiosos.

— Ah, é o médico — disse ela, ligeiramente alarmada.

Henry segurava uma prancheta.

— É apenas uma visita de rotina. Estou visitando todos os pacientes com mais de 80 anos, para ver se todos se encontram com boa saúde. — Ele sentiu que a voz devia estar soando frágil e exageradamente clara.

— Eles estão ótimos, obrigada, doutor.

— Então talvez eu possa ver seus pais, apenas para...

— Minha mãe está dormindo. Meu pai está ouvindo música — informou Helen.

— Por favor — pediu ele.

— Por que você está aqui de verdade? — O rosto dela estava enrugado.

— Porque eles não apareceram para as refeições e tive medo de que estivessem enjoados.

— Ninguém lhe disse nada? — A voz dela era temerosa.

— Não, não. — Henry foi muito decisivo. — Apenas rotina. Parte do meu trabalho. — Ele sorriu para Helen e se preparou para ser convidado a entrar.

Helen o olhou por trinta segundos, com os olhos escrutinando o rosto dele. Finalmente, tomou sua decisão.

— Entre, doutor — disse ela, e escancarou a porta da cabine.

Henry viu um velho numa poltrona ouvindo música com fones de ouvido e batendo o pé ao ritmo do que quer que ouvisse. Seus olhos cegos estavam fixos no outro lado da cabine. Do lado de fora, um cenário espetacular de fiordes noruegueses passava vagarosamente, sem ser visto. A esposa dele se encontrava sentada na cama, segurando nos braços uma boneca. "Helenzinha, Helenzinha", dizia ela, repetidas vezes, e embalava a boneca, para que dormisse.

Henry engoliu em seco. Ele não tinha ideia de que seria assim.

— Apenas rotina, como eu disse. — Ele pigarreou.

— Você precisa contar? — Os olhos dela estavam avermelhados e suplicantes.

— Sim, preciso — respondeu ele, simplesmente.

— Mas por quê, doutor? Eu me saí bem durante quatro dias. Faltam apenas nove.

— Não é tão simples assim. Você entende? Há uma diretriz muito clara.

— Não há diretriz que vá me ajudar a dar a eles umas férias, um pouco de ar fresco, uma mudança do apartamento em Hammersmith cheio de lances de escadas subindo e descendo... Era minha única chance, doutor.

— Mas você não nos contou a história completa.

— Eu não podia contar a vocês a história completa. Não nos deixariam vir.

Ele ficou em silêncio.

— Ouça, doutor. Tenho certeza de que teve uma vida feliz, sem nada dando errado, e fico satisfeita por você, mas nem todo mundo consegue isso. Sou filha única. Meus pais não têm mais ninguém. Eles foram muito bons para mim. Fizeram com que eu me tornasse professora. Não posso abandoná-los agora. — Ela fez uma pausa, como se juntasse forças. Depois, tornou a falar. — Trabalho em casa, corrigindo provas de um curso de correspondência. O trabalho é interminável e deixa as costas doendo, mas, pelo menos, posso cuidar deles. E eles pedem tão pouco... Então é realmente uma espécie de crime levá-los para umas pequenas férias? E eu própria descansar e ver lugares tão lindos?

Henry sentiu o coração ficar apertado.

Helen retorcia as mãos no colo. Seu pai sorriu, ouvindo música; a mãe embalava o bebê-boneca nos braços, dizendo-lhe palavras carinhosas, rindo e chamando-o de Helen.

— Eu entendo, realmente entendo — falou ele, sentindo-se inútil.

— Mas mesmo assim precisa contar e fazer com que nos expulsem do navio?

— Eles não desejarão correr o risco... — começou Henry.

— Mas será que *você* poderia correr o risco, doutor? Você, que teve toda a boa sorte do mundo, uma ótima educação, uma esposa linda. Já vi os dois juntos. Você tem um emprego dos sonhos, sempre de férias. Não conheceram nada disso. Sua vida tem sido fácil. Será que poderia encontrar em alguma parte a bondade para assumir um risco por nós? Serei muito cuidadosa, acredite em mim, serei.

Henry pensou em lhe dizer que a vida dele não fora fácil. Eles não haviam conseguido ter os filhos que desejavam. Tinham visto de perto duas mortes violentas, as quais, como ainda sentiam, poderiam ter evitado, caso tivessem raciocinado com mais presteza. Estavam vagamente perturbados e se sentiam ligeiramente culpados com o estilo de vida a bordo de um navio. Mas o que era isso em comparação à vida da mulher diante dele?

— Como você conseguiu pagar...? — começou ele.

— O irmão de papai morreu. Ele lhe deixou dez mil libras. Parecia uma oportunidade que talvez não voltasse a aparecer nunca, então corri atrás.

— Entendo.

— E até agora tem sido ótimo. Simplesmente ótimo. Melhor até do que eu sonhei. — Ela estava cheia de esperança.

— Não será fácil — declarou ele.

O sorriso dela foi sua recompensa. Henry se indagou se existiria alguém na vida dela capaz de partilhar a carga dos cuidados com os pais e a simples determinação que a mantinha seguindo em frente.

— Pedirei a Nicola que se una a nós — disse Henry, e o pacto estava fechado.

No fim, não foi demasiado árduo. Nicola se sentava na cabine todo dia, enquanto Helen levava o pai para dar uma caminhada pelo deque.

Helen era esperta e dava um jeito de despistar os outros passageiros. Ela parecia mais forte e mais descontraída a cada dia.

Henry não disse nada sobre o acerto a Beata, mas sentiu que ela estava consciente de tudo e que apreciava seu gesto.

Houve umas poucas escapulidas. Na conferência diária, o diretor do cruzeiro mencionou que alguém informara sobre o fato de um homem idoso que tropeçou no deque. Henry tinha conhecimento do caso? Havia algum problema?

Henry mentiu suavemente. Sim, o velho sujeito estava um pouco frágil, mas sua filha parecia controlar bem a situação.

Um dia, quando Nicola cuidava da velha, houve uma verificação local pela supervisora de cabine. Ela chegou à porta inesperadamente, com Beata a reboque. Nicola engoliu em seco. Teve de manter a calma.

— Só estou dando uma aula individual de computação — explicou ela, com um grande sorriso. Felizmente, a mãe de Helen não escolheu aquele momento para cantar uma canção de ninar para a boneca. A supervisora seguiu para a próxima cabine, dizendo que aulas individuais de computação eram o que todos com mais de 40 anos precisavam.

— Bem, venha ao meu escritório e marcaremos uma hora — disse Nicola. — Encaixarei você num horário que combine com sua folga.

E depois aconteceu o coquetel do capitão, quando notaram que não comparecera ninguém da cabine 5347.

— Estão jantando cedo — explicou Nicola.

— Gostam de ficar sozinhos — acrescentou Henry.

Puderam conhecer melhor Helen durante os nove dias. Ela disse como sentia falta de lecionar; adorava as aulas e a alegria de fazer as crianças entenderem alguma coisa. Agradeceu-lhes do fundo do coração e disse que ambos eram boas pessoas que mereciam toda a felicidade. Henry e Nicola perguntaram a ela gentilmente como seriam as coisas quando voltasse para casa.

— O mesmo de antes — respondeu ela, sombriamente —, mas pelo menos teremos vivido tudo isso. Foi dinheiro bem gasto.

— Há a probabilidade de novas heranças? — Henry tentou tornar as coisas mais leves.

— Não, mas ainda tenho mil libras. Elas comprarão algumas coisas ótimas. — Outra vez, aquele sorriso triste.

Atracaram em Southampton. Nicola e Henry começaram a respirar mais tranquilamente.

Helen contratara um carro para levá-los a Londres. Eles pegariam um táxi no ponto do desembarque para levá-los até o local onde o carro estaria.

Trocaram endereços.

— Envie-me um cartão-postal do seu próximo cruzeiro — disse Helen, como se eles fossem conhecidos casuais, e não cúmplices durante nove dias e noites.

— Sim, e você nos contará como vão as coisas — falou Nicola. Sua voz estava vazia.

Seria, como Helen previra, o mesmo de antes.

Os oficiais e a tripulação ficaram em pé no deque para se despedir dos passageiros. Nicola e Henry abraçaram Helen quando ela partiu, segurando um dos pais em cada braço. Eles a viram descer o passadiço, sua troncuda figurinha firme e a cabeça erguida bem alto.

O pessoal da limpeza já trabalhava no navio quando Nicola e Henry começaram a desembarcar. Eles dirigiriam para casa e passariam dez dias botando a conversa em dia com os pais e amigos até o cruzeiro seguinte, dessa vez para a Ilha da Madeira e Ilhas Canárias.

Estavam justamente se despedindo do diretor do cruzeiro quando ouviram a notícia. Ocorrera um acidente terrível, logo na saída de Southampton, uma batida de automóvel, três mortos — todos passageiros que haviam acabado de desembarcar daquele cruzeiro. Henry e Nicola olharam um para o outro, pasmos. Antes que o diretor falasse, eles já sabiam.

— Parece que foi suicídio, acreditam? Ela entrou no carro alugado e seguiu com todos dentro dele dirigindo diretamente contra uma parede. O carro ficou todo destruído, os três morreram instantaneamente. Descobriram as etiquetas do navio e entraram em contato conosco. Deve ter sido aquela mulher, Helen Morris, e os pais, da cabine 5347, aparentemente...

— Deve ter sido um acidente — Henry mal podia falar.

— Não creio. Testemunhas dizem que ela parou o carro e deu ré até certa distância, depois dirigiu diretamente para a parede. Meu Deus, por que ela fez isso?

— Não *sabemos* o que ela fez... — começou Nicola.

— *Sabemos* sim, Nicola. Os representantes da lei estão aqui, eles estão fazendo perguntas. Temos de conversar com a polícia, dar declarações.

O diretor estava sendo ríspido e direto.

— *Estamos* cobertos, não estamos, Henry? Você não descobriu nada, não foi?

Henry teve a impressão de que um século se passara antes de ele responder, mas tinham sido, provavelmente, apenas quatro segundos.

— Não, ela parecia muito bem. Muito positiva.

O diretor ficou aliviado, mas ainda parecia preocupado.

— E os velhos? Estavam bem?

— Fragilizados, mas ela era perfeitamente capaz de cuidar deles — respondeu Henry, encadeando uma série de mentiras que ele e Nicola tiveram de ir pregando durante as 24 horas seguintes.

Antes de sair do navio, Henry procurou Beata. Ela soubera da notícia? Sim, todos tinham sabido. A moça olhou para Henry com um olhar firme.

— É muito triste para a pobre senhora e sua família, mas que bom que eles tiveram férias felizes no fim da vida. — Beata implorava a ele que não dissesse nada. Ela também teria problemas por manter aquele segredo.

Ele a beijou nas faces, em despedida.

— Talvez nos encontremos em outro cruzeiro, Dr. Henry.

— Não creio — discordou Henry.

Ele sentiu que seus tempos como médico de bordo haviam terminado; de agora em diante, ele faria o que se dispusera de início a fazer: curar as pessoas, melhorar sua qualidade de vida e não desobedecer regras por razões sentimentais e acabar com a morte de três pessoas nas mãos.

— Ela teria feito isso de qualquer jeito — suplicou Nicola, enquanto voltavam para a casa de Esher, de carro.

Henry ficou olhando para a frente, sem responder.

— Ela faria isso em Bergen, Tromsø ou em qualquer outro lugar...

Ainda silêncio.

— Sabe, você apenas deu a ela nove dias extras de férias. Foi tudo o que você fez. Tudo o que *nós* fizemos.

— Desobedeci aos regulamentos. Brinquei de ser Deus. Não há como fugir disso.

— Amo você, Henry.

— E eu amo você, mas isso não muda o que aconteceu.

Eles não falaram com ninguém sobre o acontecido. Não deram qualquer explicação a ninguém sobre o motivo de estarem desistindo do que parecia o melhor emprego do mundo. Ofereceram-se como voluntários em programas de pesquisa sobre prevenção do suicídio e outros que lidavam com depressão. Afastaram-se dos amigos e da família. Aceitaram empregos locais a curto prazo. O sonho de uma pequena clínica rural se desfizera. Eles não se sentiam à altura. Tinham sido testados, e ficou provado que não eram competentes o bastante.

Os pais de Henry, por fim, decidiram dizer o que tinham em mente. Foi antes de mais um almoço dominical silencioso, deprimido, na casa deles.

— Você mudou muito desde que voltou daquele navio de cruzeiro — começou seu pai.

— Achei que não aprovava aquilo. Você sugeriu que não era *verdadeira* medicina — disse Henry, ofensivamente.

— Disse mesmo. Sempre direi que você deveria ter se especializado. Poderia ser um clínico agora, com todas as chances que teria aberto para si mesmo.

— Apenas queremos que seja feliz. É só isso, querido — explicou sua mãe.

— Ninguém é feliz — rebateu Henry, saindo para o jardim deles, a fim de jogar varetas para o velho cachorro.

Então os pais de Henry decidiram transmitir seus pensamentos a Nicola. Eles a encontraram na cozinha, enquanto bebia devagar uma xícara de chá e olhava a uma distância média.

— Não queremos interferir, querida Nicola — começou a mãe de Henry.

— Eu sei, vocês nunca interferem, são realmente ótimos — disse Nicola, em tom de admiração, indagando-se se poderia fugir do "mas" que se aproximava.

— É só que estamos preocupados... — O pai de Henry não queria que a conversa terminasse antes de começar.

Nicola, entretanto, estava com um rosto, aparentemente animado, mas vazio.

— *Claro* que vocês se preocupam — concordou ela. — Os pais sempre se preocupam.

— Vocês andam perambulando por aí há mais de dois anos, sem se fixarem em nada. Vejam, sei que não é realmente da nossa conta, mas isso nos afeta. — O pai de Henry estava implorando para ser ouvido.

Nicola se virou e o encarou.

— O que querem que a gente faça? Basta me dizer. Talvez seja possível fazer o que querem.

Havia algo no rosto dela que o assustou. Ele nunca a vira tão zangada. Imediatamente, tentou recuar.

— Tudo o que eu estava dizendo... o que eu ia dizer era que... que... vocês deveriam tirar férias, fazer algum tipo de parada... — A voz dele foi sumindo.

— Ah, *férias*! — A voz de Nicola soou como se estivesse histericamente encantada com a ideia. Ela podia encarar umas férias. — É engraçado que digam isso, porque estivemos conversando sobre a possibilidade de tirar férias. Falarei com Henry e depois direi a vocês quais são nossos planos. — E ela fugiu da cozinha antes de eles poderem dizer qualquer outra coisa.

Ela falou sobre as férias com Henry, quando eles seguiam de carro para casa naquela noite.

— Não creio que eu tenha a energia para férias — comentou ele.

— Nem eu, mas eu precisava dizer algo para tirá-los de cima de nós.

— Sinto muito. Sua família não vive nos aborrecendo desse jeito.

— Sim, vive, mas não na sua frente. Eles têm um pouco de medo do genro deles, você sabe!

— Você *gostaria* de férias, Nicola?

— Gostaria de passar uma semana em algum lugar, antes que o inverno chegue de verdade, mas não sei realmente para onde iríamos — comentou ela.

— Bem, com certeza nenhum de nós dois quer ir para as Canárias, em busca do sol do inverno — afirmou Henry.

— Também não quero a neve do inverno. Detesto esquiar — disse Nicola.

— E não morro de amores por excursão de ônibus — acrescentou Henry.

— Paris também não vem ao caso. Estaria fria e úmida demais.

— Nós nos tornamos muito excêntricos e difíceis de agradar, e olha que nem chegamos aos 40 ainda — reconheceu Henry, de repente. — Só Deus sabe como seremos quando estivermos *realmente* velhos.

Ela o olhou afetuosamente.

— Talvez a gente precise atravessar primeiro essa fase idosa e, depois, finalmente, quem sabe nos tornaremos normais — falou Nicola com leveza, mas havia uma nostalgia geral em sua voz.

— Sei o que faremos — afirmou Henry. — Vamos tirar férias com caminhadas.

— Caminhadas?

— Sim, num lugar onde nunca estivemos; nas Terras Altas da Escócia, ou nos Charcos de Yorkshire.

— E até Gales?

— Sim, procuraremos alguns lugares quando voltarmos para casa.

— Não precisamos ficar em albergues da juventude, não é? — suplicou Nicola.

— Não! Acho que devemos procurar um hotel aquecido, com muita água quente e boa comida.

Nicola se recostou no assento do passageiro e suspirou.

Pela primeira vez em dois anos, ela acreditou que podiam realmente estar virando uma página. Uma semana de férias no inverno não acabaria com todas as preocupações nem encerraria suas dores, mas podia simplesmente ser o início de uma viagem de volta.

Mais tarde, naquela noite, quando voltaram para a casa deles em Esher, fazia muito frio. Henry acendeu o fogo na pequena grade da lareira, a primeira vez que o faziam em dois anos. Ele notou a surpresa no rosto de Nicola.

— Bem, se vamos tomar a imensa decisão de escolher férias, vamos romper também com todas as outras tradições — disse ele, explicativo.

Nicola trouxe chocolate quente para os dois. Outra primeira vez. Normalmente, quando eles voltavam de uma visita aos pais de um ou de outro, se sentiam exaustos, mas naquela noite eles pareciam ter mais energia. Levaram o laptop para uma pequena mesa perto da lareira e começaram a busca por um lugar para as férias. Havia alguns lugares extraordinários em oferta. Uma fazenda em Gales, a muitos quilômetros de distância de tudo. Mas era longe demais. Eles não queriam ficar tão completamente isolados. Cabanas de madeira em New Forest, onde pôneis selvagens poderiam aparecer nas janelas? Sim, talvez. Mas talvez se cansassem de pôneis selvagens depois de um ou dois dias. Uma velha estalagem perto da Hadrian Wall? Com certeza, uma possibilidade, mas não ficaram imediatamente convencidos.

E então viram uma foto de uma casa no oeste da Irlanda. Uma grande casa de pedra num rochedo que dava para o Oceano Atlântico, lá embaixo. Oferecia caminhadas, pássaros selvagens, paz e boa comida. Havia algo ali que parecia puxá-los.

— Talvez haja algum exagero aí... talvez não seja assim de jeito nenhum, claro. — Nicola estava quase com medo de se entusiasmar.

— Sim, mas eles não poderiam falsificar essas fotos, as ondas e as grandes praias vazias... todos esses pássaros.

— Devemos telefonar para eles? Como é mesmo o nome dela...? Ah, Sra. Starr...

A voz que atendeu falava com leve sotaque americano.

— Casa de Pedra, em que posso ajudar?

Nicola explicou que eram um casal de 30 e muitos anos, tinham andado trabalhando muito e precisavam de férias e de uma mudança. Será que ela poderia dizer-lhes um pouco mais sobre o lugar?

E Chicky Starr lhes disse que era tudo muito simples, mas, em sua opinião, um local muito relaxante e curativo. Quando trabalhava em Nova York, ela voltava para lá todos os anos, de férias. Caminhava muito e contemplava o oceano e, quando voltava para os Estados Unidos, sempre se sentia capaz de enfrentar qualquer coisa.

Esperava que seus hóspedes se sentissem da mesma forma.

Começava a parecer bom demais para ser verdade.

— Terá muita música e coisa e tal como um pub irlandês? — perguntou Henry, desconfiado.

— Sinceramente espero que não — riu Chicky. — Será servido vinho no jantar, claro, mas, se as pessoas quiserem uma vida noturna mais movimentada, podem ir para os pubs locais, que têm música.

— E comeremos todos juntos?

Chicky pareceu entender as implicações da pergunta.

— Haverá cerca de onze ou doze de nós em torno da mesa toda noite, mas não será nenhum teste de resistência. Trabalhei numa pensão a vida inteira, antes de estabelecer este lugar. Eu me certificarei de que ninguém se sinta forçado a demonstrar uma alegria artificial. Acreditem em mim.

Eles acreditaram nela e fizeram imediatamente a reserva.

Os pais de Henry ficaram satisfeitos.

— Nicola nos *disse* que vocês tinham planos — falou a mãe dele. — Eu estava com medo de ser intrometida, mas ela afirmou que nada estava decidido ainda.

— Não, mamãe. Não existe isso de vocês serem intrometidos — mentiu ele.

Os pais de Nicola ficaram pasmos.

— Irlanda? — arquejaram eles. — O que há de errado com a Inglaterra? Há milhares de lugares que vocês não viram.

— A decisão é de Henry — mentiu Nicola. Isso resolveu a questão. Eles de fato sentiam uma leve reverência pelo genro.

Os dois voaram para Dublin e pegaram um trem para o oeste. Olhavam pelas janelas os pequenos campos, o gado molhado e as cidades com nomes não familiares, escritos em duas línguas. Parecia um lugar inteiramente estrangeiro, embora todos falassem inglês.

O ônibus para Stoneybridge de fato chegou junto com o trem, como Chicky Starr lhes prometera que aconteceria. Ela disse que os pegaria de carro.

— Como nos reconhecerá? — perguntou Henry, ansiosamente.

— Reconhecerei vocês — respondeu a Sra. Starr, e reconheceu mesmo.

Era uma mulher pequena, que acenou imediatamente para eles e conversou com facilidade, enquanto seguiam de carro para a Casa de Pedra.

A aparência do lugar era a mesma da fotografia no site. A casa quadrada erguia-se num caminho de cascalho; a luz do dia já se extinguia e as janelas brilhavam com uma luz suave. Havia um gato preto e branco sentado numa das janelas, enrolado até formar uma bola impossivelmente pequena de pelo, patas e orelhas.

Atrás deles, havia a espuma das ondas que vinham rolando na direção da praia e se quebravam nos rochedos íngremes que, de alguma forma, eram, ao mesmo tempo, majestosos e acolhedores.

Chicky lhes deu chá e bolinhos e os conduziu para o quarto, que tinha uma pequena sacada que dava diretamente para o mar.

Ela era apaziguadora e não perguntou nada sobre a vida deles ou sobre os motivos que os levaram a escolher seu hotel. Garantiu-lhes que os outros hóspedes, alguns dos quais já tinham chegado, pareciam encantadores. Eles se deitaram na grande cama e adormeceram. Uma sesta às cinco da tarde! Para Henry e Nicola, era outra coisa que acontecia pela primeira vez.

Apenas o som do gongo os acordou, do contrário poderiam ter dormido a noite inteira. Cautelosamente, desceram para a grande cozinha e encontraram os outros.

Já reunidos ali estavam um americano chamado John, que parecia muito familiar, embora não conseguissem se lembrar de onde. Ele disse que fora até ali por impulso, porque perdera o avião no aeroporto Shannon. E havia uma alegre enfermeira chamada Winnie, que viajava com a amiga, uma mulher mais velha chamada Lillian. Eram ambas irlandesas e pareciam uma dupla estranha, embora cada uma fosse uma companhia divertida. Havia Nell, uma mulher mais velha, silenciosa e observadora, que parecia um pouco reservada, e um sueco cujo nome eles não entenderam.

A comida era excelente; as recomendações sobre como percorrer a área eram muito meticulosas. Ninguém chegou com um violino, um acordeão e um medley de canções irlandesas. Enquanto a sobrinha da Sra. Starr, Orla, tirava a mesa, o grupo todo foi seguindo para a cama descontraidamente, sem discursos nem explicações. De volta ao quarto, Nicola e Henry mal ousaram dizer um ao outro que aquilo parecia um sucesso. Nos últimos dois anos, eles haviam passado por inícios falsos demais.

Uma espécie de magia supersticiosa os fez caminhar com cuidado e depois tornaram a dormir profundamente, e o som das ondas quebrando-se sob os rochedos era reconfortante em vez de alarmante.

Na manhã seguinte, acordaram e viram nuvens correndo rápidas e ventos uivantes, e sentiram que aquele seria de fato um lugar reconfortante. O relacionamento deles com os outros hóspedes era suficientemente próximo para ser familiar, mas não tanto a ponto de haver intromissão. Quando Winnie e Lillian desapareceram, na noite seguinte, Henry se ofereceu para se unir ao grupo de busca, no caso de ser necessária assistência médica; a Sra. Starr disse que preferia que ele e Nicola permanecessem ali na casa, para o caso de as duas mulheres voltarem por conta própria. O médico da região, Dai Morgan, fora alertado e estava à espera em sua clínica.

— Dai Morgan? Não parece um nome muito irlandês — observou Henry.

— Não, de fato. Ele veio do País de Gales para cá a fim de assumir essa função, há trinta anos, quando o velho Dr. Barry estava doente. E então o pobre Dr. Barry morreu, e Dai ficou por aqui. Muito simples, não?

— Por que ele ficou? — perguntou Nicola.

— Porque todos o adoravam. Ainda adoram. Dai e Annie se estabeleceram muito bem. Tiveram uma filhinha, Bethan, e ela adorava tudo daqui. Agora ela também é médica. Imaginem!

No dia seguinte, Dai Morgan apareceu em visita à Casa de Pedra, a fim de verificar se as duas senhoras não tinham apresentado nenhuma sequela do tempo que haviam passado na gruta. Chicky lhe deu café na grande mesa da cozinha e o deixou lá com Henry e Nicola, que estavam num intervalo entre duas caminhadas.

Ele era um homem alto e corpulento, no meio dos seus 60 anos, com um jeito descontraído e tranquilizador, além de um amplo sorriso.

— Chicky me contou que vocês dois estão no mesmo ramo que eu — disse ele.

Ambos imediatamente ficaram na defensiva. Realmente não sentiam vontade de responder a perguntas sobre o que andaram fazendo e como se desenvolveram suas carreiras. Mesmo assim, não podiam ser grosseiros com o homem.

— É verdade — concordou Nicola.

— Uma punição pelos nossos pecados — acrescentou Henry.

— Bem, acho que há profissões piores por aí — disse Dai Morgan.

Os dois sorriram de modo cortês.

— Sentirei falta daqui — comentou ele, de repente.

— Vocês vão embora? — Isso era uma surpresa. Chicky Starr não mencionara nada a respeito.

— Sim. Só decidi esta semana. Minha esposa, Annie, teve um diagnóstico ruim. Ela gostaria de voltar para Swansea. Todas as irmãs moram lá, e a mãe dela também, em perfeita forma mesmo aos 80 anos.

— Sinto muito — disse Nicola.

— É assim tão ruim? — perguntou Henry.

— Sim, uma questão de meses. Já tivemos segundas e terceiras opiniões, infelizmente.

— E ela aceitou bem?

— Ah, Annie é maravilhosa. Ela sabe tudo a respeito. E não se agitou, não fez drama nenhum; só quer ficar com a família.

— Mas, e depois...? — quis saber Henry.

— Eu não teria ânimo de voltar para cá. Stoneybridge era para nós dois. Não seria a mesma coisa se eu ficasse sozinho.

— As pessoas o adoram aqui. Dizem que você fez uma grande diferença na vida de todos — declarou Nicola.

— Eu também adoro isto aqui, mas não vou conseguir sozinho.

— Então, quando partirá?

— Antes do Natal — respondeu, simplesmente.

Conversaram sobre ele mais tarde, sentados num pub na montanha, onde carneiros de cara preta chegaram e olharam pela porta. Coisa estranha um homem e sua esposa terem se afastado tanto de suas raízes, ficarem por tanto tempo e no final voltarem.

Eles ainda falavam do médico galês enquanto caminhavam por uma comprida praia vazia, sendo as únicas pessoas lá. O que o teria convencido a ficar num lugar pequeno e solitário como aquele, onde não conhecia nada dos pacientes e seus passados?

Conversaram sobre ele à noite, no quarto, com as ondas quebrando--se sob os rochedos.

— Sabe sobre o que estamos realmente falando? — perguntou Henry.

— Sim, estamos falando sobre *nós*, não sobre ele. Encontraríamos paz num lugar como este, como aconteceu com ele?

— Para ele, deu certo. Talvez não dê para todo mundo. — Henry estava ansioso para não se deixar levar.

— Mas deve haver alguma parte, algum lugar onde pudéssemos nos integrar com tudo, *fazendo* algo em vez de tentar nos enquadrar em um sistema. — Os olhos de Nicola brilhavam de esperança.

Henry se inclinou para perto dela e colocou as duas mãos em torno do seu rosto.

— Eu amo *mesmo* você, Nicola. Helen tinha razão. Sou uma pessoa de sorte por ter uma vida feliz, e isso acontece porque você é o centro dela.

Eles se sentiram cada vez mais atraídos para conversas com Dai Morgan. Ele parecia gostar da companhia dos dois. Não lhe deram qualquer falso conforto com relação à sua esposa. Estavam menos contidos, menos vigilantes do que no primeiro encontro com ele, e aos poucos lhe falaram das próprias esperanças de encontrar um lugar, uma comunidade onde pudessem fazer a diferença; alguma coisa, de fato, como ele fizera.

— Ah, deixei muita coisa sem fazer aqui. — Dai Morgan suspirou. — Se eu pudesse voltar no tempo, faria algumas coisas de forma muito diferente.

— O quê, por exemplo? — Henry não foi intrometido. Ele falou como quem desejava aprender alguma coisa.

— Por exemplo, há um sujeito valentão dos novos condomínios aqui perto. Fui chamado ao lugar duas vezes. A esposa dele, Deirdre, tinha algum tipo de vertigem. Havia caído uma vez de uma escada e outra vez do carro. Ossos quebrados e machucados. Tive a impressão de que ele podia tê-la espancado. Eu não gostava dele, mas o que poderia fazer? A esposa jurou que tinha caído. E, então, houve uma terceira vez que eu soube. Mas era tarde demais. Ela não se recuperou.

— Ah, meu Deus... — disse Nicola.

— De fato, ah, meu Deus. Onde estava meu Deus, ou o Deus dela, quando aquele filho da puta foi para cima da mulher da última vez? Eu não falei antes porque só tinha a intuição. Como não confiei nessa intuição, Deirdre morreu.

— E, então, você falou? — Os olhos de Nicola estavam cheios de lágrimas.

— Tentei, mas eles me fizeram calar a boca. A própria família, irmãos e irmãs, disse que o nome dela não deveria ser maculado daquela maneira. Ela deveria ser enterrada como uma esposa amada e mãe feliz, ou sua vida não faria sentido. Não consegui entender isso. Ainda não entendo. Mas, se eu vivesse tudo novamente, teria falado da primeira vez.

— O que aconteceu com ele? O marido?

— Ele continuou a viver aqui, derramou algumas lágrimas de crocodilo, fez umas poucas referências a Minha Pobre Esposa Deirdre. Mas então conheceu outra mulher, um tipo de pessoa completamente diferente e, da primeira vez que lhe bateu, ela foi procurar diretamente a polícia. Ele foi condenado por agressão. Cumpriu seis meses de pena e caiu em desgraça. A família de Deirdre atribuiu tudo à morte da esposa. De alguma forma, suponho que foi um resultado.

Ele parecia triste com a lembrança daquilo tudo.

— E pensa muito nisso? — perguntou Nicola.

— Costumava pensar o tempo todo. Todo dia passo pelo túmulo de Deirdre. Todas as vezes em que vejo a casa deles, lembro-me do rosto dela, de quando me jurou que tinha caído de uma escada. Mas então Annie me disse que aquilo estava acabando comigo e que eu não seria útil a mais ninguém neste lugar a não ser que superasse tudo. Então acho que, de certa maneira, superei.

Dai os observou fazendo sinais afirmativos, com uma simpatia e uma compreensão tão autênticas que ele percebeu que os dois realmente entendiam; talvez algo parecido tivesse acontecido com eles também.

Ele falou com cuidado.

— Annie me disse que, de certa forma, eu estava me colocando no centro de tudo, tornando tudo um problema *meu*, *meu* envolvimento ou falta de envolvimento. Havia outros fatores a considerar: ele seria sempre um filho da puta cruel, habilidoso com os punhos, e ela seria sempre uma vítima. Será que eu pensava que era algum tipo de anjo vingador, enviado aqui para baixo a fim de resolver os problemas do mundo? E fazia sentido.

— Você perdoou a si mesmo? — quis saber Henry.

— Exatamente naquele momento outra coisa aconteceu. Eu estava em minha clínica quando foi trazida uma das crianças dos O'Hara. A mãe disse que ele tinha gastroenterite e estava vomitando. Ela contou que ele estava muito sonolento e tinha febre. Algo com relação a isso não me pareceu certo, então fiz um exame completo. Achei que a criança estava com meningite e dei um telefonema para o hospital. Disseram que ele precisava ser imediatamente internado para exames. Demoraria muito pegar uma ambulância e sair daqui, então eu simplesmente o peguei, saí correndo e o coloquei, junto com a mãe, no assento de trás do meu carro. Dirigi como um foragido para o hospital e eles foram rápidos com os testes e os antibióticos. Nós o salvamos. Hoje ele é um grande arruaceiro, que poderia beber uma quantidade correspondente à do município inteiro. Mas é um bom rapaz. É muito bom com o menino mais novo, Shay. Cuida dele um pouquinho. Todas as vezes que passo por perto, ele diz: "Esse é o grande homem que salvou minha vida", e lhe peço que me diga uma boa razão para eu ficar satisfeito com isso. Mas sei que salvei mesmo e que, pelo menos dessa vez, fiz diferença.

— Tenho certeza de que não foi apenas dessa única vez — afirmou Nicola.

— Talvez não, mas foi uma espécie de redenção extremamente necessária na ocasião, isso eu garanto.

Henry e Nicola conversaram sobre tudo isso enquanto estavam sentados no quarto, na Casa de Pedra, esperando pelo gongo do jantar.

— Redenção... é o que temos procurado — concluiu Nicola.

— Talvez a "Fada do Dente" possa encontrar alguma aqui para nós. — Henry não estava menosprezando ou desdenhando nada. Ele, na verdade, sorria e segurava a mão dela.

Foram os primeiros a chegar para o jantar.

Chicky e a sobrinha Orla preparavam uma bandeja de bebidas para os convidados. Falavam seriamente sobre algo.

— O que é que eles podem *fazer*, Chicky? Acorrentar a perna dele na cama?

— Não, mas não podem deixá-lo sair vagueando sozinho à noite.

— Tente detê-lo. Ele vai sair, de qualquer jeito...

Quando viram Nicola e Henry, pararam de falar imediatamente. Chicky era muito profissional. Questões domésticas não eram jamais discutidas na frente de convidados. O lugar seguia suavemente, quase sem esforço, embora tudo obedecesse a uma preparação cuidadosa. Elas perguntaram o que Nicola e Henry tinham feito durante o dia.

Pegaram os livros sobre pássaros, para identificar um ganso que o casal vira caminhando majestosamente pelos campos pantanosos, próximos do lago. Tinha pernas cor-de-rosa e um grande bico laranja.

— Acho que é um ganso cinzento. — Chicky virava as páginas do "Pássaros da Irlanda". — Será que é este?

Acharam que sim.

— Eles vêm da Islândia todos os anos. Imaginem! — Chicky fez uma pausa, maravilhada com tudo aquilo.

— Seria ótimo saber tudo sobre pássaros, como você — disse Nicola, invejando a maneira como Chicky poderia perder-se no pensamento de um ganso voando até ali desde a Islândia.

— Ah, sou apenas uma amadora. Tínhamos a esperança de ter aqui um verdadeiro observador de pássaros para falar com hóspedes. Há um rapaz da região, Shay O'Hara, que conhece todas as penas de todos os pássaros que voam pelos céus. Mas não deu certo.

— Para ele, teria sido uma maravilha. — Orla sacudiu a cabeça, tristemente.

Chicky sentiu que isso precisava de explicação.

— Shay anda fora de si. Está deprimido. Ninguém consegue falar com ele. Todos esperamos que seja apenas uma fase.

— Depressão em jovens é algo muito sério — comentou Henry.

— Ah, sei que é, e o Dr. Dai está cuidando do caso, mas Shay não quer tomar remédios nem receber conselhos e se recusa a ouvir quem quer que seja. — Chicky suspirou.

Como os outros tinham começado a chegar à cozinha, o assunto foi posto de lado.

Nicola se sentou ao lado do belo americano que ainda chamava a si mesmo de John e que descobrira um novo amigo num homem dali, chamado Frank Hanratty. Frank o levara, por quilômetros, em estradas montanhosas, num furgão cor-de-rosa, para encontrar um velho diretor de cinema que se aposentara, anos antes, naquela parte do mundo. Um cavalheiro muito agradável e contente, que lhes servira sopa de ervas.

— Ele o reconheceu? — perguntou Nicola, sem precauções. Até agora, eles jamais haviam dado indícios em voz alta de que sabiam que John era de fato um ator de cinema, uma celebridade.

John levou tudo de modo descontraído.

— Sim, ele teve gentileza suficiente para dizer que conhece meu trabalho. Foi fascinante. Tem galinhas, sabe, colmeias e um bode. Tem uma casa cheia de livros, é o homem mais feliz que já conheci em toda a minha vida.

— Extraordinário — disse Nicola, de uma maneira nostálgica. — Deve ser uma maravilha sentir-se feliz.

John lhe lançou um olhar penetrante, mas não disse mais nada.

Antes de irem para a cama, foram para fora, a fim de respirar o ar frio do mar. Orla estava exatamente começando a pedalar sua bicicleta, a caminho de casa.

— Você alguma vez já se cansou desta vista? — perguntou Henry.

— Não. Senti tanta falta dela, quando vivia em Londres. Algumas pessoas a acham triste. Eu, não.

— E o pobre observador de pássaros sobre o qual você nos falava? Ele a acha triste?

— Shay acha tudo triste — respondeu Orla, antes de seguir de bicicleta para casa.

Eram três da madrugada quando Henry e Nicola foram acordados pelo som dos pássaros gritando uns com os outros. Não estava nem perto da hora para o coro da madrugada ou da reunião das gaivotas da manhã cedo. Possivelmente, era um pássaro com problemas na pequena sacada do quarto deles.

Levantaram-se para investigar.

Com a silhueta recortada contra o mar iluminado pelo luar, havia a figura esguia de um adolescente com um macacão fino, abraçando-se, a cabeça atirada para trás e chorando.

Parecia ser Shay. Shay, que considerava tudo triste.

Sem sequer consultar um ao outro, eles vestiram seus casacos, calçaram os sapatos e desceram. Saíram para o ar frio da noite.

Os olhos do rapaz estavam fechados, o rosto contorcido. Henry e Nicola não conseguiram entender as palavras que ele ainda dizia alto, em meio ao choro. Estava gemendo e seus ombros finos formavam uma corcova de desespero. O jovem encontrava-se perigosamente próximo da beira do rochedo.

Ambos se movimentaram em sua direção com firmeza, conversando um com o outro para Shay não ser surpreendido com a aproximação deles.

O rapaz abriu os olhos e os viu.

— Vocês não me farão mudar de ideia — afirmou ele.

— Não, é verdade — concordou Henry.

— O que você quer dizer?

— Você tem razão. Não vou mudar sua maneira de pensar. Se você não o fizer agora, fará mais tarde, esta noite, ou na próxima semana. Sei *disso*.

— Então, por que estão tentando me fazer parar?

— Parar? Não estamos tentando fazer você parar. Estamos, Nicola?

— Não, por Deus, não estamos. As pessoas fazem o que querem fazer.

— O que vocês *estão* fazendo, então? — Os olhos dele eram imensos e estavam repletos de terror. Seu corpo magro tremia.

— Queríamos perguntar a você sobre o ganso cinzento. Vimos um, hoje. Soube que ele veio voando da Islândia.

— Não há nada estranho em ver um ganso cinzento. Este lugar está cheio deles. Agora, se vocês vissem um ganso branco, *isso* seria uma coisa sobre a qual conversar — declarou Shay.

— Um ganso branco? Eles vêm da Islândia, também? — Nicola movimentava-se em torno dele, por trás, mas quase despreocupadamente, e olhando de forma vaga para o mar, como se esperasse pegar um ganso branco à luz da lua.

— Não, eles são do Canadá Ártico, Groenlândia. Vocês o veriam em Wexford, na costa leste. Esse tipo não vem muito até aqui.

— Você já os viu? — questionou Henry.

— Ah, sim, muitas vezes, mas, como digo, não por aqui. Vi um ganso campestre, no ano passado. Isso é bastante raro.

— Um ganso *campestre*! — Henry tentou colocar temor e admiração na voz.

O garoto sorriu.

— Será que você poderia entrar e nos mostrar o ganso campestre no livro dos pássaros? — pediu Nicola, como se o pensamento tivesse acabado de lhe ocorrer.

— Ah, não. Se eu entrasse, só teria Chicky falando sem parar sobre a necessidade de eu ir ao médico. Odeio médicos.

— Ah, eu sei. — Nicola rolou os olhos na direção do céu, como se partilhasse o ponto de vista dele.

— De qualquer jeito, você mesma poderia procurar isso. Ela tem todos os livros aí dentro.

— Não é a mesma coisa. Você podia explicar...

— Não, eu não me sentiria à vontade. — Ele parecia prestes a recuar e se afastar. Nicola estava bem atrás dele.

Ela colocou a mão suavemente em seu braço.

— Por favor, entre conosco. Henry não está conseguindo dormir, sabe, e nos ajudaria muito se você fosse.

— Está bem, então. Mas só por um pouquinho — cedeu o rapaz, entrando com os dois na cozinha da Casa de Pedra.

O casal encontrou para ele um grande casaco xadrez, enquanto seu suéter secava no aquecedor. Nicola preparou um chá e eles comeram um pouco de pão com queijo. Shay continuava lá explicando como se pode distinguir um ganso-de-faces-brancas de um ganso-de-faces-negras, quando os O'Hara chegaram gritando o nome dele.

Tinham lido o bilhete que o rapaz deixara na mesa deles; o bilhete dizendo que lamentava, mas que aquela era a única saída. Eles estavam rezando para chegar a tempo, enquanto corriam pelos rochedos.

O pai de Shay se sentou à mesa de Chicky e chorou como um bebê. Eles telefonaram para a mãe de Shay, que ficara em tal estado de choque que não conseguira ir com eles na busca. Chicky descera e lidava com tudo como se aquilo fosse de se esperar num dia de trabalho.

— Precisamos de um médico — falou a irmã de Shay.

Este ergueu os olhos, aborrecido com a ideia.

Chicky estava prestes a explicar que já havia dois médicos na cozinha, mas Henry balançou a cabeça.

— Tenho certeza de que o Dr. Dai virá — afirmou ele.

— Ele saberá o que fazer — concordou Nicola.

Chicky entendeu.

Na manhã seguinte, durante o café da manhã, eles não falaram a respeito do assunto. Orla já sabia. Stoneybridge inteira já ouvira dizer como os dois visitantes ingleses tinham conversado com o rapaz e o salvaram da morte premeditada. Ela os olhou com gratidão enquanto servia a comida.

Alguns hóspedes pensavam ter ouvido gritos durante a noite. Nada importante, explicou Chicky, de modo que todos continuaram a falar sobre os planos para o dia.

Naquela manhã, visitaram o Dr. Dai Morgan mais tarde.

— Há um ser humano vivo hoje por causa de vocês — declarou ele.

— Mas por quanto tempo? — perguntou Henry. — O rapaz tentará a mesma coisa outra vez, não?

— Talvez não. Ele concordou em se internar no hospital para observação. Diz que tomará os remédios e talvez converse com um terapeuta. Já está numa posição muito mais positiva do que antes.

Henry e Nicola se entreolharam.

Dai continuou a falar:

— Estou ansioso para realizar minha mudança logo que possível. Vou começar a contar às pessoas hoje. Eu estava me indagando... Talvez seja um tanto precipitado, mas estava me indagando...

Sabiam o que ele diria.

— Vou precisar de alguém para assumir a função por alguns meses. Vocês pensarão nessa possibilidade?

— Eles não confiariam em nós. Somos estranhos.

— Eu era um estranho.

— Mas isso é diferente. Eles não sabem absolutamente nada sobre nós.

— Eles sabem que vocês salvaram a vida de Shay O'Hara. É o melhor cartão de visitas possível — afirmou Dai Morgan.

E então conversaram sobre muitas coisas. Planos foram feitos.

— Não precisar ser por trinta anos, como aconteceu comigo — disse-lhes Dai.

Ele os observou, ali juntos, em pé, ao sol do inverno, mais descontraídos do que já haviam estado.

— Ou então, claro, vocês podem até ficar por ainda mais tempo — disse.

Anders

Quando Anders estava na escola e lhe perguntavam o que seria quando crescesse, ele sempre respondia que seria contador, como o pai e o avô. Iria trabalhar na grande firma da família, com seu grandioso escritório em Estocolmo. A Almkvist's era uma das mais antigas empresas da Suécia, dizia com orgulho.

Anders era uma criança muito feliz, com cabelos louros e desajeitados caindo-lhe sobre os olhos. Adorava música, desde seus primeiros anos de vida, e sabia tocar piano com algum mérito já aos 5 anos. Quando estava mais velho, quis uma guitarra, e aprendeu a tocar sem nenhum professor. Era possível ouvi-lo tocando em seu quarto uma noite após outra, quando terminava os deveres escolares; e então a governanta da casa, a Sra. Karlsson, apresentou-o à *nyckelharpa*, o tradicional violino com teclado sueco. Pertencera ao avô de Anders e, como aprendera a tocar com ele, então mostrou ao rapaz como era. Ela lhe ensinou algumas canções tradicionais suecas, e ele se apaixonou pelo seu som etéreo.

Morava com os pais, Patrik e Gunilla Almkvist, Sra. Karlsson e o cachorro, Riva, num belo apartamento com vista para Djurgardskanalen. Anders dizia às pessoas que a sua era a melhor escola da Suécia e que Riva era o melhor cachorro do mundo. Elogiar o escritório do papai era apenas outra parte do mundo satisfatório onde vivia. Dois dos seus primos, Klara e Mats, já tinham ido trabalhar na firma da família, ganhando experiência enquanto realizavam seus estudos de contabilidade.

Embora Mats fosse um pouco convencido, Klara era muito sensata e já conhecia o negócio em todos os detalhes. Eles sabiam que Anders, como o herdeiro e sucessor, deixaria para trás o piano e a *nyckelharpa* e iria embora para a universidade, a fim de se preparar para o trabalho que um dia seria seu. Enquanto isso, levavam-no para tomar café e lhe contavam histórias dos clientes que encontravam.

Todos os tipos de personalidades bem conhecidas dos grandes negócios, esportes e entretenimento passavam pelas grandiosas portas arqueadas do escritório. Havia reuniões na junta diretora, havia almoços discretos nos salões privativos de restaurantes. Todos no escritório se vestiam muito bem; Mats usava ternos de designer e imaculadas camisas, enquanto Klara sempre exibia um aspecto elegante. Embora usasse roupas simples, sóbrias, formais, sempre parecia pronta para subir a uma passarela. Eficiência, estilo e discrição eram os lemas da Almkvist's. Mats e Klara tinham a aparência e falavam de acordo com o papel que desempenhavam. Anders imaginou se algum dia se sentiria confortável nesse mundo.

O fator estilo era o que Anders achava mais desafiador. Dificilmente notava o que as outras pessoas vestiam, e sempre, ele próprio, gostava de se vestir de modo confortável. Não conseguia de forma alguma entender a importância de sapatos feitos à mão, relógios suíços de precisão e gravatas de seda pura, e tudo isso sem dúvida não figurava no mundo da música popular, pelo qual ele se sentia mais atraído.

Sua mãe ria dele, afetuosamente.

— Roupas com um bom corte farão você ficar muito mais bonito, Anders. As moças o admirarão, se você se vestir bem.

— Elas não repararão em roupas. E, ou gostam de mim, ou não gostam. — Ele tinha 15 anos, era desajeitado, inseguro.

— Você está enganado, muito enganado. Elas o amarão, mas primeiro vão olhar para você. É a primeira impressão que conta. Acredite no que lhe digo, eu sei. — Gunilla Almkvist exibia sempre uma aparência elegante. Trabalhava para um canal de televisão em que atribuíam grande valor ao estilo pessoal. Ela jamais saía de casa antes de estar adequadamente preparada para o que o dia traria. Caminhava dois quilômetros até o trabalho usando tênis; os elegantes sapatos de salto alto eram guardados no escritório, na gaveta de baixo — sete pares.

Ela fez todo esforço possível para tornar Anders interessado em se vestir com mais elegância, tentando construir um entusiasmo onde não existia nenhum. Aos 18 anos, ela parara de adulá-lo.

— Não é mais uma brincadeira, Anders. Se você estivesse no Exército, teria de usar uniforme. Se fosse para o Serviço Diplomático, haveria regras relativas ao que usar. Você vai trabalhar na Almkvist e Almkvist Contabilidade. Há regras. Há expectativas.

— Vou estudar contabilidade, a questão não é essa?

— *Em parte*, é essa. Mas também está em jogo o respeito à família, às tradições, a se ajustar. — Dessa vez, havia algo diferente, algo estranho no tom da sua voz.

Ele ergueu os olhos.

— Nada disso tem importância, não é mesmo? A vida não gira em torno disso.

— Se você não se lembra de nada mais que alguma vez eu lhe disse, lembre-se disto. Concordo que, no grande esquema das coisas, *não* é importante, mas é uma pequena coisa que você pode fazer para tornar a vida mais fácil. É apenas isso. Lembre-se de que eu lhe disse isso.

Por que ela falava de maneira tão estranha?

— Você está sempre falando sobre roupas e estilo. Não preciso me lembrar disso, você não para de dizer a mesma coisa. — Ele sorriu para a mãe, desejando que tudo estivesse normal.

Mas tudo não estava normal.

— Não estarei mais aqui para lhe dizer isso — declarou ela, com a voz soando como se tivesse a garganta apertada. — Por isso é importante que você escute agora. Vou embora. Estou deixando seu pai. Você irá para a universidade neste outono. Esta é a ocasião para a mudança.

— Ele sabe que você vai embora? — A voz de Anders era um sussurro.

— Sim. Ele sabia que eu esperaria até você terminar a escola. Vou para Londres. Tenho um emprego lá, e é onde vou instalar meu lar.

— Mas não se sentirá solitária lá?

— Não, Anders. Tenho estado muito solitária *aqui*. Seu pai e eu nos distanciamos um do outro faz muito tempo. Ele está casado com a empresa. Dificilmente sentirá minha falta.

— Mas... *Eu* sentirei sua falta! Isso não pode ser verdade! Como é que não vi nada disso nem soube de nada?

— Porque fomos todos discretos. Não havia necessidade alguma de você saber de algo até este momento.

— E você tem outra pessoa em Londres? — Ele sabia que falava como um menino de 7 anos.

— Sim, tenho um homem caloroso, gentil, engraçado, chamado William. Rimos muito juntos. Espero que, com o passar dos anos, você chegue a conhecê-lo e a gostar dele. Mas, por causa do seu pai, lembre-se apenas do que eu lhe disse sobre se tornar elegante. Tornará sua vida inteira muito mais simples.

Anders virou a cabeça para o outro lado, a fim de evitar que ela visse sua infelicidade. Sua mãe ia embora para Londres com um homem chamado William, que a fazia rir. E a respeito do que estava falando ao partir? Roupas. Malditas *roupas*. Ele sentiu que o mundo virara de cabeça para baixo, e tudo perdia o foco.

Sua mãe e seu pai não haviam se distanciado. Tiveram um jantar na sexta-feira passada. Papai fizera um brinde para ela, erguendo a taça pela mesa. "Para minha linda esposa", dissera. E o tempo inteiro ele sabia que ela ia embora com esse William.

Não podia ser verdade, podia?

Sua mãe estava ali em pé, com medo de tocá-lo, temendo que ele a afastasse com um encolher de ombros, que a sacudisse para longe dele.

— Amo você, Anders. Talvez ache difícil acreditar, mas amo. E seu pai também. Muito. Ele não mostra, mas está ali; muito orgulho e muito amor.

— São coisas diferentes, orgulho e amor — rebateu. — Ele tinha orgulho de você também ou ele a amava? — Anders olhou-a de fato, pela primeira vez.

— Ele tinha orgulho por eu manter minha parte da negociação. Eu administrava bem a casa; era uma acompanhante satisfatória para ele em todos aqueles intermináveis jantares. Eu era uma boa anfitriã. Dei--lhe um filho. Acho que ele estava contente comigo, sim.

— Mas e amor?

— Não sei, Anders. Não acho que algum dia ele tenha amado algo além da firma e de você.

— Ele nunca fala como se me amasse. Está sempre tão distante.

— É o jeito dele. Ele sempre será assim. Mas estive presente durante toda sua vida e sei que ele o ama. Apenas não consegue expressar isso.

— Se ele tivesse expressado para você, você teria ficado?

— Essa não é uma pergunta válida. É como desejar que um quadrado fosse um círculo — respondeu ela. E, como acreditava nela, Anders estendeu-lhe as mãos, e a mãe soluçou em seus braços por um longo tempo.

Depois disso, tudo ocorreu muito rapidamente.

Gunilla Almkvist pôs as roupas na mala, enquanto Sra. Karlsson fungava, desaprovando, mas deixou para trás todas as joias. Uma história para encobrir tudo foi inventada. Ela recebera a oferta do cargo em Londres, para trabalhar em uma televisão por satélite. Seria uma loucura deixar escapar a oportunidade. Anders ia para a universidade; seu marido apoiava inteiramente a mudança. Assim não haveria qualquer acusação relativa a uma esposa fugitiva e a um casamento fracassado. Nada de fofocas, que seriam apreciadas e deixariam o clima mais leve, mas ficariam deslocadas na Almkvist's.

Patrik Almkvist mostrou-se cortês e agradecido. Ele nunca conversou sobre o assunto com seu único filho. Pareceu satisfeito com o fato de Anders ter cortado adequadamente o cabelo e tomado as medidas para um bom terno.

Passava cada vez mais tempo no escritório.

Na véspera da partida de Gunilla, os três saíram para jantar juntos. Patrik ergueu a taça para sua mulher.

— Que você encontre em Londres tudo o que está procurando — desejou.

Anders olhou fixamente para eles, descrente. Vinte anos de vida juntos, duas décadas de esperança e sonhos terminando, e seus pais continuavam representando um papel. Era isso o que todos faziam? Ele teve a impressão, naquele momento, de que nunca se apaixonaria. Aquilo era tudo coisa para os poetas e as canções de amor, para os sonhadores. Na vida real, não era o que as pessoas faziam.

No dia seguinte, partiu para Gotemburgo, para a universidade. Começara sua nova vida.

Ele estava lá havia apenas uma semana quando conheceu Erika, uma estudante de design têxtil. Em uma festa, a moça foi diretamente até ele e o convidou para dançar.

Mais tarde, Anders lhe perguntou por que ela se aproximara dele naquela noite.

— Você parecia inteligente, só isso. Não estava malvestido — respondeu ela.

Anders se sentiu muito desapontado.

— Esse tipo de coisa tem importância? — perguntou.

— É importante você se preocupar o suficiente consigo mesmo e com as pessoas com quem se encontra, para se apresentar bem. É apenas isso. Estou cansada de pessoas malvestidas — declarou ela.

*

Pelo que parecia, eles formaram um casal dali em diante. Erika adorava cozinhar, mas só quando estava com vontade e apenas o que quisesse fazer. Mas amava receber pessoas em seu apartamento e, quando descobriu que Anders sabia tocar a *nyckelharpa*, horrorizou-se com o fato de ele não a levar para a universidade. Assim, já da próxima vez em que foi para casa, ela insistiu que a levasse. E então Erika resolveu organizar sessões de música em sua casa, nas quais servia os jantares mais deliciosos do mundo.

Ela era pequena e engraçada, e achava que os direitos das mulheres e a moda não eram incompatíveis. Adorava vestir-se bem para qualquer ocasião e espantava Anders quando era a mulher mais atraente e estilosa da sala. Eles faziam um ao outro rir e logo se tornaram inseparáveis.

Foi pouco antes da Páscoa que ela lhe disse que jamais se casaria com ele, porque achava que o casamento era uma espécie de escravidão, mas que o amaria pelo resto da vida. Disse que precisava lhe explicar isso imediatamente, para que não houvesse mal-entendidos.

Anders ficou espantado. Ele não lhe *pedira* que se casasse com ele. Mas tudo parecia bom, então ele foi em frente.

Erika o convidou para ir à casa dela conhecer seus pais.

O pai dela administrava um minúsculo restaurante; a mãe era motorista de táxi. Eles acolheram Anders calorosamente e ele invejou o tipo de família que tinham. A irmã e o irmão dela, gêmeos com a idade de 12 anos, participavam de tudo e discutiam alegremente com os pais todos os assuntos, desde o dinheiro trocado para usar no dia a dia até implantes de seios, de Deus à família real — assuntos que jamais haviam sido comentados no lar dos Almkvist. Os gêmeos perguntaram a Erika quando ela conheceria a família de Anders. Antes de ele responder, Erika disse imediatamente que não havia pressa. Ela era um gosto adquirido, ela explicou. Demoraria mais tempo para que as pessoas a acolhessem.

— O que é ser um gosto adquirido? — perguntou o irmão.

— Pesquise que descobrirá — respondeu Erika.

Mais tarde, Anders disse:

— Eu ficaria feliz se você fosse hospedar-se na casa do meu pai.

— De jeito nenhum. Não quero fazer o homem ter um ataque cardíaco. Mas talvez eu fosse com você e me hospedasse na casa da sua mãe, em Londres.

— Não tenho certeza de que isso seria uma boa ideia.

— Você apenas não quer se encontrar com William e pensar nele dormindo com sua mãe, é isso.

— Não é verdade — negou ele, acrescentando logo em seguida, por não conseguir manter a mentira: — Bem, só um pouco.

— Vamos ver se podemos ir a Londres. Tentarei encontrar um projeto, e aí poderemos melhorar nosso inglês *e* ver Londres *e* dar uma checada no seu novo padrasto, tudo ao mesmo tempo.

Era abril quando eles finalmente fizeram a visita a Londres. Havia narcisos em todos os parques, e estes e todo o resto pareciam vivos e cintilantes. Gunilla e William moravam numa casa elegante, numa bela praça, bem perto do Museu Imperial da Guerra; de lá, bastava apenas uma caminhada de alguns minutos para chegar ao rio Tâmisa e a toda a história e ostentação que tornaram Londres famosa. Era a primeira vez que viam a cidade e toda sua riqueza e agitação. De início, as multidões e o barulho eram assustadores, mas ambos mergulharam neles com entusiasmo, determinados a tirar o máximo de cada momento.

Gunilla se mostrou descontraída e encantada de vê-los. Se tinha quaisquer dúvidas sobre a adequação de Erika como parceira do próximo chefe dos Almkvist, sequer as insinuou. William foi muito acolhedor, tirando três dias de folga do trabalho para mostrar aos jovens visitantes a verdadeira Londres. A primeira parada foi no London Eye, de onde podiam ver quilômetros sem fim em todas as direções. Ele procurara na lista uns poucos clubes noturnos com música típica na cidade, de modo a saírem sozinhos durante uma noite, se quisessem. Para encantamento de Anders, William até descobrira que trocariam *nyckelharpa* numa sessão especializada em ritmos escandinavos, num pub não muito distante, em Bermondsey.

Anders descobriu que era mais fácil conversar com a mãe do que antes. Ela não se queixava mais da aparência dele. Na verdade, parecia bem admirada.

— Erika é simplesmente encantadora — disse a Anders. — Você já a levou para conhecer seu pai?

— Ainda não. Você sabe...

Se a mãe *sabia*, não disse.

— Não demore muito. Leve Erika para conhecê-lo logo. Ela é linda.

— Mas você sabe como meu pai é esnobe, como se preocupa com o que as pessoas fazem e são. Esqueceu como ele é? Ela bate o pé. Detesta grandes negócios. Não aguenta o tipo de pessoa com o qual ele lida o dia inteiro.

— Ela será cortês o suficiente para não deixar nada disso transparecer.

Anders desejou acreditar nisso.

Gunilla queria saber a respeito do escritório. Anders ia muito lá quando estava em casa?

— Não tenho aparecido muito em casa, na verdade — admitiu.

— Você deveria ir e vigiar seu território, sua herança — opinou ela. — Seu pai gostaria disso.

— Ele nunca me pede ou sugere isso.

— Você nunca se oferece, nunca visita — rebateu ela.

*

Quando voltaram para a Suécia, Anders telefonou para o pai. A conversa foi formal: era como se Patrik Almkvist estivesse falando com um conhecido. Até onde Anders pôde entender, o pai parecia satisfeito por ele estar indo para casa passar o verão e esperando trabalhar no escritório.

— Em algum lugar onde eu não possa causar muito prejuízo — sugeriu Anders.

— Todos farão o que puderem para ajudar você — prometeu o pai.

E assim foi. Anders notou, com algum constrangimento, que as pessoas na firma faziam mesmo o possível para ajudá-lo e encorajá-lo. Falavam com ele com um respeito inteiramente desproporcional para um estudante. Ele era, sem dúvidas, o jovem príncipe herdeiro. Ninguém queria deixá-lo aborrecido. Ele representava o futuro.

Até seus dois primos, Mats e Klara, estavam ansiosos para mostrar-lhe como pegavam pesado. Não paravam de atualizá-lo quanto a tudo o que haviam feito até agora e como lidavam bem com as próprias áreas. Tentaram com muito esforço entender o que interessava ao jovem Anders. Ele não parecia querer refeições caras nos melhores restaurantes; não se preocupava com os mexericos do mundo dos negócios; sequer queria saber dos fracassos dos rivais.

Ele era um mistério.

Seu pai também parecia enfrentar problemas para descobrir quais eram os interesses de Anders. Fazia perguntas polidas ao filho sobre a vida na universidade. Queria saber se os professores tinham experiência com os negócios para complementar as boas fichas acadêmicas.

Ele não perguntou nada sobre outros possíveis interesses de Anders ou se tinha uma vida amorosa, se ainda gostava de música, se ainda tocava a *nyckelharpa* ou mesmo quem eram seus amigos. À noite, sentavam-se no apartamento em Östermalm e conversavam sobre o escritório e os vários clientes que tinham sido vistos durante o dia. Em algumas noites, comiam no restaurante favorito de Patrik ou então jantavam em casa, sentados à mesa e comendo carnes frias e queijo servidos pela silenciosa e reprovadora Sra. Karlsson. Quanto mais seu pai falava, menos Anders sabia a respeito dele. O homem não tinha vida alguma além da que levava no escritório Almkvist.

Anders prometera à mãe que faria um esforço para quebrar a reserva do seu pai, mas isso se revelava ainda mais difícil do que ele pensara. Tentou falar sobre Erika.

— Tenho uma namorada, papai. Ela é uma colega da faculdade.

— Que bom. — Seu pai fez um vago sinal aprovador com a cabeça, como se Anders dissesse que havia atualizado o laptop.

— Fui hospedar-me com a família dela. Pensei que poderia convidar Erika para passar uns dias aqui.

— Aqui? — Seu pai estava pasmo.

— Bem, sim.

— Mas o que ela faria o dia inteiro?

— Acho que poderia passear pela cidade e nós poderíamos nos encontrar para almoçar e, quem sabe, eu tirasse alguns dias de folga para mostrar a cidade a ela.

— Sim, sem dúvida, se você quiser... Claro.

— Ela foi a Londres comigo quando fui ver mamãe.

— Ah, sim?

— Tudo funcionou muito bem. Erika achou muita coisa para fazer lá.

— Acho que qualquer pessoa encontraria algo para fazer em Londres. Seria bastante diferente aqui. — Seu pai estava gélido.

— Gosto muito dela, papai.

— Ótimo, ótimo. — Foi como se ele tentasse segurar qualquer emoção direcionada a ele.

— Na verdade, vamos morar juntos. — Agora ele dissera.

— Não sei como espera conseguir pagar por isso.

— Bem, achei que isso poderia ser um assunto que discutiríamos enquanto estou aqui. E agora, posso convidar a Erika para vir na próxima semana?

— Se quiser, sim. Faça todos os arranjos com a Sra. Karlsson. Ela precisará preparar um quarto para sua amiga.

— Estaremos *morando* juntos, papai. Achei que ela poderia dividir meu quarto aqui.

— Não gosto de impor sua moral e padrões a Sra. Karlsson.

— Papai, não é *minha* moral, é o século XXI!

— Eu sei, mas, mesmo com a pouca compreensão da realidade por parte da sua mãe, ela percebeu a importância de ser discreto e manter a vida privada exatamente como tal. A Sra. Karlsson preparará um quarto para sua amiga. Seus acertos para dormir vocês podem fazer por si mesmos.

— Eu o aborreci?

— De forma alguma. De fato, admiro sua franqueza, mas tenho certeza de que você também entende o meu ponto de vista. — Ele falava como o faria no escritório: a voz nunca se elevando, a segurança de que estava certo nunca vacilando.

Erika chegou de trem na primeira semana de julho. Estava cheia de histórias sobre os companheiros de viagem. Usava jeans e um casaco vermelho e trazia uma imensa mochila de trabalho. Ela disse que estudaria durante as manhãs e depois se encontraria com ele para almoçar todos os dias.

— Meu pai insistirá em levar-nos para alguns lugares elegantes — começou Anders a dizer, com nervosismo.

— Então é bom que você arranje umas roupas elegantes — disse ela.

— Não estava falando de mim, falava de...

— Não se preocupe, Anders. Tenho os sapatos, tenho o vestido — tranquilizou-o.

E, de fato, tinha. Erika parecia esplêndida em seu vestidinho preto com o xale rosa-choque e elegantes saltos altos quando foram para o restaurante favorito do pai de Anders. Ela escutou e fez perguntas inteligentes e falou alegremente sobre a própria família — seus diabólicos irmão e irmã gêmeos, as aventuras da mãe no negócio dos táxis, o restaurante do pai, que servia trinta espécies diferentes de arenque curado. Falou com facilidade sobre a viagem a Londres e como a mãe de Anders fora uma anfitriã maravilhosa. Ela até falou abertamente sobre William.

— Provavelmente não o conhece, Sr. Almkvist, por causa das circunstâncias e tudo mais, porém ele foi fantástico. Encontrou um pub em Bermonsey onde estavam tocando a *nyckelharpa*, o que Anders adorou, e depois fomos jantar num restaurante com um maravilhoso teto de mosaicos dourados. Ele tem uma empresa de produção para a televisão, sabia? É totalmente capitalista, claro, e contra qualquer tipo de benefício social, que ele chamou de esmola, mas também é generoso e prestativo. Mostra que não se pode rotular as pessoas.

Anders fitava o pai com ansiedade. As pessoas não costumavam falar com o chefe da Almkvist's de tal maneira e geralmente evitavam assuntos como desigualdade e privilégio. Seu pai, entretanto, foi capaz de lidar com a conversa perfeitamente bem. Foi como se conversasse com um conhecido. Nada perguntou sobre os estudos de Erika ou sobre suas esperanças e planos para o futuro.

Anders se indagou se ele algum dia já demonstrara qualquer entusiasmo ou ansiedade com relação a algo que não fosse a firma onde trabalhara durante toda a vida.

Erika não tinha tais preocupações.

— Ele é conservador — comentou ela, quando ele falou a respeito. — Muitas gente é. Coisa de geração. Meu pai não dá importância a nada, a não ser os impostos sobre o álcool e os clientes que partem numa balsa para a Dinamarca a fim de comprar bebida barata. Minha mãe está fixada na necessidade de ter táxis apenas para mulheres. Seu pai está inteiramente preso a paraísos fiscais e gerenciamento de ativos e passivos e coisas desse tipo. É o que eles *fazem* neste mundo. Pare de ser dramático a respeito disso.

— Mas não é uma maneira normal de viver — insistiu Anders.

Erika encolheu os ombros.

— Para ele, é. Sempre foi e sempre será. Importante é o que *a pessoa* quer.

— Bem, não quero terminar assim, sem qualquer interesse na vida a não ser o escritório. Limitado, como dizem.

— Então, liberte-se. Por que não saímos e procuramos uma boa música para ouvir esta noite?

Erika era totalmente prática a respeito de tudo. Não viu nada errado em fingir para a Sra. Karlsson que ela havia dormido no quarto de hóspedes. Era uma questão de respeito, disse.

A semana terminou depressa demais, e Anders e o pai sentaram-se novamente na casa vazia, falando apenas de auditorias, novos negócios e fusões que haviam sido a ordem do dia, no trabalho. Anders descobriu que gostava das conversas sobre negócios e adorava os debates, mas ansiava para estar de voltar à universidade e se mudar para o novo apartamento com Erika. Ele percebeu que seus primos sentiam-se aliviados por ele sair novamente do escritório. Seu pai parecia indiferente, apertando-lhe formalmente a mão, esperando que ele estudasse bem e levasse todos os pensamentos e teorias econômicas atuais de volta para a Almkvist.

Assim que estava de volta à universidade, a voz de seu pai já lhe parecia algo de outro planeta.

Os meses passaram voando. Ele fez como prometera à sua mãe e se manteve em contato com o pai. Telefonava para ele mais ou menos a cada dez dias; uma conversa artificial, na qual terminavam falando sobre os funcionários da Almkvist ou um novo negócio que surgira no caminho deles. Vez por outra, Anders contava ao pai um desenvolvimento nos negócios ou um elemento da lei referente a impostos com o qual deparara, ou sobre o fim de semana prolongado em que fora para Majorca com os pais de Erika. Mas sentia-se sempre aliviado quando a ligação terminava; achava que o pai pensava exatamente o mesmo.

Quando chegaram as férias de verão do ano seguinte, Anders escreveu dizendo que ele e Erika passariam dois meses na Grécia. Se seu pai se espantou com o fato de que os meses não seriam passados no escritório, aprendendo o negócio, nada disse. Em vez de ouvir, Anders sentiu a desaprovação.

— Trabalhei muito duramente. Preciso de uma folga, papai.

— De fato — concordou seu pai, com uma voz gélida.

Eles tiveram um verão mágico nas ilhas gregas, nadando, rindo, bebendo *retsina* e dançando à noite ao som da música do *bouzouki*, um instrumento típico, nas tavernas.

Erika lhe contou seus planos. Quando se formasse, faria parte de um novo empreendimento voltado para a conservação de tecidos antigos; o financiamento já estava certo. Era muito excitante. E onde seria a sede? Bem, exatamente ali em Gotemburgo, claro, vinculada ao World Culture Museum.

Anders ficou em silêncio. Ele sempre esperara que Erika, no final, encontrasse um emprego em Estocolmo. Que eles conseguissem um pequeno apartamento numa das ilhas, no centro da cidade.

Não se casariam, porque Erika ainda considerava o casamento uma forma de escravidão, mas viveriam juntos, quando ele administrasse a Almkvist's, e teriam dois filhos.

Isso não parecia estar nos planos de Erika. Mas ele não diria nada até pensar bem sobre o assunto.

— Você está muito calado. Pensei que ficaria satisfeito por mim.

— Estou, claro.

— Mas...?

— Mas eu esperava que ficássemos juntos. Será que isso é egoísmo?

— Claro que não é, mas estávamos esperando até sabermos o que desejávamos fazer. Você ainda não decidiu, então apresentei meu plano primeiro, para ver se você podia pensar nisso também. — Ela parecia ansiosa que ele entendesse.

— Mas *sabemos* o que eu vou fazer. Vou voltar para administrar a firma da família.

Erika olhou para Anders com um ar estranho.

— Você não está falando sério, não é? — perguntou.

— Claro que estou. Você sabe. Você esteve lá. Viu o negócio. É o que eu preciso fazer. Nunca houve outra coisa.

— Mas você não quer isso! — arquejou ela.

— Não da maneira como é, mas você me disse para me libertar, e eu fiz isso, ou pelo menos estou tentando fazer. Não vou viver por aquele lugar como o meu pai.

— Mas você estava se libertando. Não foi por causa disso que pudemos vir para a Grécia, em vez de você ir trabalhar lá o verão inteiro? — Erika parecia perplexa.

— Mas sabemos que preciso voltar, Erika.

— Não, não sabemos que você precisa voltar. Você só tem uma vida e não quer passá-la lá, naquele pequeno mundo com primos e colegas.

— Não há outra escolha. Ele só teve um filho. Se eu tivesse irmãos que pudessem assumir aquilo... — A voz de Anders foi sumindo.

— Ou irmãs — corrigiu Erika, automaticamente. — É mais justo dizer a ele agora do que fazê-lo desperdiçar o tempo dele, o tempo deles, o *seu* tempo.

— Não posso fazer isso. Pelo menos não antes de ter tentado. Seria um insulto. Você fala muito sobre a questão do respeito. Devo a ele esse respeito. — No ar quente da noite, enquanto ambos estavam sentados na pequena taverna, junto ao mar, ouviam as outras pessoas rindo, a distância. Pessoas felizes, de férias. Músicos começavam a afinar os instrumentos.

Anders e Erika ficaram sentados ali, conscientes da imensa lacuna que se abria entre os dois.

Agora estava fora de controle. O futuro que parecia tão maravilhoso meia hora atrás estava prestes a desaparecer por completo.

Tentaram resgatar o resto das férias, mas não adiantou. Aquilo pendia sobre eles: a crença de Anders de que passaria a vida na Almkvist's e a de Erika de que ainda tinha de descobrir o que faria estavam distantes demais para que esse vão fosse ignorado.

Quando voltaram para a Suécia, sabiam que não havia futuro para os dois.

Dividiram amigavelmente os discos e livros. Anders alugou um quarto num quarteirão para estudantes. Ele disse ao pai que não estava mais com Erika.

A reação foi praticamente a mesma que teria se ele tivesse dito que um trem havia se atrasado. Um murmúrio distante, dizendo que essas coisas acontecem na vida. E então adiante, para o assunto seguinte.

Anders estudou muito, decidido a obter uma boa nota. Algumas vezes, entrando e saindo da biblioteca, ele via Erika dentro de um grupo risonho e sentia uma grande punhalada de pesar. Os dois sempre se cumprimentavam cordialmente; algumas vezes, ele até se unia ao grupo para tomar uma cerveja, num dos cafés para estudantes.

Seus amigos ficaram incrédulos com aquilo tudo. Anders e Erika sempre se deram tão bem. Exteriormente, nada mudara; eles apenas não estavam mais juntos.

A mãe dele passou um e-mail dizendo que lamentava saber que haviam se separado. Erika devia ter contado a ela. Gunilla disse que ela e William tinham achado Erika uma moça encantadora e que ela e Anders deviam lembrar-se de que, quando as portas se fechavam, podiam, muitas vezes, ser novamente abertas. Ela também o aconselhou a fazer algo com sua música, ou a aprender a jogar tênis, bridge ou golfe, *alguma coisa* que lhe desse um mundo fora da Almkvist's. Talvez ele pudesse até voltar a tocar piano. Anders parara inclusive de tocar a *nyckelharpa* desde que ele e Erika haviam rompido.

Anders ficou tocado, mas haveria pouco tempo para gastar inventando hobbies. Os exames finais exigiam sua concentração; não poderia ocupar seu lugar na Almkvist's se não se formasse com boas notas. Era hora de simplesmente tocar em frente.

Ele ia para casa todo mês e trabalhava por alguns dias no escritório, mantendo seu envolvimento. Aprendeu a expressar seus pontos de vista e a tomar decisões. Tinha uma boa cabeça para negócios, e as pessoas começaram a levá-lo a sério. Ele não era mais o filho e herdeiro do velho Almkvist: era uma pessoa que ocupava o próprio lugar. Descobriu-se capaz de conversar com o primo Mats sobre a bebida, que se tornara motivo de alguma preocupação; como Mats fazia parte da família, o problema ainda não fora abordado. Anders foi firme, mas justo. Mostrou pouca condenação, mas, ao mesmo tempo, fez uma advertência muito clara. Mats se controlou, e a situação foi resolvida.

Se seu pai soube disso, não falou nada. Mas ele tendia a deixar cada vez mais as coisas a cargo de Anders. Este, por sua vez, apoiava-se em Klara. Ela desejava partilhar sua experiência com ele, o que era uma grande ajuda, agora que os exames finais estavam apenas a semanas de distância.

Num dia ensolarado de junho, Patrik Almkvist estava sentado junto da ex-esposa Gunilla para a formatura do seu filho. William ficara em casa, em virtude de compromissos de negócios, segundo disse. Em particular, Anders pensou que poderia ter ocorrido uma retirada diplomática. Talvez fosse um suplício terrível. Em vez disso, Anders ficou satisfeito de ver que não foram apenas as boas maneiras que mantiveram todos sorrindo durante a tarde inteira e noite adentro. Ele percebia que agora que seus pais não viviam mais juntos, podiam relaxar. Para seu espanto, uma espécie de amizade surgira, e ambos foram capazes de apreciar as realizações do filho.

A conversa durante o jantar foi cheia de previsões para o futuro; durante muito tempo, fora planejado que, depois da formatura, Anders passaria um ano numa grande firma americana de contabilidade, um lugar de renome, onde aprenderia muito num curto período. Fora tudo acertado com os sócios majoritários, e Anders estava com grande expectativa com relação àquilo. Klara havia sido muito útil, com seus contatos em Boston, e acertara tudo. Gunilla também tinha contatos lá, como se verificou, e ele passaria um período maravilhoso na cidade. Enquanto caminhavam pelas ruas de Gotemburgo, Anders sentiu que tudo estava se encaixando.

Na manhã seguinte, Patrik Almkvist caiu no saguão do hotel.

Um ataque cardíaco.

Não foi sério, disse-lhes o hospital; o Sr. Almkvist não corria riscos, mas, mesmo assim, precisava repousar. Anders e Gunilla permaneceram sentados à sua cabeceira durante dois dias e, então, quando a mãe dele retornou para Londres, Anders levou o pai para casa, em Estocolmo.

A Sra. Karlsson encarregou-se imediatamente de tudo, e Anders sabia que o pai se encontrava em boas mãos. Ele estava fazendo acertos com ela para cuidados e apoio em casa, mas o pai interveio diretamente.

— Não há como você ir para Boston agora. Você tem que ir fundo, Anders. Preciso de você aqui, como meus olhos e ouvidos. É sua vez, agora.

Não podia ser sua vez ainda. Ele era jovem demais. Não tinha sequer começado a viver de verdade.

Boston foi cancelada. Logo pareceu que Anders sempre estivera no comando; ele recebia bem os desafios, mas sabia que não seria capaz de lidar com a situação sem a *expertise* e lealdade de Klara. Ela lhe dava informações resumidas antes de cada reunião, além de informações retrospectivas sobre todos os clientes. Ele de fato deixou algum tempo livre para nadar na hora do almoço todo dia, em vez de ir comer as refeições pesadas nas salas de refeições escuras, com painéis de madeira, que a gestão anterior favorecera. Uma vez por semana, ia ouvir um pouco de música ao vivo, mas, em todas as outras noites, ficava sentado com seu pai, enquanto a Sra. Karlsson tirava a mesa do jantar dos dois, e falava sobre o que se passara na firma naquele dia.

Pouco a pouco, as forças do Sr. Almkvist voltaram. Entretanto, nunca com a intensidade de antes. Quando ele voltou para o trabalho, foi por curtos dias e envolvendo-se principalmente com reuniões na sala da junta diretiva, onde sua presença conferia peso e importância à ocasião.

As semanas transformaram-se em meses.

Algumas vezes, Anders se sentia um pouco esmagado por aquilo tudo; outras vezes, sentia que, fora dali, em algum lugar, havia um mundo real, com as pessoas fazendo o que realmente desejavam fazer ou o que importava ou as duas coisas. Mas percebeu que era privilegiado por ter herdado uma posição tão prestigiosa. Num mundo de incerteza e ansiedade com relação ao emprego e à economia, ele tinha uma sorte surpreendente por se encontrar ali, ocupando um posto que apresentava novos desafios a cada dia. O privilégio trazia deveres; ele sempre soubera disso. Ali estava seu dever.

Foi seu pai quem lhe sugeriu as férias.

Ele disse que o rapaz estava trabalhando duramente e devia ir recarregar as baterias. Anders ficou perdido, sem saber para onde ir. Seu amigo Johan, do clube folclórico, falou que a Irlanda era boa. Podia-se ir para lá, encaminhar-se para alguma direção; sempre havia algo de bom para ver ou participar.

Ele comprou uma passagem para Dublin e partiu sem qualquer plano. Um comportamento de que nunca se ouvira falar da parte de qualquer pessoa da Almkvist's, que normalmente realizava uma investigação profunda antes de partir para qualquer lugar. Anders sentiu uma falta desesperada de Erika no aeroporto. Eles haviam partido dali para Londres, para a Espanha e a Grécia. Agora ele estava sozinho.

Fora louco em deixá-la escapar?

Não havia, porém, outra decisão que ele pudesse ter tomado. Anders não poderia permanecer para sempre com Erika em Gotemburgo, onde ela encontrara a carreira perfeita. E ela não teria ido viver à sombra da Almkvist's e ser uma esposa companheira e complacente, como fizera sua mãe.

Ele esperava esquecê-la, e era fácil encontrar companhias para jantar ou dançar. Como herdeiro da Almkvist's, Anders era considerado um excelente partido, mas nenhuma mulher jamais o manteve interessado por muito tempo. Ele ia para todos os eventos sociais, mas nunca se interessou o bastante por alguém a ponto de procurar sua companhia, e ficara satisfeito de saber que Erika não se prendera a nenhum outro relacionamento. Agora, no aeroporto, desejou muito falar com ela e lhe dizer que ia para a Irlanda. Erika atendeu imediatamente ao telefonema e ficou muito satisfeita de ter notícias dele. Parecia interessada em tudo o que ele tinha para dizer — mas, na verdade, Erika estava sempre interessada em tudo e em todos. Isso não o tornava especial.

— Você vai com amigos? — perguntou ela.

— Não quero ir com amigos — respondeu ele, pesarosamente. — Quero ir com você.

— Não, você não consegue um voto de simpatia dizendo algo desse tipo. Você tem todos os amigos de que precisa. Tem a vida que escolheu. — O tom da voz dela era leve, mas Erika falava sério. Ele realmente fizera sua escolha. — Você fará uma porção de novos amigos na Irlanda. Frequento um bar irlandês aqui. A música deles é ótima. São pessoas fáceis de se conhecer.

— Bem, eu lhe mandarei um cartão-postal, se encontrar um bar irlandês quando chegar lá.

— Acho que será difícil *não* encontrar um. Mas, de qualquer jeito, faça isso.

Será que a voz dela indicava que de fato gostaria de ter notícias dele ou ela estava apenas sendo Erika — descontraída, relaxada e, no entanto, concentrada ao mesmo tempo?

Ele caminhou sombriamente para o avião.

Erika teria amado o hotel em Dublin, que conseguia ao mesmo tempo ser tanto caótico quanto encantador. Eles o aconselharam a tomar um ônibus que dava uma volta pela cidade, a fim de se orientar, e a ir a uma noitada tradicional irlandesa, num pub nas proximidades, naquela noite. E, então, no café da manhã do dia seguinte, Anders encontrou um grupo de irlandeses-americanos que conversavam sobre o aluguel de um barco no rio Shannon. Tinham descoberto que era mais caro do que esperavam. Realmente precisavam de outra pessoa para dividir a despesa. Ele gostaria de cobrir o que faltava?

Por que não?, pensou. O folheto parecia atraente — lagos lindos e um rio largo, pequenos portos para visitar. Antes que percebesse, estava a caminho de Athlone, no meio da Irlanda, embarcando num barco a motor, para ter aula de navegação. Logo estavam navegando, passando por juncos, margens de rio e velhos castelos, lugares com pequenos ancoradouros e nomes compridos. O sol brilhava, e o mundo reduzia sua velocidade.

Os companheiros de barco eram cinco homens e mulheres descontraídos de uma empresa de seguros em Chicago. Deveriam estar procurando ancestrais e parentes, mas não levavam isso demasiado a sério. Estavam mais interessados em encontrar boa música irlandesa e beber uma porção de cerveja local. Anders aderiu entusiasticamente.

Comprou três cartões-postais em uma pequena agência de correios e os mandou para o pai, a mãe e Erika.

Pensou muito antes de achar com o que preencher as poucas linhas que mandou para o pai. Não havia literalmente nada a dizer que pudesse interessar ao velho. Por fim, decidiu dizer que a economia do país levara um sério golpe por causa da recessão. Isso, pelo menos, era algo que ele entenderia.

Quando a viagem terminou, os irlandeses-americanos tinham partido em uma excursão para jogar golfe durante cinco dias. Eles o convidaram para juntar-se a eles, mas Anders recusou. Por pior que ele fosse manobrando um barco no Shannon, não queria perturbar golfistas de verdade indo para o campo com eles.

Em vez disso, descobriu uma excursão de ônibus pelo oeste da Irlanda.

John Paul, o alegre e corado motorista, declarou que conhecia todos os melhores pubs com música da costa, e todas as noites eles encontraram outra grande apresentação. John Paul conhecia todos os músicos pelo nome e contava ao grupo a história deles, descrevendo seu repertório, antes de chegarem ao local todas as noites.

— Peça ao Micky Moore para cantar "Mo Ghile Mear" para você. Isso o deixará com os cabelos da nuca arrepiados — dizia ele.

Ou então sabia quando algum antigo gaiteiro voltava da aposentadoria para mais uma apresentação. Anders estava interessado em tudo aquilo.

Descobriu que o próprio John Paul tocava gaita. Não gaita de fole. Não, na verdade gaitas de fole eram escocesas. As verdadeiras gaitas eram as irlandesas, chamadas *uilleann*. A pessoa não precisava soprar para dentro delas, como fazem os escoceses; em vez disso, havia uma espécie de um fole debaixo do braço da pessoa, que ela pressionava com o cotovelo. *Uilleann* era, na verdade, "cotovelo" em irlandês.

A música era maravilhosa, e Anders se viu hipnotizado por tudo aquilo. John Paul disse que, se algum dia juntasse algum dinheiro, abriria seu próprio estabelecimento e acolheria lá todos os tipos de músicos.

— Aqui no oeste? — indagou Anders.

— Talvez, mas não quero tirar o pão da boca das pessoas que já estão aqui. Eles são meus amigos — respondeu ele.

John Paul e Anders conversaram sobre Deus, destino, mal e imaginação. Ele perguntou a idade de John Paul. O homem o olhou com surpresa.

— Você fala um inglês tão bom que até esqueço que não é daqui. Nasci em 1980, nove meses depois que o Papa João Paulo visitou a Irlanda. Quase todo rapaz nascido naquele ano recebeu um nome derivado.

— E você continuará dirigindo o ônibus por toda sua vida? — perguntou Anders.

— Não, em algum momento, terei de ir para casa, voltar para o velho. Os outros viajaram por toda parte, se deram bem em suas vidas. Sou apenas John Paul, o idiota, e meu pai não é realmente capaz de administrar o lugar sozinho. Um dia desses terei de encarar isso, voltar para Stoneybridge e assumir o lugar.

— É difícil. — Anders demonstrou simpatia.

— Ah, sai dessa! Não tenho tijolos e cimento e animais no campo e uma pequena fazenda me esperando? Metade da Irlanda daria seus dentes caninos por isso. Só não é o que eu quero. Não sou bom em sair procurando carneiros que ficaram presos, com as pernas no ar, para depois desvirá-los. Detesto ter de lidar com cotas de leite e com o que a Europa quer que você plante ou ignore. É vital para algumas pessoas; e, embora tedioso para mim, é um meio de vida. Inclusive um bom meio de vida.

— Mas e seu próprio lugar, com os músicos?

— Esperarei pela próxima encarnação, Anders. Farei isso da próxima vez que estiver por aqui. — Seu grande rosto redondo, castigado pelo clima, mostrava-se totalmente resignado a isso.

Na última noite da excursão, os passageiros todos se reuniram e levaram John Paul para jantar. E, como agradecimento, ele tocou para o grupo algumas árias na gaita irlandesa. Tirou uma foto do grupo, e todos escreveram seus nomes e e-mails no verso.

Anders tomou um café com John Paul na última manhã.

— Sentirei falta da sua companhia — confessou Anders. — Não há ninguém que converse sobre o mundo e seus caminhos como você.

— Está zombando de mim! A Suécia não está cheia de pensadores e músicos como nós?

Anders se sentiu absurdamente lisonjeado por ser considerado um músico e pensador.

— Provavelmente está. Eu simplesmente não os encontro.

— Bem, eles estão por aí. — John Paul foi muito taxativo. — Já encontrei grandes suecos viajando por aqui. Podem tocar percussão com colheres, podem todos cantar "Bunch Of Thyme". E o próprio Joe Hill não era da Suécia?

— Talvez você tenha razão. Eu lhe darei notícias, quando os encontrar.

— Escreva sim, Anders. Você é um dos bons sujeitos que existem por aí — afirmou John Paul.

Quando voltou para o trabalho na Almkvist's, Anders se interrogou se era mesmo um dos bons sujeitos. Soube, uma hora depois da sua volta, que seu primo Mats, que tivera problemas com álcool, aparentemente revisitara aquela parte da sua vida com grandes honras. Além disso, um dos mais prestigiosos clientes da Almkvist's fugira com uma mulher muito jovem e uma grande quantidade de bens, semanas antes de uma auditoria importante.

O rosto de seu pai parecia mais pálido e mais preocupado do que nunca. Apenas algumas horas depois de voltar, Anders sentiu os benefícios das suas férias na Irlanda escaparem. Tocou algumas músicas que trouxera para casa. Os lamentos solitários soaram nas gaitas irlandesas; os coros vibrantes, aos quais todos se uniram, lembraram-lhe dos dias despreocupados e da companhia descontraída, mas ele sabia que aquilo era apenas temporário. Anders sentia-se como uma criança querendo que uma festa de aniversário durasse para sempre.

Seu pai não demonstrou interesse algum em qualquer das histórias da sua viagem, por mais que ele tentasse contá-las.

— Por que não me deixa mostrar-lhe algumas das fotografias que tirei? — sugeriu ele. — Gostaria de ouvir um pouco da música comigo? Ouvimos um pouco da maravilhosa música tradicional irlandesa...

— Sim, sim, muito interessante, mas foram apenas férias, Anders. Você é como a Sra. Karlsson, que deseja contar à pessoa com o que sonhou na noite passada. Não importa.

Ele decidiu, naquele momento, que sairia do apartamento do pai. Conseguiria um lugarzinho para si mesmo e romperia com esse interminável ciclo de conversas sobre trabalho da manhã à noite.

Esperou ter a energia para fazer a mudança. Todos resistiriam a ela. Por que deixar um lugar perfeitamente confortável e elegante que seria dele algum dia? Por que perturbar a Sra. Karlsson e seus hábitos? Por que deixar seu pai sozinho, em vez de ser seu companheiro naqueles últimos anos?

Anders pensou em John Paul indo cuidar do pai *dele*, colocando os carneiros outra vez sobre as quatro patas e abandonando o sonho de um céu de músicos, a fim de cumprir seu dever. Mas mesmo John Paul teria algum tempo livre para si. Talvez ele pudesse ir e tocar sua gaita uma noite. Não teria de conversar sobre agricultura com o pai quando a lua se erguesse no céu.

Se Anders algum dia tivesse seu próprio filho, diria ao menino desde o início que ele devia seguir seu coração, que não se esperaria que ele cumprisse seu papel na Almkvist's. Mas ter um filho não lhe parecia provável. Anders não conseguia nunca ver a si mesmo se estabelecendo com alguém que não fosse Erika. E ele tinha aberto mão disso.

No entanto, telefonou a ela para contar como fora a viagem à Irlanda.

Erika ficou interessada em tudo e já sabia muito sobre música irlandesa. Comprara uma pequena flauta de metal e estava aprendendo a tocar sozinha.

— Venha ficar aqui um fim de semana e eu levarei você ao The Galway. Vai adorar o lugar — sugeriu ela.

Um fim de semana longe da Almkvist's; longe dos dramas sobre a recuperação do seu primo, do cliente que fugira com dinheiro e namorada, da ansiedade do pai, da tendência de queda nos negócios... Era justamente do que ele precisava.

Enquanto dirigia para Gotemburgo, onde fora tão feliz como estudante universitário, Anders se indagou se ficaria no apartamento de Erika. Nada fora dito. Ela poderia ter feito uma reserva para ele num hotel. Se ele ficasse de fato no apartamento, então dividiriam um quarto? Seria tão artificial se ela pusesse um colchão para ele no chão. Além disso, Erika não tinha um parceiro ou companheiro — nem ele, de modo que não haveria questões quanto a estar traindo quem quer que fosse.

Entretanto, ele não podia esperar que as coisas voltassem a ser como outrora. Suspirou, sabendo que teria de esperar para ver.

Erika estava maravilhosa, os olhos dançando e as palavras se atropelando, enquanto lhe contava como fora bem-sucedido o projeto de conservação; eles tinham alcançado um reconhecimento sério e um financiamento importante. Ela cozinhou o jantar, as almôndegas suecas que sempre haviam sido a refeição comemorativa deles. O apartamento não mudara muito — cortinas novas, mais estantes.

Depois do jantar, foram para o The Galway, o bar onde Erika foi saudada como frequentadora habitual. Ela apresentou Anders às pessoas de ambos os lados do bar e depois eles se instalaram para uma apresentação musical. De repente, Anders estava de volta ao oeste da Irlanda, com as ondas batendo na praia e um novo conjunto de rostos curvados sobre violinos, gaitas e acordeões todas as noites. A música o carregou para longe.

Mais tarde, ele conversou com as pessoas que haviam tocado. Particularmente, com um homem chamado Kevin, o gaiteiro.

— Você conhece o tema de *The Brendan Voyage*? — perguntou.

— Conheço sim, mas não costumo tocá-lo porque, sempre que o tocava nos pubs de Londres, a música fazia as pessoas chorarem.

— Ela me fez chorar também — confessou Anders.

Erika ergueu os olhos, surpresa.

— Você nunca chora — disse ela.

— Chorei na Irlanda — comentou ele, nostalgicamente.

— Temos o hábito de perturbar as pessoas — disse Kevin, em tom de lamento. — Venha amanhã à noite e eu a tocarei para você, depois poderemos chorar bem alto juntos e, em seguida, tomar uma cerveja.

— Combinado — concordou Anders, prontamente.

Mais tarde, de volta ao apartamento de Erika, eles beberam cerveja e beliscaram um pouco do que sobrara da comida. Ela acendeu velas na mesinha de centro e eles ficaram sentados cara a cara, de repente agudamente conscientes da presença de um outro. Ela o olhou com seriedade.

— Você mudou — afirmou ela.

— Não mudei com relação a gostar muito de você — disse ele.

— Eu também não, mas mesmo assim você vai dormir no quarto vago — riu ela.

— Que pena. — Ele sorriu.

— Sim, mas não vou passar ainda mais semanas e meses lamentando o que poderia ter sido.

— *Você* passou semanas e meses lamentando?

— Você sabe que sim, Anders.

— E, mesmo assim, não consideraria a possibilidade de ir viver comigo e simplesmente tolerar a Almkvist's.

— E *você* não consideraria desistir da Almkvist's e vir morar comigo. Escute, passamos por tudo isso antes. É um caminho já percorrido.

— Você sabe que eu tinha responsabilidades. Ainda tenho.

— Você não gosta disso, Anders, meu amigo. Você não é feliz. Não me disse uma só palavra sobre sua vida lá no escritório. É minha única queixa. Se eu acreditasse que era o seu desejo, então poderia ter considerado isso.

— Você me chama de amigo...! — assombrou-se ele.

— Você é. Você sempre será meu amigo, mesmo quando eu e você estivermos casados há muito tempo com outras pessoas.

— Isso não vai acontecer, Erika. Já procurei. Não há ninguém por aí.

— Bem, então teremos de olhar com mais atenção. Me conte mais sobre a Irlanda.

Ele lhe contou sobre os irlandeses-americanos no Shannon e sobre John Paul, que tinha de voltar para cuidar do pai. E então Erika deu-lhe um cobertor e um travesseiro e Anders foi para a cama, no quarto de hóspedes. Ele ainda ficou acordado durante muito tempo depois do boa-noite.

No The Galway, no dia seguinte, Anders e Erika ficaram sentados e ouviram Kevin tocar a gaita. Enquanto ouvia, Anders escutou outra vez as ondas se quebrando na selvagem praia do Atlântico e sentiu uma irrupção de infelicidade esmagá-lo. De repente, viu a própria vida estendendo-se diante dele, numa interminável linha reta; levantando-se de manhã, vestindo um terno, indo trabalhar no escritório, chegando em um apartamento solitário, indo para a cama, levantando-se na manhã seguinte... Responsabilidade. Lealdade. Dever. Normas. Expectativas. Tradição de família. E, quando os músicos fizeram uma pausa, Anders tentou explicar a Erika por que ele tinha de ficar com o pai, mas as palavras lhe faltaram. Ele descobriu que suas frases se interrompiam.

— É apenas que... — começou e depois parou. — É a tradição da família. Quero dizer, se eu não... Há aquelas expectativas... São o que eu sou. E posso fazer isso. *Estou* fazendo isso. Sou c Almkvist seguinte. Estão todos esperando por mim. Toda minha vida... E, de qualquer forma, se não sou isso, quem sou eu?

— Anders, pare, por favor. Veja, não é o que você é no negócio do seu pai que eu não gosto. É o fato de que você detesta aquilo e sempre detestará, mas não fará outra coisa. A decisão é sua, não deles. A vida é sua, não deles. Você pode fazer qualquer coisa com sua vida. Pelo menos pensar em que outra coisa você poderia fazer. Quando descobrir o que, então considerará a possibilidade de ir embora.

Ela se inclinou, aproximando-se dele, e acariciou-lhe a mão.

— Deixe isso de lado, por enquanto — sugeriu.

— O que significa deixe de lado para sempre — disse ele, tristemente.

— Não, você foi até o mais longe que pode pela estrada e sempre chega à mesma encruzilhada. Talvez alguma coisa aconteça. Alguma coisa que você deseje mais do que o escritório. Então, quando esse dia chegar, você pode pensar sobre isso outra vez.

Anders sentia uma dolorosa vontade de dizer que desejava Erika mais do que o escritório, mas aquilo não era rigorosamente verdade. Não podia ir embora, e ambos sabiam disso. Eles se abraçaram antes de ele partir para a longa viagem de volta no carro.

Seu coração ficou pesado enquanto ele ouvia música no caminho. Era apenas um sonho, uma lembrança de sua folga. Era infantil pensar que poderia existir outra vida para ele.

As semanas se passavam, e seu pai se mostrava frio e distante com relação à mudança de Anders para um apartamento próprio. A Sra. Karlsson estava tomada pelo ressentimento. Ela tentou arrancar uma promessa de que ele apareceria na casa do pai todas as noites.

Muitas vezes, Anders comia sozinho em seu apartamento, colocando uma refeição rápida no micro-ondas e abrindo uma cerveja. No apartamento grande, seu pai também jantava sozinho.

Uma vez por semana, Anders aparecia para jantar, já armado para lidar com o ressentimento e as pressões que estariam lá para cumprimentá-lo. Ou seu pai ou a Sra. Karlsson lhe lembrariam de que seu quarto estava lá e pronto, caso ele quisesse passar a noite ali. Havia longos suspiros referentes ao tamanho do apartamento da família e a como ele estava vazio. Seu pai dizia como era duro saber o que se passava no escritório naqueles tempos, considerando que ele próprio só ia lá durante três horas por dia e Anders estava fora, divertindo-se todas as noites em vez de ficar ali para discutir os acontecimentos do dia.

Muitas vezes Anders se indagava como estaria John Paul nos meses transcorridos desde que o vira. Será que a vida na fazenda se revelara melhor do que ele temia? Ou seria pior? Será que o sacrifício valeria a pena? John Paul talvez lamentasse as revelações íntimas sobre sua relutância em ir cuidar do pai. Ele poderia não apreciar o fato de ter de lidar com tudo aquilo novamente.

Uma noite, Anders pesquisou sobre Stoneybridge, o lugar onde John Paul ia morar. Em seu laptop, viu que era uma pequena e atraente cidade à beira-mar, que claramente só despertava nos meses de verão e estaria bastante erma naqueles dias de inverno. No entanto, leu que um novo empreendimento começara lá; um lugar grande, num rochedo, chamado Casa de Pedra, oferecendo uma semana de inverno na costa atlântica com cenário espetacular, boa comida, caminhadas e pássaros selvagens. Haveria música nos pubs, se os hóspedes tivessem a disposição para procurá-la. Era uma ideia absurda e ele sabia, mas, mesmo assim, fez a reserva on-line para passar uma semana lá.

Anders disse pouco a seu pai sobre a viagem — apenas uma semana de férias no inverno. O pai, claro, não perguntou nada, apenas registrou uma vaga desaprovação a sua repentina decisão de ir.

E Anders não falou com Erika a respeito. O último encontro dos dois fora uma espécie de divisor de águas. Não adiantava nada lhe contar que ia novamente para a Irlanda; ela não iria com ele. Apenas continuaria a dizer que Anders estava desperdiçando a vida. Ela não conseguia entender o fato de que ele simplesmente não tinha escolha na questão. Não queria ter essa conversa de novo.

Voou para Dublin e pegou um trem para o oeste.

Chicky Starr foi encontrá-lo na estação. Ela não pareceu ver nada estranho no fato de um jovem contador sueco voar de avião até lá para passar algum tempo naquele lugar deserto. Ela o parabenizou pelo excelente inglês. Disse que os escandinavos eram maravilhosos para aprender línguas. Quando morava em Nova York, ficara pasma de ver como os recém-chegados da Dinamarca, Suécia e Noruega se adaptavam com rapidez.

Anders já se sentia relaxado e à vontade muito antes de chegarem à maravilhosa casa antiga e ele encontrar seus companheiros hóspedes. O americano era a cara de Corry Salinas, o ator, sem tirar nem pôr; até falava como ele. Anders indagou-se o que, pelo amor de Deus, estaria Corry Salinas fazendo ali. Descobriu-se trocando olhares com o médico inglês, que também identificara o ator. Mas e daí? Se o sujeito queria um descanso, uma mudança, não seria de forma alguma diferente de todas as outras pessoas ali reunidas. Ninguém incomodaria qualquer outra pessoa.

Durante o jantar, Anders conversou com uma simpática mulher chamada Freda, que pareceu surpresa ao saber do seu interesse por música. Ele fora para o lugar certo, disse ela; a música estava no próprio ar que respiravam naquela parte da Irlanda. Ela mesma teria muito interesse em ouvir um pouco de música boa.

— Você mesmo toca um instrumento — falou ela. Era uma afirmação, em vez de uma pergunta.

Anders logo se viu falando com ela sobre a *nyckelharpa* e sobre seu amor pela música.

— E o que você faz para ganhar a vida? — perguntou a moça.

— Sou apenas um contador chato — respondeu ele, com um sorriso torto.

— Contadores não são mais chatos do que qualquer outra pessoa — afirmou ela. — Mas, se seu coração está em outro lugar, você não desejaria seguir o seu destino? — Enquanto ela falava, seus olhos miravam profundamente um vazio distante.

— Ah, não — respondeu ele, nostalgicamente —, sei muito bem onde está meu destino. Ocuparei o lugar do meu pai muito em breve e dirigirei o negócio que resultou do trabalho de uma vida inteira. E, uma ou duas vezes por semana, irei para um minúsculo lugar noturno e tocarei para meia dúzia de pessoas. E essa será minha vida. — E, então, como se quisesse tirar das suas palavras o tom sombrio, ele sorriu e acrescentou: — Mas estas são minhas férias, e vou encontrar as melhores apresentações musicais desta região. Gostaria de ir comigo?

Ficou combinado. Já no dia seguinte eles se encontrariam depois da refeição matinal e sairiam em busca da melhor música que se pudesse encontrar.

Era tudo totalmente sem exigências, e Anders ficou satisfeito de ter ido para lá. Quando foi para a cama e olhou para as ondas que se quebravam ao luar, percebeu que dormiria bem. Não acordaria duas ou três vezes durante a noite, inquieto e inseguro. Só isso já fazia com que valesse a pena ir àquele lugar.

Na manhã seguinte, Anders pediu informações a Chicky Starr sobre locais onde poderia ouvir música.

Ela sabia de dois pubs, ambos conhecidos pelas apresentações musicais. Se ele estivesse interessado em experimentar a comida local, um deles servia maravilhosos frutos do mar na hora do almoço.

Freda se uniu a eles no meio da conversa, pronta para o dia e ansiosa para apreciá-lo. O tempo parecia bom e estável, e os dois partiram bastante animados na direção da cidade, Anders carregando sua pequena mochila às costas, com os mapas e guias dentro. Passaram por chalés caiados, casas de fazenda e seus anexos. Durante algum tempo, a estrada seguia pela linha costeira e, embora estivessem em um local muito alto, no topo do rochedo, o vento e a espuma do mar faziam pinicar o rosto. Até as árvores eram curvadas e retorcidas pelos vendavais atlânticos. Depois a estrada os levou terra adentro, de modo que o mar saiu de vista. Quando chegaram mais perto da cidade, os campos desapareceram, aplainados e substituídos por novas moradas em fileiras sucessivas, parecendo vazias, de maneira meio fantasmagórica.

A rua principal de Stoneybridge era adornada por casas de dois e três andares, cada uma pintada com uma cor diferente. Era fácil identificar os pubs, mas os dois exploradores fizeram a primeira parada no pequeno café. Conversaram descontraidamente, comparando as primeiras impressões que tiveram sobre os outros hóspedes da Casa de Pedra.

Freda, notou Anders, deixava transparecer pouco sobre os próprios motivos para ter ido à Casa de Pedra, mas ela havia observado todos muito minuciosamente. O médico e a esposa, disse ela, sacudindo um pouco a cabeça, estavam muito tristes — houvera uma morte recente, disso ela. Mas não disse como exatamente sabia. E aquela simpática enfermeira — como era mesmo o nome dela? Winnie, não era? — estava passando momentos terríveis em companhia da amiga Lillian, mas no fim valeria a pena.

Foram almoçar no maior pub de todos: grandes tigelas de mexilhões suculentos, fervendo, e pão duro fresco. E, então, como se em resposta a uma deixa silenciosa, um homem pequeno, com o rosto vermelho, sentado no canto, puxou um violino e começou a tocar. A apresentação começara...

De início, o número de músicos era maior do que o de pessoas na plateia, mas aos poucos outras chegaram. A maioria iria à noite, como explicaram, mas alguns músicos gostavam de tocar nas tardes, e todos eram convidados a participar. A música, inicialmente suave e melodiosa, foi se tornando cada vez mais rápida. Num dos lados da sala, um casal começou a dançar, e o próprio Anders pegou emprestado um violão e tocou algumas canções suecas. Ensinou a todos as palavras das canções e depois se uniu aos coros com grande entusiasmo.

Ele havia, admitiu com certa timidez, levado um instrumento tradicional do seu país, e poderia ir com ele no dia seguinte. Claro, apenas se eles quisessem que ele fizesse isso...

Quando ele voltou para a mesa que ocupavam, Freda o fitou estranhamente.

— Uma ou duas vezes por semana, para uma plateia de seis pessoas? — perguntou ela, tão baixinho que ele mal podia ouvi-la, em meio aos aplausos. — Não, não creio.

Anders começou a ter a sensação de que nunca vivera em outro lugar. O americano de fato *era* Corry Salinas, obviamente escondido ali e dizendo que se chamava John. As duas mulheres, Winnie e Lillian, quase se afogaram em seu segundo dia e tiveram de ser resgatadas de uma caverna; Anders perdera todo o rebuliço porque tinha ido à cidade para as apresentações da noite. Dessa vez, tinha levado sua *nyckelharpa* e acabou sendo chamado seguidas vezes para tocá-la e cantar junto. Não havia nem sinal de John Paul, embora Anders alternasse entre os dois pubs.

Finalmente, numa das suas visitas, ele perguntou a um homem com a face endurecida que tocava flauta de metal se ele conhecia um gaiteiro da região chamado John Paul.

Claro que ele o conhecia. Todos o conheciam, um rapaz muito decente. Imediatamente, quatro outros músicos se uniram à conversa. Todos conheciam o pobre John Paul. Preso ali em Rocky Ridge, com o pai, um velho diabo que ninguém conseguia agradar. Um homem insatisfeito que desejaria ter tomado um navio de emigrantes anos atrás e culpava a todos, menos a si mesmo, por não tê-lo feito.

— E será que John Paul toca gaita irlandesa em algum lugar por aqui?

— Faz meses que ele não aparece aqui — respondeu um dos homens, sacudindo tristemente a cabeça. — Um grupo dos nossos foi um dia numa van procurá-lo, mas ele disse que não podia abandonar o velho.

Na manhã seguinte, Anders perguntou a Chicky como chegar a Rocky Ridge, e ela lhe embalou um almoço.

— Tenho certeza de que John Paul preparará uma refeição para você, mas leve isto, para o caso de ele não estar lá. É melhor ir preparado para essa possibilidade — avisou ela.

Foi uma caminhada mais longa do que esperava, e Anders sentia-se cansado quando chegou ao grande e desarrumado terreno da fazenda.

Não parecia haver ninguém por ali. Quando se aproximou da porta, algumas galinhas correram para fora, cacarejando, aborrecidas por serem incomodadas.

Um velho estava sentado à mesa, tentando ler o jornal com uma lupa. Havia um grande cão pastor deitado aos seus pés. Parecia mais um tapete do que um cachorro.

— Eu estava procurando John Paul... — começou Anders.

— Você e metade do país. Ele saiu daqui só Deus sabe quantas horas atrás e nenhum sinal dele. Sou o pai de John Paul, nem almocei e já passa das três da tarde.

— Bem, sou Anders e trouxe um almoço, então também podemos comer isto — disse Anders, abrindo o papel encerado na pequena bolsa que Chicky arrumara.

Ele pegou dois pratos e dividiu o frango frio, queijo e chutney. Fez um bule de chá, e ambos se sentaram e comeram aquilo, como se fosse corriqueiro para o pai de John Paul ter uma refeição servida por um turista sueco de passagem.

Conversaram sobre a lavoura e como ela mudara no curso dos anos, sobre a recessão e como todos os condomínios que os pretensiosos O'Hara haviam construído agora se encontravam vazios como uma propriedade fantasma, porque as pessoas tinham sido gananciosas e achado que o Tigre Celta duraria para sempre. Ele falou sobre os outros filhos, que tinham prosperado no exterior. Disse que Shep, o cão, embora agora cego e inútil, sempre teria um lar.

Quis saber sobre a agricultura na Suécia, e Anders respondeu da melhor maneira que pôde, mas disse que desejaria poder dizer-lhe mais. Em seu coração, ele era realmente um rapaz da cidade.

— E o que traz você a este lugar, se é um rapaz da cidade? — quis saber Matty.

Anders contou como conhecera John Paul na excursão de ônibus.

— Ele adorava aquele velho ônibus, um emprego sem qualquer futuro, entrando e saindo de bares clandestinos o tempo inteiro, feliz como pinto no lixo, mas pensou melhor sobre o assunto e decidiu se virar por essas bandas, para tentar tirar deste lugar os últimos centavos — disse ele, sacudindo a cabeça em reprovação.

Anders sentiu a garganta elevando-se de raiva. Esse era o agradecimento que o velho fazia pelo sacrifício do filho. Será que a vida poderia ser mais injusta?

De uma maneira razoável, ele tentou explicar que talvez John Paul quisesse ajudá-lo.

— Você, por acaso, não quer comprar este lugar aqui? — Matty o observou através de olhos semicerrados.

— Na verdade, não. Mas estão vendendo?

— Ah, se pelo menos pudéssemos. Até esta noite, estarei fora daqui.

— E para onde irá, Matty?

— Para o St. Joseph. É uma espécie de abrigo na cidade. Haverá pessoas me visitando lá, e terei companhia. Eu não ficaria preso aqui em Rocky Ridge com John Paul trabalhando todas as horas do dia, e para quê? Em seguida vem o nada.

— Disse isso a ele?

— Não posso. John pensa que há uma maneira de ganhar o sustento aqui. Ele não fez nada por si mesmo na vida, mas tem bom coração e merece um grande aplauso por fazer o lugar funcionar. Eu não poderia vender isto aqui sem ele saber.

Anders permaneceu ali sentado em silêncio durante algum tempo. Matty era um homem acostumado a silêncios. Shep não parou de roncar. Talvez a vida estivesse cheia desses mal-entendidos.

John Paul estava ali fora, nos cumes das montanhas, lidando com coisas que detestava, seu pai sentia-se ansioso para viver num lugar simpático, aquecido e seguro, onde as pessoas pudessem visitá-lo e seu almoço fosse servido todo dia à uma da tarde. Cada um deles pensava que o outro desejava desesperadamente manter a fazenda funcionando.

Será que a situação seria a mesma na Suécia?

Será que o pai de Anders queria poder passar a firma para outros, liberar o filho de uma vida que ele não apreciava? Será que isso era apenas um desejo se tornando realidade? Um falso paralelismo?

Os problemas não se resolvem assim direitinho através de um conjunto de coincidências. Eles se resolvem com decisões. Erika sempre dizia isso, e Anders achava que ela estava sendo idealista. Mas era verdade. Decidir não mudar nada era uma decisão em si. Antes, ele não havia compreendido isso plenamente.

A luz desapareceu do céu, e Shep se agitou em seus sonhos. Anders fez mais chá e encontrou alguns biscoitos. Matty contou-lhe o fato de que Chicky se casara com aquele homem que tinha morrido no acidente de automóvel em Nova York e que ele lhe deixara dinheiro para voltar à sua terra e comprar a casa das Sheedy. Matty disse que Chicky era uma verdadeira sobrevivente; ela não esperara que ninguém combatesse no lugar dela. Muitos homens tinham demonstrado interesse por ela, mas a mulher era bastante honesta com todos eles. Era sua própria patroa, afirmou a todos.

— Mas nunca se sabe o que o Senhor planejou para a pessoa. Talvez algum americano simpático aparecesse para passar férias e a envolvesse novamente. Havia alguém, entre os hóspedes, que parecesse adequado?

Anders achava que não. Havia, sim, um americano agradável lá, mas ele não vira qualquer sinal de romance.

— Ah, está falando de Corry Salinas? Ouvi dizer que estava hospedado lá — comentou Matty.

— É mesmo?

— Sim, ele estava tentando manter isso em segredo, mas todos aqui o reconheceram. Frank Hanratty andou contando uma história maluca de que Corry entrou no clube de golfe a fim de pagar uma bebida para ele porque viu seu furgão cor-de-rosa do lado de fora da porta. Seria melhor que Frank se controlasse mais.

Exatamente neste momento eles ouviram o furgão chegar, e John Paul correu para dentro da casa.

— Papai, o gado atravessou uma cerca lá no campo de cima. As reses ficaram vagueando por toda a estrada. O Dr. Dai estava tentando fazer com que voltassem para o campo pelo buraco, com um dos seus tacos de golfe. Ele foi pior do que eu mesmo. E, quando conseguimos afinal alguém para consertar a cerca... — Ele se interrompeu quando viu Anders. Seu rosto grande se iluminou de prazer. — Anders Almkvist! Você veio nos visitar! — disse ele, encantado. — Papai, este é meu amigo...

— E eu já não sei tudo a respeito dele? Tivemos uma longa conversa enquanto esperávamos você voltar, e sei tudo sobre o motivo para os suecos estarem melhor com o krone deles do que quem está com o euro — falou Matty.

John Paul continuou a olhar, com a boca aberta.

— E ele também me trouxe meu almoço — declarou seu pai.

O elogio final. Anders pegou outra caneca e serviu chá para John Paul. Não houve pressa. Haveria bastante tempo para explicar tudo.

John Paul levou Anders de volta para a Casa de Pedra.

— Imagine só você voltando para cá e subindo até Rocky Ridge para me ver! — disse ele.

— Eu esperava ouvir você tocar num dos pubs locais, mas eles disseram que você trabalha duro demais. Que anda muito cansado.

— Eu estava esperando que você viesse para me contar que tinha deixado aquele seu escritório — confessou John Paul.

— Não. Ainda não.

— Mas talvez...? — John Paul olhou satisfeito para o amigo. — Então milagres realmente acontecem.

— Espere até eu lhe contar o que *o seu* pai realmente deseja, e então você pensará duas vezes a respeito de milagres — disse Anders.

Anders pedia desculpas enquanto se esgueirava e se sentava na grande mesa de jantar de Chicky.

— Lamento estar um pouco atrasado — disse ele, colocando-se junto do médico e sua esposa.

— Não há problema algum. Temos pato, esta noite. Eu guardei uma porção quente para você. Está tudo bem com John Paul?

— Ótimo, ótimo. O que acha de St. Joseph como lugar para ficar?

— Melhor impossível. Se pudessem convencer Matty a ir para lá, ele adoraria o lugar. Tenho uma tia lá, e ela mal tem tempo para conversar com a pessoa que vai visitá-la.

— Não, ele *quer* ir para lá. É John Paul quem tem dúvidas.

— Podemos ajudá-lo a resolver isso. E diga a John Paul que ele deveria ir embora e viajar um pouco, deixar que alguns dos outros irmãos e irmãs voltem e carreguem peso por aqui. Deveriam visitar Matty de vez em quando, em vez de deixar tudo por conta de John Paul.

— Eu tenho mesmo uma ideia na minha cabeça.

— Se ela significa dar a John Paul um pouco de chance na vida, sou inteiramente a favor.

— Eu estava pensando em abrir um bar irlandês na Suécia. Pedir a ele que vá e cuide do lado musical do negócio para mim. Posso lidar com o lado comercial.

— Então é isso que você estava fazendo aqui. Imaginei algo assim. — Chicky parecia satisfeita por ter descoberto sem fazer muitas perguntas. — As coisas realmente evoluem por aqui. Já vi isso repetidas vezes. Acho que há alguma coisa no ar marítimo.

— Ainda não falei com meu pai a respeito.

— E se ele for contra a ideia? — Chicky foi gentil.

— Explicarei tudo a ele. Serei claro e cortês, como ele sempre foi. Não farei pouco caso dos sonhos *dele*; só mostrarei que não são os meus. — Sua voz soou muito mais confiante.

Chicky fez vários sinais afirmativos com a cabeça. Era como se pudesse ver aquilo acontecendo.

— E, como está contratando, podia chamar minha sobrinha Orla, que ali está, por uma estação, pelo menos, para que ela faça a comida para você. Isso garantiria o sucesso do seu pub e a impediria de ficar velha e furiosa comigo.

— Há lugares piores onde ficar velha e furiosa — riu Anders.

Ele esperava explicar tudo isso ao seu pai, sem desapontá-lo demais. Klara assumiria a Almkvist's. A empresa estava no sangue dela, assim como no de Anders. Ela conhecia e amava o negócio como ele nunca amaria. Agora, tudo o que precisava fazer era convencer o velho de que uma mulher podia chefiar uma empresa prestigiosa como a Almkvist's. Ele suspirou e se recostou no assento. E quem poderia ajudá-lo a convencer seu pai? Puxou um lápis e um bloco e começou a fazer listas de coisas que havia para fazer. Telefonar para Erika estava no topo da lista.

Os Wall

Eles nunca se apresentavam como Ann e Charlie; sempre diziam: "Somos os Wall".

Também assinavam os cartões de Natal com "Dos Wall", e, quando atendiam ao telefone, diziam: "Os Wall".

Tratava-se possivelmente de um ato de solidariedade. Era raro ver um deles sem o outro, e eles sempre se mantinham muito próximos. Pareciam nunca se cansar da companhia um do outro, o que era bom, pois trabalhavam juntos em seu lar em Dublin, corrigindo provas e dando aulas para uma escola por correspondência. Ambos tinham sido professores, mas o que faziam agora lhes era uma atividade mais social e bem menos estressante. Eles tinham um pequeno escritório em casa, para onde iam às nove da manhã e de onde saíam às duas da tarde. Os Wall diziam que era muito importante ter autodisciplina total quando se trabalha em casa. Caso contrário, o dia era perdido.

Depois, de tarde, eles caminhavam, faziam jardinagem ou iam às compras, e às cinco se instalavam para aquilo que era o ponto alto do dia: entravam em competições.

Tinham ganhado muitos, muitos prêmios. Competiam por qualquer coisa, desde a escolha de um nome para um coelho de chocolate da Páscoa até escrever um verso elogioso para abrigos de jardim. Tinham ganhado férias no sul da França como prêmio por um slogan para um novo perfume. Ganharam um conjunto de pesados utensílios de cozinha de ferro forjado por adivinharem o peso de um peru. Ganharam o modelo mais moderno de televisão, um forno micro-ondas de ponta e toda uma série de itens menores, como chaleiras elétricas da moda e álbuns de fotografias com encadernações de couro. A semana era pobre quando eles não ganhavam *alguma coisa*. E apreciavam tanto o divertimento da competição quanto os confortos extras que vinham dos prêmios.

Tinham dois filhos que pareciam desempenhar um papel muito pequeno na vida deles. Sempre fora dessa maneira. Na época da escola, eles iam brincar nas casas dos outros meninos. Os Wall não eram de receber grupos de crianças. E então um filho, Andy, foi contratado por um grande time inglês de futebol e se tornou jogador profissional; o outro rapaz, Rory, tornara-se motorista de caminhão de longa distância e dirigia durante horas intermináveis por toda a Europa.

Ambas as carreiras deixaram os Wall confusos, pois não podiam avaliar o motivo para seus filhos não desejarem ir para a universidade, e os rapazes, por sua parte, não conseguiam nem de longe entender uma mãe e um pai que esquadrinhavam jornais e revistas procurando ganhar algo como uma torradeira elétrica.

Mas os anos transcorriam tranquilamente para os Wall. Eles estavam muito satisfeitos com a vida que levavam. Escolhiam cuidadosamente as competições, entrando somente nas que sentiam ter razoável chance de ganhar. Zombavam do tipo de competição que viam na televisão: um questionário tipo múltipla escolha perguntando se *Viena era a capital de a) Andorra b) Áustria ou c) Austrália. Escolha a opção a, b ou c.* Essas não eram *verdadeiras* competições, apenas esquemas para ganhar dinheiro a partir de chamadas caras por telefone. Nenhum participante de competições que se respeitasse consideraria a possibilidade de entrar numa dessas.

Também sabiam que não se deve fazer jingles ou rimas inteligentes demais. Haviam percebido que o meio do caminho era o lugar por onde ir. Examinavam as soluções um do outro, procurando trocadilhos ou referências pouco ortodoxos. Deviam ter cuidado e não se afastar da maioria. E, até o momento, tudo funcionara muito bem.

Enquanto estavam sentados, numa noite de verão, no banco de jardim que se tornara deles após combinarem doze flores do jardim com os meses nos quais elas floresciam, e bebiam em taças Waterford que ganharam na competição que consistia em escrever uma ode ao cristal, os Wall se parabenizaram por seus 25 anos de casamento feliz. Naquela noite, estavam num grande estado de empolgação: planejavam ganhar algo realmente esplêndido para comemorar as bodas de prata, dentro de uns poucos meses. Antes de qualquer coisa, havia um cruzeiro para o Alasca. Haveria muita gente inscrita para isso. Competidores do mundo inteiro tentariam ganhar, então não deveriam confiar demais na vitória. Haveria um curso de culinária caseira na Itália, que seria bom. Haveria uma semana num castelo da Escócia. As possibilidades não tinham fim. Não era uma questão de ser sovina ou de economizar dinheiro; os Wall podiam muito bem pagar por férias no exterior, mas a emoção de ganhá-las era muito mais satisfatória, e eles preencheram formulários e criaram slogans com grande vigor.

E então descobriram o prêmio dos sonhos. Férias em Paris, uma semana num hotel de luxo. Haveria um automóvel com um motorista à disposição, com uma saída programada para cada dia da semana: Versalhes, Chartres, além de tours pela cidade, refeições em restaurantes conhecidos internacionalmente. Era uma experiência que só se tem uma vez na vida.

Parecia uma aposta muito boa. Eles a tinham visto em algumas revistas elegantes, de pequena circulação; isso era favorável. Significava que não atrairia o olhar de milhões de leitores. A tarefa era explicar, em apenas um parágrafo, por que eles *mereciam* essas férias.

Os Wall sabiam que não deviam encarar aquilo como brincadeira. Os juízes eram o editor da revista, um agente de viagens e uma dupla de hoteleiros da Irlanda e da Grã-Bretanha, que ofereciam um segundo e um terceiro prêmios. Eram pessoas que encaravam seu produto com seriedade. Sátira ou desrespeito não venceriam. A questão deveria ser tratada com igual seriedade.

E ambos ficaram satisfeitos com o que escreveram. Os Wall explicaram, muito simplesmente, que, após 25 anos de parceria satisfatória, eles adorariam trazer de novo um pouco de romance para a vida. Jamais haviam sido pessoas com um estilo de vida resplandecente, mas, como todo mundo, adorariam se alguma magia fosse borrifada em suas vidas. Usaram palavras como "borrifar" e "magia" antes em títulos ou slogans e elas haviam funcionado bem. Funcionariam novamente.

Tinham agora absoluta certeza de que o prêmio seria deles e não estavam preparados para o choque de ouvir que haviam ganhado o *segundo* prêmio, férias num lugar remoto qualquer, nos rochedos sobre o Atlântico, do outro lado do país. Olharam um para o outro, pasmos. Era uma recompensa pobre, considerando todos os esforços que empregaram na composição do parágrafo ardentemente sincero sobre a necessidade de ter um pouco de poeira das estrelas sacudido em cima deles!

A mulher ao telefone esperara que eles se sentissem muito entusiasmados por ganhar uma semana nesse tal lugar, a Casa de Pedra, e, como os Wall eram basicamente pessoas corteses, fizeram toda a força possível para evocar algum grau de contentamento, mas o coração de ambos ficava pesado quando pensavam em outra pessoa, em vez deles, no carro com motorista em Paris e usando a reserva deles para um restaurante cinco estrelas.

Ann Wall estendia as roupas que colocaria na mala. Entre elas, havia uma bolsa de ótima marca e um lenço quadrado de seda, de Hermès, que tinham ganhado em competições anteriores. Charlie guardara com relutância o guia que havia comprado para parecerem bem informados sobre os prédios e os tesouros de arte de Paris, quando chegassem lá.

Ambos estavam repletos de raiva e aborrecimento por terem confiado tão equivocadamente que ganhariam o primeiro prêmio. Sentiam-se desesperados para saber sobre o que era o parágrafo vencedor e estavam decididos a descobri-lo.

Os Wall telefonaram para Chicky Starr, proprietária da Casa de Pedra, a fim de fazer os acertos para a visita deles. Ela se mostrou alegre e prática ao dar detalhes sobre os horários dos trens e afirmou que eles seriam esperados na estação. Os Wall tiveram de admitir que a moça era perfeitamente agradável e acolhedora. Se pretendessem ganhar essas férias, ficariam encantados com ela, mas a Sra. Starr não deveria nunca saber que consolo pobre essas férias seriam para os Wall.

Ela perguntou se eram vegetarianos e os aconselhou a levar roupas quentes e à prova d'água. Eles perceberam que não havia lugar ali para lenços e bolsas de grife. A Sra. Starr disse que lhes mandaria folhetos pelo correio e material de leitura sobre a área, para eles se decidirem antecipadamente sobre o que gostariam de fazer. Haveria bicicletas para pedalar, pássaros selvagens para ver e um grupo de pessoas com o mesmo tipo de mentalidade deles para compartilhar o jantar, à noite.

Com o mesmo tipo de mentalidade? Os Wall achavam que não.

Ninguém mais iria para lá com tal aura de segundo lugar.

A Sra. Starr comentou que não mencionaria para ninguém que eles eram vencedores de uma competição: caberia a eles falar ou não sobre o assunto. Isso deixou os Wall confusos. Normalmente, eles se sentiam muito satisfeitos de contar às pessoas que haviam ganhado uma competição e chegado ali por causa da inteligência de ambos, em vez de gastarem dinheiro. Mesmo assim, era consideração por parte da Sra. Starr.

Com um peso no coração, combinaram os horários do trem e do ônibus, e disseram, sem muita sinceridade, que estavam bastante ansiosos por tudo aquilo.

Os filhos deles voltaram para a Irlanda a fim de comemorar as bodas de prata. Eles levaram os pais para o Quentin's, um dos mais falados restaurantes de Dublin.

Os Wall maravilharam-se ao ver como os rapazes haviam se tornado sofisticados. Andy, agora acostumado com um alto padrão de vida como jogador de futebol de um time de primeira divisão, examinou o cardápio como se estivesse acostumado a comer daquela maneira todas as noites; até Rory, que fazia suas refeições principalmente em restaurantes de beira de estrada e lugares onde os motoristas de longa distância se encontravam para comer rapidamente e voltar para a viagem, parecia igualmente à vontade.

Eles fizeram perguntas, com um interesse perplexo, sobre os recentes sucessos dos pais nas competições. Tinham ganhado um conjunto de malas combinando, algumas luzes de jardim coloridas e uma tigela de salada de madeira, com travessas na mesma linha.

Andy e Rory murmuraram aprovação e apoio. Falaram sobre a vida deles e os Wall ouviram sem entender enquanto Andy discorria a respeito de transferências e ostracismo na Liga e Rory lhes contava sobre os novos regulamentos, que estrangulavam todo o negócio de transporte de cargas, e o dinheiro que lhe era constantemente oferecido para carregar imigrantes ilegais como parte da carga. Ambos os rapazes tinham vidas amorosas para relatar. Andy estava saindo com uma modelo, e Rory mudara-se para um apartamento junto com uma moça espanhola chamada Pilar.

Os Wall contaram que iam para o oeste da Irlanda dentro de uma semana. Descreveram o lugar e fizeram uma lista dos pontos positivos. Disseram que a Sra. Starr, a proprietária, parecia uma pessoa encantadora, a julgar por suas palavras.

Surpresos, os rapazes pareceram autenticamente interessados.

— Que bom que vocês vão fazer alguma coisa diferente — disse Andy, em tom de admiração.

— E é alguma coisa que vocês próprios escolheram, não apenas que ganharam — aprovou Rory.

Os Wall não deram mais esclarecimentos. Não era exatamente mentir. Eles apenas não disseram nada — omitiram que de fato houvera uma competição. Em parte, porque ainda se sentiam muito magoados por terem perdido a viagem a Paris, mas principalmente por estarem lisonjeados com a maneira como os filhos, inesperadamente, pareciam tão satisfeitos com a decisão deles de ir para aquele lugar onde Judas perdeu as botas. Queriam ser alvo desse entusiasmo por um tempinho, em vez de diminuí-lo contando a verdadeira razão para a viagem.

Andy comentou que sua namorada modelo sempre desejara ir para locais ermos, a fim de passar saudáveis férias caminhando, que avisassem se o lugar fosse bacana. Rory disse que Pilar assistira ao filme "Depois do vendaval" meia dúzia de vezes e estava ansiosa para conhecer aquela parte do mundo. Quem sabe o hotel fosse o lugar perfeito para ir.

Pela primeira vez, num longo tempo, os Wall sentiram-se em sintonia com os filhos. Era muito satisfatório.

Uma semana depois, quando atravessaram a Irlanda de trem, o desânimo retornou. A chuva não dava trégua. Eles olharam sem prazer para os campos molhados e as montanhas cinzentas. Naquele mesmo momento, outras pessoas chegavam ao aeroporto Charles de Gaulle, em Paris. Elas encontrariam o motorista que deveria ter encontrado os Wall. Elas teriam tapetes no carro, para o caso de estar frio; o carro os levaria para o soberbo Hotel Martinique, cinco estrelas, onde o champanhe das boas-vindas estaria no gelo, na suíte. Não era apenas um quarto, era uma verdadeira *suíte*. Naquela noite, aquelas pessoas comeriam no hotel, escolhendo o prato de um cardápio que os Wall já tinham visto na internet, enquanto eles iam para algum tipo de alojamento com café da manhã. O lugar deveria estar cheio de correntes de ar, e eles, possivelmente, precisariam usar o casaco dentro de casa. Comeriam, toda noite, durante uma semana inteira, na cozinha da Sra. Starr.

Uma cozinha!

Deveriam estar em Paris, jantando sob a luz de candelabros.

Os campos pareciam menores e mais molhados à medida que seguiam para o oeste. Eles não precisavam dizer isso um ao outro; já sabiam, cada um, o que o outro estava pensando. Aquela seria uma semana longa e decepcionante.

Na estação ferroviária, reconheceram imediatamente Chicky Starr, por causa da foto que havia no folheto da Casa de Pedra. Ela os acolheu calorosamente e carregou as malas deles até o furgão, conversando descontraidamente sobre a área e suas atrações. Chicky explicou que na cidade tinha algumas coisas mais para pegar, e os Wall viram suas malas caras, todas combinando, serem colocadas na parte de cima do carro. Pareciam muito deslocadas em comparação com as malas e mochilas mais básicas de Chicky Starr.

Ela parecia conhecer todo mundo. Perguntou ao motorista do ônibus se muita gente fora à feira e saudou colegiais uniformizados com perguntas sobre a partida que tinham jogado naquele dia. Ofereceu carona a um homem idoso, mas ele informou que sua nora iria pegá-lo, então ele ficaria muito bem sentado ali espiando o mundo passar, até ela chegar.

Os Wall olhavam para tudo com interesse. Deveria ser extraordinário conhecer absolutamente todos naquele lugar. Uma coisa bem sociável, com certeza, mas claustrofóbica. Não houvera menção alguma a um Sr. Starr, e Ann Wall decidiu resolver logo isso.

— Seu marido a ajuda na empresa? — perguntou ela, animadamente.

— É triste, mas ele morreu alguns anos atrás. Teria gostado muito de ver a Casa de Pedra seguindo adiante — respondeu Chicky, com simplicidade.

Os Wall logo se arrependeram; tinham sido intrometidos.

— É uma parte linda do mundo para se viver — comentou Charlie, com pouca sinceridade.

— É muito especial — concordou Chicky Starr. — Passei um longo tempo na cidade de Nova York e costumava vir aqui, para fazer uma visita, todos os anos. Era como se recarregasse minhas baterias para o resto do ano. Achei que poderia ter o mesmo efeito em outras pessoas.

Os Wall duvidavam, mas fizeram murmúrios entusiásticos de concordância.

Sentiram-se agradavelmente surpresos com a Casa de Pedra, quando chegaram lá. Antes de tudo, era calorosa e muito confortável. O quarto deles tinha alto estilo e uma grande janela abaulada com vista para o mar. Na mesinha junto da janela, havia duas taças de cristal, um balde de gelo e meia garrafa de champanhe.

— É apenas nossa maneira de parabenizá-los pelos 25 anos de casamento feliz. Vocês deram muita sorte de ter isso e ainda mais sorte por perceberem a bênção que isso é — declarou Chicky.

Dessa vez, os Wall ficaram sem palavras.

— Bem, *temos* mesmo um casamento muito feliz — concordou Ann Wall —, mas como você sabia?

— Li o texto que fizeram para a competição. É muito tocante, falando como vocês obtiveram prazer com as coisas comuns, mas que desejavam um pouco de magia borrifada em tudo isso. Espero, *de fato,* que possamos proporcionar um pouco dessa magia para vocês aqui.

Claro, ela lera o ensaio deles.

Eles haviam esquecido que ela tinha sido um dos juízes. Entretanto, embora tivesse ficado tocada e comovida, não votara para que eles tivessem as férias dos sonhos.

— Então você leu todos os textos? — perguntou Charlie.

— Eles nos deram os resumos. Lemos os trinta finalistas — admitiu Chicky.

— E as pessoas que venceram...?

— Bem, houve cinco vencedores, no total — comentou Chicky.

— Mas as pessoas que ganharam o primeiro prêmio. Que tipo de texto escreveram? — Ann Wall precisava saber. Que tipo de palavras os havia derrotado, impedindo que ganhassem o primeiro lugar?

Chicky fez uma pausa, como se estivesse se perguntando se deveria explicar ou não.

— De fato, é estranho. Escreveram um tipo de coisa totalmente diferente. Não era, de forma alguma, como a história de vocês. Assemelhava-se mais a uma canção, como uma versão de "I Love Paris In The Springtime", mas com palavras diferentes.

— Uma canção? O regulamento não falava em canção. Falava em parágrafo em uma redação. — Os Wall sentiam-se ultrajados.

— Bem, você sabe, as pessoas interpretam essas coisas de maneiras diferentes.

— Mas palavras para a canção de outra pessoa; isso não é uma quebra de direitos autorais? — O horror deles era total.

Chicky encolheu os ombros.

— Era inteligente, cativante. Todos gostaram dela.

— A canção original pode ter sido cativante e inteligente, mas eles apenas escreveram uma paródia dela e conseguiram ir para Paris. — A mágoa e a amargura estavam estampadas na face deles.

Chicky olhou de um para o outro.

— Bem, aqui vocês estão, agora, então esperamos que apreciem — disse ela, desesperadamente.

Eles lutaram para voltar ao normal, mas era um esforço imenso.

Chicky achou melhor deixá-los sozinhos. Era muito óbvio que, para os Wall, aquelas férias eram um fraco segundo lugar.

— Se isso serve de consolo para vocês, todos, todos os juízes acharam que, embora os Flemming tivessem ganhado o primeiro prêmio, a história de vocês foi totalmente calorosa, animadora. Estamos todos com inveja do relacionamento dos dois. — Ela tentou encorajá-los.

Mas foi inútil. Não apenas eles tinham ficado desapontados, como sabiam agora que também haviam sido enganados. Aquilo os irritaria para sempre.

Fizeram um esforço para se recuperar.

Um grande esforço, mas não foi fácil. Tentaram conversar com os companheiros hóspedes e parecer interessados no que tinham a dizer. Eram um grupo improvável: um rapaz sério da Suécia, uma bibliotecária chamada Freda, um casal inglês, ambos médicos, uma mulher desaprovadora, sempre de boca franzida, chamada Nell, um americano que perdera um avião e fora parar ali num impulso de momento e um par de amigas improváveis, chamadas Winnie e Lillian. O que estavam todos fazendo ali?

A comida, servida por Orla, a atraente sobrinha da proprietária, era excelente. Realmente, não havia nada a que se pudesse objetar. Nada, menos o fato de que os Flemming, quem quer que fossem, tinham roubado as férias deles em Paris.

Os Wall não dormiram bem aquela noite. Acordaram às três da madrugada e fizeram chá no quarto. Ficaram sentados e ouviram o vento e a chuva do lado de fora, e o som das ondas recuando e despedaçando-se outra vez na praia. Era um ruído triste e choroso, como uma manifestação de simpatia para com eles.

Na manhã seguinte, os outros hóspedes pareciam prontos e entusiasmados com as excursões que haviam planejado. Os Wall escolheram uma direção ao acaso e se descobriram numa longa praia deserta.

Era, sem dúvida, estimulante e saudável. Eles tinham de admitir. O cenário era espetacular.

Mas não era Paris.

Foram a um dos pubs que Chicky sugerira e tomaram um prato de sopa.

— Não creio que eu possa aguentar isso mais seis dias. — Ann Wall baixou sua colher.

— A minha está ótima — disse Charlie.

— Não estou falando da sopa. Quero dizer ficar aqui, onde não *queremos* estar.

— Eu sei. Também me sinto assim, de certa forma — concordou Charlie.

— E eles nem ganharam de uma maneira justa e correta. Até Chicky admite isso. — Ann Wall sentia-se muito ofendida.

— Você não adoraria saber como eles estão? — Perguntou Charlie.

— Sim. Eu tanto detestaria como adoraria saber. — Eles riram, com companheirismo, com relação a isso.

A mulher no bar olhou-os com aprovação.

— Meu Deus, é ótimo ver um casal se dando tão bem — disse ela. — Ontem à noite mesmo eu estava dizendo a Paddy que os casais mal entram aqui, olham para as bebidas e não dizem nada. Paddy não havia notado. Ela achava que, provavelmente, já disseram tudo o que tinham para dizer.

Os Wall ficaram satisfeitos de serem admirados pelo bom relacionamento pela segunda vez em 24 horas. Eles jamais haviam pensado que isso podia ser incomum. Mas Chicky tinha dito que os juízes ficaram com inveja deles. Não invejosos o suficiente, claro, para lhes dar o primeiro prêmio...

Eles contaram que vinham de Dublin, em férias, e estavam hospedados na Casa de Pedra.

— Mas Chicky fez mesmo um ótimo trabalho naquele lugar — disse a mulher. — Ela foi um grande exemplo por aqui. Quando seu pobre marido, que Deus o tenha, morreu naquele terrível acidente na estrada, lá em Nova York, ela simplesmente meteu na cabeça que iria voltar para cá e construir toda uma nova vida para si mesma, trazendo um pouco de movimentação comercial para este lugar no inverno. Todos lhe desejamos o bem.

Era triste o caso do marido de Chicky, os Wall concordaram, mas, no coração deles, isso não fez com que se sentissem nem um pouquinho mais confortáveis naquela remota parte da Irlanda, considerando que seus sonhos estavam em outro lugar.

Eles só disseram que haviam ganhado as férias numa competição durante o jantar da quarta noite. Todos ficavam mais descontraídos em torno da mesa à noite; àquela altura, perceberam que ninguém era exatamente o que parecia. As duas mulheres, Lillian e Winnie, não eram de modo algum velhas amigas, e quase se afogaram e foram resgatadas; os médicos pareciam mais descontraídos, e Nicola conversava toda feliz com o americano que se revelara um astro do cinema; o rapaz sueco nutria uma paixão por música, e Freda, a bibliotecária, parecia certa, de uma forma sobrenatural, em seus pronunciamentos sobre a vida das pessoas. Nell ainda se mostrava desaprovadora — pelo menos isso não mudara. Mas eles se sentiam de fato pessoas que se conheciam, em vez de um grupo de estranhos acidentalmente reunidos.

Ficaram todos fascinados com a ideia de ganhar competições. Acreditavam que todas eram antecipadamente acertadas, ou que, com tantas pessoas entrando, não havia qualquer chance.

Os Wall enumeraram algumas das peças que já tinham ganhado e ficaram gratos com a fascinação que aquilo parecia exercer em todos.

— É necessária alguma habilidade especial? — quis saber Orla. — Adoraria ganhar uma moto e viajar por toda a Europa com ela — explicou.

Os Wall foram generosos em seus conselhos; não era tanto uma habilidade, mas mais uma questão de obstinação e de manter as coisas simples.

Ficaram todos loucos para entrar numa competição. Se pelo menos conseguissem encontrar uma. Chicky e Orla correram para juntar alguns jornais e revistas e os esquadrinharam a fim de encontrar competições.

Em uma delas, a pessoa deveria dar o nome de um animal do zoológico. Os Wall explicaram que essa era uma seção dedicada às crianças e, então, todas as escolas do país enviariam suas inscrições. As possibilidades estavam todas contra eles. Falaram com a autoridade de jogadores de pôquer que podiam dizer à pessoa as chances de obter uma sequência de cartas do mesmo naipe, ou do mesmo naipe, mas fora de sequência. Os outros os olharam com reverência.

E, então, num jornal da região, descobriram uma competição chamada "Invente um Festival".

Os Wall leram o texto todo, com cuidado. Os participantes eram convidados a sugerir um festival, algo que trouxesse negócios, no inverno, para uma comunidade do oeste.

Isso poderia ser exatamente o ideal. Que tipo de festival eles poderiam apresentar para Stoneybridge?

Os hóspedes pareciam em dúvida. Esperavam criar um habilidoso slogan, ou uma rima inteligente e bem-humorada. Sugerir um festival era difícil demais.

Os Wall não tinham certeza. Disseram que havia ali boas possibilidades que poderiam ser exploradas. Tinha de ser algo no inverno, então um concurso de beleza não faria sentido — as pobres moças morreriam congeladas. Galway realizara o festival das ostras, então eles não poderiam fazer isso. Outras partes da costa tinham partido para a atividade do surfe ou do caiaque.

Escalada de rochedos era algo muito específico. Havia a música tradicional, claro, mas Stoneybridge não era conhecida como um centro disso, como Doolin ou Miltown Malbay, no condado de Clare, e eles não tinham ninguém que tocasse gaita ou violinistas fabulosos no passado da região. Já havia um festival de caminhadas, e Stoneybridge não podia gabar-se de ter uma figura literária que fosse usada como base para um festival de inverno.

Não havia história de artes visuais no lugar. Eles não podiam apresentar, como centro das atenções, nenhum Jack Yeats ou Paul Henry.

— Que tal um festival de contadores de histórias? — sugeriram Henry e Nicola, os quietos médicos ingleses. Todos acharam uma boa ideia, mas parecia que havia um evento com esse tema, no condado vizinho, já bem estabelecido.

Anders sugeriu um seminário de música irlandesa em que a proposta seria cada aprender como autodidata, mas os outros argumentaram que o lugar estava superlotado de turistas que eram ensinados a tocar a flauta de metal, colheres e o tambor irlandês chamado *bodhrán*.

O americano, que parecia ser chamado, alternadamente, de John ou Corry, disse que achava que um festival sobre a descoberta das origens das pessoas funcionaria bem. Haveria genealogistas à disposição para ajudá-las a descobrir seus ancestrais. A opinião geral foi a de que a atividade de buscar as origens na Irlanda já estava bem explorada.

Winnie sugeriu um festival de culinária, no qual as pessoas locais pudessem ensinar aos visitantes como fazer pão preto e pão de batata, além de particularmente como usar algas para fazer um delicioso mousse igual ao que haviam comido na noite anterior. Entretanto, segundo parecia, já existiam escolas de culinária em excesso por ali; seria difícil competir com elas.

Todos concordaram em deixar a questão de molho por uma boa noite de sono e trazer novas ideias para a mesa na noite seguinte. Fora uma noite divertida e os Wall gostaram dela apesar de seu humor.

Uma vez de volta ao quarto, seus pensamentos foram novamente para Paris. Naquela noite eles deveriam estar indo para a ópera. A limusine deslizaria pelas luzes de Paris; depois, voltariam ao Martinique, onde seriam acolhidos pelos funcionários, que a essa altura já os conheceriam. O maître lhes sugeriria um drinque no piano bar, antes de irem para a cama. Em vez disso, estavam tentando explicar as regras da vitória numa competição a um bando de estranhos, que não tinham a menor ideia de por onde sequer começar.

Como sempre, apenas pensar a respeito os deixava descontentes.

— Aposto que não estão nem sequer apreciando — disse Charlie.

— Provavelmente, cancelaram a ópera e foram para um pub. — Ann estava cheia de desdém.

E então, de repente, o pensamento ocorreu a ela.

— Vamos telefonar para eles e lhes perguntar como estão lá. Pelo menos, saberemos.

— Não podemos telefonar para eles em Paris! — Charlie sentia-se chocado.

— Por que não? Apenas um telefonema curto. Diremos que telefonamos para lhes desejar felicidades.

— Mas como iremos encontrá-los? — Charlie estava estupefato.

— Sabemos o nome do hotel; sabemos o nome deles. O que é difícil de descobrir aí? — Para Ann, era simples.

Os Wall já haviam escrito todos os detalhes das férias em Paris, no caderno da competição, inclusive o número do telefone do Hotel Martinique. Antes de ele ao menos pensar em outra objeção, Ann já tinha pegado o celular, discado o número e esperava ser atendida.

— *Monsieur et Madame Flemming, d'Irlande, s'il vous plaît* — disse ela, com uma voz clara, sonora.

— Quem você vai dizer que somos? — Charlie perguntou, temerosamente.

— Vamos inventar algo. — Ann estava controlada.

Charlie ficou ouvindo com ansiedade, enquanto a ligação dela era transferida para o quarto.

— Ah, Sra. Flemming, apenas um telefonema para perguntar como vão as férias. Está tudo a contento?

— Ah, bem, sim... Quero dizer, muito obrigada, de fato — respondeu a mulher, em tom hesitante.

— Estão apreciando a semana no Martinique? — insistiu Ann.

— Você é do hotel? — perguntou a mulher, nervosamente.

— Não, na verdade, é apenas um telefonema da Irlanda, fazendo votos de que esteja tudo bem.

— Bem, é meio constrangedor. É muito difícil dizer isso, porque é, de fato, um hotel muito caro. Sabemos disso, mas não é bem o que esperávamos.

— Ah, meu Deus, sinto muito ouvir isso. De que maneira, exatamente?

— Bem, para começar, não é uma suíte. É um quarto pequeno, perto do elevador, que sobe e desce a noite inteira. E não podemos comer no restaurante, pois os vouchers são apenas para o que eles chamam *Le Snack Bar*, onde só há sanduíches.

— Ah, meu Deus, isso não estava no regulamento — falou Ann, em tom de desaprovação.

— Sim, mas parece que estou falando com uma parede, porque eles simplesmente encolhem os ombros em resposta e dizem que esses regulamentos não têm nada a ver com eles. — A Sra. Flemming começava a parecer bem contrariada.

— E o motorista?

— Só o vimos uma vez. Ele é vinculado ao hotel e, segundo parece, é requisitado o tempo inteiro pelos clientes VIP. Nunca está disponível. Eles nos deram vouchers para uma excursão de ônibus a Versalhes, que foi exaustiva, e havia quilômetros de cascalho por onde caminhar. Não fomos a Chartres de jeito nenhum.

— Não é o que prometeram. — Anne fez ruídos desaprovadores com a língua.

— Não, de fato, e detestamos nos queixar. Quero dizer, é um prêmio muito generoso. Só que... Só que...

— E os restaurantes mais cotados? São mesmo bons?

— Sim, até certo ponto, mas, sabe, o que eles oferecem só cobre o preço fixo, sabe, o cardápio básico, e muitas vezes o que há nele são coisas como tripas ou coelho, o que não comemos. Eles *tinham dito* que poderíamos escolher dos cardápios de comida fina, mas, quando chegamos lá, não podíamos.

— E o que vocês vão fazer com relação a isso?

— Bem, não sabíamos o que fazer, por isso é maravilhoso que vocês tenham telefonado para nós. Vocês são da revista?

— Não diretamente, mas mais ou menos vinculados — respondeu Ann Wall.

— Não gostamos de falar com lamúrias e choramingos para eles; parece tão ingrato. Só que é muito menos do que esperávamos.

— Sei, sei. — A simpatia de Anne era autêntica.

— E, individualmente, as pessoas no hotel são tão simpáticas, realmente simpáticas e agradáveis, só que, em geral, parecem pensar que ganhamos muito mais um prêmio de segunda classe do que aquele que foi anunciado. O que acha que deveríamos fazer?

Os Wall olharam um para o outro, sem saber a resposta. O quê, de fato?

— Talvez vocês possam entrar em contato com a firma de relações públicas que organizou tudo — sugeriu Ann, finalmente.

— Acha que poderia fazer isso para nós, por favor? — A Sra. Flemming era, obviamente, uma pessoa que não gostava de provocar agitação alguma.

— Talvez fosse mais eficiente que o contato partisse de vocês, que estão no lugar e tudo mais... — Ann tentava, febrilmente, passar a batata quente de volta para os Flemming.

— Mas você foi gentil o suficiente para nos telefonar e perguntar se estava tudo bem. O que está representando, exatamente?

— Sou apenas um membro interessado do público. — E Ann Wall desligou, tremendo.

O que fariam, agora?

Em primeiro lugar, permitiram que o sentimento maravilhoso tomasse inteiramente conta deles. As férias dos sonhos em Paris haviam se revelado um pesadelo. Sem dúvida, eles estavam muito melhor naquele lugar maluco no Atlântico, o qual julgaram, inicialmente, tão decepcionante.

Ali tudo o que fora prometido estava sendo cumprido. Talvez eles tivessem ganhado o primeiro prêmio, afinal.

Decidiram que, na manhã seguinte, telefonariam para a firma de relações públicas e informariam que nem tudo estava como deveria no Hotel Martinique.

Pela primeira vez, dormiram a noite inteira. Não houve nenhum despertar ressentido de madrugada, nada de tomar chá e ficar remoendo a injustiça da vida em geral e das competições, em particular.

Os Wall pegaram um almoço embalado e caminharam ao longo dos rochedos e penhascos até encontrarem uma velha igreja em ruínas, a qual Chicky dissera ser um lugar maravilhoso para parar e fazer um piquenique. O local era abrigado das rajadas de vento e tinha vista para o oceano, do outro lado do qual estava a América.

Eles riram, felizes, enquanto desembrulhavam as maravilhosas e suculentas fatias de empadão de frango e abriam os cantis de sopa. Imaginem — os Flemming estariam diante de outro almoço de tripas e coelho em Paris.

Ann Wall deixara outra mensagem enigmática com a agência PR, dizendo que, para o bem de todos, deveriam checar a situação dos Flemming no Martinique, pois não fazer isso poderia resultar em publicidade nada desejável. Eles se sentiam como crianças ousadas às quais tivesse sido dado tempo de folga na escola. Apreciariam bem o resto da permanência ali.

Naquela noite, todos à mesa da cozinha de Chicky estavam preparados para as sugestões sobre o festival; mal podiam esperar que a refeição terminasse para lançar as ideias. Lillian, cujo rosto se suavizara nos últimos dias, disse que a essência de um festival, na verdade, parecia ser, e ela pedia desculpas a todos pelo emprego dessa frase horrível, um "fator de bem-estar". Sabiamente, todos fizeram sinais afirmativos com a cabeça e disseram que era mesmo disso que precisavam.

Chicky comentou que um senso de comunidade se tornava cada vez mais importante no mundo de hoje. Os jovens primeiro fugiam de sociedades pequenas e fechadas — e estavam certos em fazê-lo —, porém, mais tarde, desejavam fazer parte delas outra vez.

Orla questionou sobre a organização de uma reunião de família. Eles gostaram da ideia, mas disseram que seria difícil quantificar. Será que isso significava a reunião de um clã, ou a aproximação de pessoas que se haviam afastado umas das outras? Lillian achou que um Festival Honorário das Vovós poderia ser bom. Todas queriam se tornar avós, disse ela, com firmeza. Winnie lhe lançou um olhar penetrante. Isso nunca fora abordado antes.

Henry e Nicola indagaram se Saúde na Comunidade poderia ser um bom tema. As pessoas, atualmente, interessavam-se bastante em dietas, estilos de vida e exercícios. Stoneybridge poderia proporcionar tudo isso. E Anders disse, de repente, que poderia ser realizado um festival para celebrar a amizade. Sabem, velhos amigos se reunindo, talvez indo fazer uma viagem para lá com um colega antigo, esse tipo de coisa. Eles pensaram a respeito, de modo cortês, durante um tempinho. Quanto mais pensavam a respeito, melhor parecia. Não excluía a família, nem nada. Seu amigo poderia ser sua irmã, ou sua tia.

A maioria das pessoas devia sentir, de vez em quando, que seria bom retomar o relacionamento com alguém que não via havia mais tempo do que desejava.

E se houvesse um festival que oferecesse uma variedade de divertimentos, como as ideias que todos já haviam sugerido, mas tudo feito em nome da amizade? Eles estavam cheios de ideias. Poderiam ocorrer de fato demonstrações de culinária, aulas de educação física, excursões a pé, caminhadas para observar pássaros, chás de fazenda, cantorias, espetáculos teatrais locais, aulas de sapateado.

Os Wall observavam com crescente entusiasmo enquanto a mesa fazia planos e tomava notas, compondo um programa. A vitória estava nas mãos deles.

Tornaram a checar no jornal para ver que prêmio era oferecido.

Viram que se tratava de uma farra de compras de 1.250 euros numa grande loja de Dublin.

Os Wall detalharam o assunto. Dividiriam o prêmio entre eles igualmente, com um extra para Anders, considerando que haviam escolhido a ideia dele. Será que funcionaria?

Todos ficaram encantados.

Chamariam a si mesmos de quê? O Sindicato da Casa de Pedra? Sim, parecia perfeito. Orla digitaria tudo e daria uma cópia a cada um. Eles observariam o resultado, que seria publicado na semana anterior ao Natal.

Quando o festival estivesse em pleno andamento, todos voltariam e comemorariam ali mais uma vez. E, o melhor de tudo, eles ainda teriam o resto da semana naquela linda casa, com as ondas batendo na praia. Um lugar que não apenas estivera à altura da promessa, mas proporcionara ainda mais.

Não era *exatamente* romance e poeira de estrelas borrifada por cima de tudo, como magia, era algo mais profundo, como uma noção de importância e uma grande sensação de paz.

Srta. Nell Howe

As moças da Escola Wood Park acharam que a Srta. Howe tinha 90 anos quando se aposentou. Na verdade, ela tinha 60. Dava na mesma. Era velhice. Elas não fizeram uma pausa para pensar em como ela passaria seus dias, semanas e meses depois disso. Os velhos apenas continuavam a mandar, resmungar e se queixar. Não tinham ideia alguma de como ela temera esse dia e de como temera o 1º de setembro durante quarenta anos, quando não poderia mais se dispor a começar um novo ano escolar cheio de esperanças, planos e projetos.

Pelo que se lembravam, a Srta. Howe estivera ali desde sempre. Era alta e magra, com o cabelo penteado todo para trás, a partir da testa, e preso por uma presilha antiquada. Ela usava roupas escuras debaixo de uma bata acadêmica. Ensinara às mães e tias daquelas moças, no passado; nos anos recentes, como diretora de escola, raramente estivera na sala de aula e se mantivera, sobretudo, em seu escritório.

As moças detestavam ir ao escritório dela. Antes de tudo, ir lá sempre significara algum tipo de desaprovação, queixa ou castigo. Mas não era apenas isso. O lugar não tinha alma. Havia uma escrivaninha muito funcional e sempre vazia: a Srta. Howe não era uma pessoa que tolerasse caos ou confusão.

Havia também uma parede revestida com prateleiras baratas, onde se viam muitos livros sobre educação. Nada de estantes elaboradas, como pareceria adequado para uma mulher cuja vida estivera envolvida, durante décadas, com o ensino. Outra parede era coberta com horários e listas de trabalhos iminentes, detalhes de vários registros e planos. Dois grandes arquivos de metal — presumivelmente contendo as fichas de gerações de meninas da Wood Park — e um grande computador dominavam a sala. Havia usuais cortinas marrons na janela, nenhum quadro pendurado, nenhuma sugestão de qualquer vida fora daquelas paredes. Não havia fotografias, enfeites ou sinais de que a Srta. Howe, diretora, tinha interesse em qualquer coisa que não fosse a Escola Wood Park. Era ali que ela entrevistava as futuras alunas e seus pais, possíveis novos professores, inspetores do Departamento de Educação e ocasionais alunas do passado que haviam se saído bem e voltaram para financiar uma biblioteca ou um pavilhão de jogos.

A Srta. Howe tinha uma assistente chamada Irene O'Connor, que trabalhava lá havia anos. Irene era redonda e alegre e, na sala dos funcionários, era sempre chamada de "o rosto aceitável do escritório Howe". Ela não parecia notar que a Srta. Howe latia para ela, em vez de lhe falar. A Srta. Howe raramente agradecia por algo que ela fazia e sempre parecia levemente surpresa e quase aborrecida quando Irene trazia chá e biscoitos para uma reunião que provavelmente seria embaraçosa ou conflituosa.

Como não havia plantas nem flores no escritório da Srta. Howe, Irene introduzira um pequeno *kalanchoe* num pote de latão. Era uma planta que praticamente não precisava de cuidado algum, o que era bom, pois a Srta. Howe jamais a molhava ou ao menos, aparentemente, a notava. Irene usava camisetas muito coloridas, com um casaco escuro. Era quase como se estivesse tentando trazer um pouco de cor ao fúnebre escritório, sem, entretanto, aborrecer a Srta. Howe. Irene muito possivelmente era uma santa e poderia até ser canonizada ainda em vida.

Ela trabalhava num pequeno escritório externo, repleto da sua personalidade, como também era sua conversa. Havia gerânios pendurados e fotos de cartões-postais de todos os amigos de Irene presos com alfinetes no quadro de avisos; havia fotografias dela emolduradas na escrivaninha. Nas prateleiras, havia lembranças de viagens de férias para a Espanha e fotos de si mesma usando uma saia com babados e um grande chapéu *sombrero* numa *fiesta*. Ali estava um registro de uma vida atarefada e feliz, em contraste com a cela sombria que era o orgulho e a alegria da Srta. Howe.

Ela ia para casa todos os dias na hora do almoço, porque tinha uma mãe inválida e um sobrinho, Kenny, que era o último filho de sua falecida irmã. Irene e a mãe tinham dado a Kenny um bom lar, e ele estava crescendo para se transformar num ótimo rapaz.

Na sala dos funcionários, eles se maravilhavam com a paciência de Irene e seu interminável bom humor. Algumas vezes, manifestavam--lhe sua simpatia, mas Irene não queria ouvir jamais uma só palavra contra sua patroa.

— Não, não, é apenas o jeito dela — dizia. — Ela tem um coração de ouro e este é o emprego dos meus sonhos. Por favor, entendam isso.

Os professores diziam uns aos outros que pessoas como Irene seriam sempre vítimas das Srtas. Howes deste mundo. O que queria Irene dizer com "é apenas o jeito dela"? As pessoas *eram* o jeito delas. De que outra forma nós as conheceríamos?

A Srta. Howe era corretamente chamada de Sua Própria Pior Inimiga. Eles soltavam risos agudos com a sagacidade disso e, de alguma forma, assim ela parecia mais doméstica. Tornava-se menos assustadora quando eles podiam chamá-la assim pelas costas, embora se certificassem de que as crianças jamais tivessem conhecimento do apelido.

No ano anterior à aposentadoria da Srta. Howe, houve muita especulação sobre quem seria sua sucessora. Nenhum dos funcionários atuais parecia ter a antiguidade ou a autoridade para substituí-la. Fora dessa maneira que a Srta. Howe administrara as coisas, sempre sem a menor sugestão de que algo era delegado. A nova pessoa indicada seria, mais provavelmente, alguém de fora. O pessoal também não gostava dessa ideia. Estavam acostumados com Sua Própria Pior Inimiga. Sabiam lidar com ela e tinham Irene para amenizar as coisas. Quem sabia o que a nova pessoa poderia querer introduzir? Pelo menos a Srta. Howe eles já conheciam e sabiam como lidar.

Eles também se interrogavam sobre Irene. Ela continuaria e serviria ao novo czar? Encontraria desculpas para a próxima diretora e suas maneiras? E se a nova pessoa não quisesse Irene?

Era mudança. Eles temiam a mudança.

E então houve a questão do presente para a Srta. Howe. Nenhum deles tinha a menor ideia dos interesses dela. Até as conversas desconexas no início do período letivo falharam em descobrir algo. A Srta. Howe não tinha qualquer história de férias para contar — nada desse tipo era jamais mencionado —, alguma reunião de família, uma nova pintura de casa ou a escavação para fazer um jardim. No fim, desistiram de perguntar.

Mas o que se poderia dar a essa mulher para comemorar todos os anos dela em Wood Park? Estavam fora de questão um cruzeiro, uma semana num spa ou um conjunto de cristais Waterford. Ou, ainda, um móvel bem trabalhado. O gosto da Srta. Howe era considerado completamente utilitário: se funcionasse, estava ótimo.

Os professores imploraram a Irene que desse alguma ideia.

— Você a vê todos os dias. Você conversa com ela o tempo inteiro. Deve ter *alguma* ideia do que ela gostaria de ganhar — imploraram eles.

Irene, porém, disse que absolutamente nada lhe ocorria. A Srta. Howe era uma pessoa muito fechada, que não achava adequado falar sobre assuntos pessoais.

O comitê dos pais fazia a mesma pergunta a Irene. Queriam registrar a ocasião e não sabiam como. Irene decidiu que ela realmente deveria se mexer e descobrir mais a respeito do estilo de vida da patroa.

Ela sabia o endereço da Srta. Howe, então sua primeira atitude foi ir dar uma olhada na casa dela. Ficava num conjunto de casa geminadas chamado St. Jarlath's Crescent. Pequenas casas, antigamente consideradas acomodações da classe operária, porém mais tarde redefinidas como condomínios e que agora eram, claro, novamente desvalorizadas por causa da recessão. A maioria dos pequenos jardins da frente era bem-cuidada, havia muitas jardineiras nas janelas e canteiros coloridos.

O jardim da Srta. Howe, porém, não tinha enfeite algum. Havia dois arbustos floridos e um gramado bem-cortado. A pintura da porta, do portão e dos peitoris das janelas precisava de uma nova mão de tinta. Não parecia estragada, mas ignorada. Não havia sugestão de nada ali.

Irene decidiu que deveria ser corajosa e ir ver o interior. Com isso em mente, na manhã seguinte, enfiou os óculos de leitura da Srta. Howe na própria bolsa e depois foi fazer uma visita à casa dela, a fim de entregá-los, fingindo que os encontrara na escrivaninha.

A Srta. Howe encontrou-a na porta sem entusiasmo algum.

— Não havia necessidade, Irene — disse ela, friamente.

— Mas tive medo de que não pudesse ler esta noite — titubeou Irene.

— Não, tenho muitos óculos. Mas obrigada mesmo assim. Foi muita gentileza sua.

— Posso entrar um momento, Srta. Howe? — Irene quase desmaiou com a própria coragem ao perguntar isso.

Houve uma pausa.

— Claro. — A Srta. Howe abriu totalmente a porta.

A casa era clinicamente nua, como o escritório lá em Wood Park. Nenhum quadro nas paredes, uma estante cambaleante, uma pequena televisão antiquada. Havia uma mesa com uma bandeja de jantar preparada, com uma porção de queijo, dois tomates e duas fatias de pão. Lá na casa de Irene, estariam comendo massa com um molho de tomate apimentado. Irene ensinara Kenny a cozinhar, e naquela noite ele faria um creme de *rhubarb*. Todos jogariam caça-palavras e depois Irene e a mãe iriam espiar as novelas, e Kenny, agora com 18 anos, sairia com os amigos.

Que lar feliz em comparação àquele lugar frio e sombrio.

Entretanto, como Irene chegara tão longe, não desistiria agora.

— Srta. Howe, tenho um problema — disse ela.

— É mesmo? — A voz da Srta. Howe era glacial.

— Sim. Os professores e os pais me pediram que dissesse a eles qual seria um presente adequado para lhe dar, quando se aposentar, neste verão. Todos estão ansiosos para lhe dar algo de que goste. E, como trabalho em sua companhia o dia inteiro, pensaram, equivocadamente, que eu saberia. Mas não sei. Estou confusa, Srta. Howe. Será que poderia orientar-me...?

— Não quero nada, Irene.

— Mas, Srta. Howe, a questão não é essa. *Eles* querem dar-lhe alguma coisa, alguma coisa adequada, apropriada.

— Por quê?

— Porque eles lhe dão valor.

— Se realmente me valorizam, então me deixarão em paz e não atenderão a esse desejo de cerimônias sentimentais.

— Ah, não, não é assim que encaram isso, Srta. Howe.

— E você, Irene. Como *você* encara isso?

— Acho que devem pensar que sou uma amiga e colega ruim, se não posso dizer-lhes, depois de vinte anos trabalhando para a senhora, qual seria um bom presente de despedida.

A Srta. Howe a fitou por um longo momento.

— Mas, Irene, você *não* é uma amiga ou uma colega — disse ela, finalmente. — É um relacionamento totalmente diferente. As pessoas não têm o direito de esperar que você saiba dessas coisas.

Irene abriu e fechou a boca várias vezes.

Quando, na sala de reunião, os professores tinham criticado Srta. Howe e a chamado de Sua Própria Pior Inimiga, ela fizera a defesa da mulher. Agora ela se indagava por quê. A Srta. Howe era de fato uma pessoa sem calor humano nem alma; sem amigos nem interesses. Que comprassem para ela uma cesta de piquenique ou um aspirador de pó. Não importava. Irene não se interessava mais.

Pegou sua bolsa e se dirigiu à porta.

— Bem, vou embora agora, Srta. Howe. Não a perturbarei nem a impedirei mais de jantar. Só queria devolver-lhe seus óculos, só isso.

— Não deixei meus óculos em cima da minha escrivaninha, Irene. Nunca deixo nada em cima da minha escrivaninha — declarou a Srta. Howe.

Irene conseguiu caminhar com firmeza até o portão. Foi apenas quando ela já se distanciara um pouquinho na estrada que suas pernas começaram a ficar fracas.

Todos aqueles anos em que ela trabalhara para a Srta. Howe, protegendo-a contra pais irados, professores descontentes, alunos rebeldes. Aquela noite, a Srta. Howe dissera, as duas cara a cara, que ela não devia ter a presunção de se considerar amiga ou colega. Era apenas uma pessoa que trabalhava para a diretora.

Como pudera ter sido tão cega e tão segura da própria posição?

Segurou-se num portão, para se firmar. Uma jovem mulher saiu da casa e olhou-a com preocupação.

— Sente-se bem? Está branca como um papel.

— Acho que sim. Só estou um pouco tonta.

— Entre e se sente. Aliás, sou enfermeira.

— Conheço você. — Irene arquejou. — Você trabalha na clínica cardiológica St. Brigid.

— Sim. Você não é paciente lá, é?

— Vou lá com minha mãe, Peggy O'Connor.

— Ah, claro. Sou Fiona Carroll. Peggy está sempre falando a seu respeito, dizendo como você é boa para ela — falou Irene.

— Fico feliz por alguém pensar que sou boa para algo — comentou Irene.

— Entre, Srta. O'Connor, e irei lhe servir uma xícara de chá. Fiona pegou-a pelo braço, e Irene entrou agradecida numa casa tão diferente da anterior, da Srta. Howe, que poderia estar localizada em outro planeta. Em conjunto, Fiona e seus dois meninos pegaram chá, chocolate e bolo e lhe deram muito ânimo.

Irene começou a se sentir bem melhor.

Sempre discreta e leal, resistiu à tentação de desabafar com a gentil Fiona, que provavelmente conhecia a vizinha difícil e seria até capaz de lhe oferecer palavras de consolo.

É difícil acabar com velhos hábitos, porém.

Irene sentiu que não se pode ser a assistente de alguém e ao mesmo tempo falar mal dessa pessoa. Não contou nada sobre seu perturbador encontro com a Srta. Howe. Garantiu a Fiona que se sentia suficientemente forte para pegar o ônibus até sua casa, mas naquele mesmo momento um homem chamado Dingo chegou na casa entregando sacos de terra e bandejas de plantas. Os Carroll iam ter um fim de semana de jardinagem, segundo contaram a Irene. Os meninos construiriam, cada um, um canteiro.

— Dingo a deixará em casa, Srta. O'Connor — insistiu Fiona. — Fica no caminho dele.

Dingo ficou bastante contente com essa sugestão.

— Eles são uma família encantadora — declarou Irene a ele, enquanto se instalava em seu furgão. — Também é um homem de família, Dingo?

— Não, sempre acreditei em viajar sozinho — respondeu ele. — Acredite, Srta. O'Connor, nem todo casamento é tão bom quanto o de Fiona e Declan. Alguns dos casais que encontramos são como demônios. Então, nunca foi casada?

— Não, Dingo, nunca. Certa vez, tive uma chance, mas ele era jogador e tive medo e, depois, minha mãe precisava de mim, então aqui estou. — Percebeu que falava como uma pessoa derrotada, o que não era seu tom normal. Fora o efeito da Srta. Howe nela aquele dia.

Dingo continuou a dirigir, despreocupado.

— Meu tio Nasey também é assim. Ele diz que teve uma paixão por alguém anos atrás, mas perdeu a chance. Está sempre me pedindo para procurar alguém na casa dos 40 para ele. Está na casa dos 40, Srta. O'Connor?

— Mais ou menos — respondeu Irene. — Não me pergunte no próximo ano. Eu teria de dizer não.

— Certo. Vou falar com ele a seu respeito agora, antes que seja tarde demais — prometeu Dingo.

Irene foi para casa e preparou o jantar. Nunca mencionou os acontecimentos do dia para a mãe ou para Kenny. Eles não poderiam ter noção alguma de que todo o trabalho de Irene para a Srta. Howe fora negado numa única frase fria e cruel.

Tampouco sabiam que, no mesmo momento em que se sentaram para jantar, esforços a fim de encontrar um marido para Irene já eram feitos. Dingo telefonara querendo ver seu tio Nasey, com a notícia de que havia uma mulher muito agradável, de 49 anos, disponível. E ele foi tão convincente, tão persuasivo, que tio Nasey ficou muito interessado em saber mais sobre Irene...

No curso das próximas poucas semanas, os professores da Escola Wood Park notaram que algo mudara em seu comportamento. Passou a dar de ombros, em vez de se mostrar ansiosa, quando tentavam discutir que tipo de cerimônia de despedida eles podiam preparar para a Srta. Howe, bem como que presente devia ser escolhido.

— Acho que de fato não tem importância — dizia Irene, logo mudando de assunto.

Devia estar preocupada com a própria posição ali, eles pensavam. Talvez a próxima diretora desejasse escolher a própria assistente.

Irene continuou a fazer seu trabalho de forma tão confiável como sempre, mas sem qualquer calor ou entusiasmo. Se a Srta. Howe notou, não deu nenhum sinal. Irene parou de servir chá e biscoitos em reuniões desajeitadas. Resgatou o pequeno Kalanchoe, alimentou-o com comida para plantas e o acalentou de volta para o brilho da saúde em seu próprio escritório. Os dias em que Irene contava histórias alegres sobre o mundo onde vivia haviam terminado.

Ela agora tinha uma vida social da qual a Srta. Howe não fazia ideia. Nasey telefonara e dissera que aquele sobrinho tolo lhe falara dela muito elogiosamente e talvez ela pudesse, quem sabe, acompanhá-lo ao cinema um dia ou outro. Depois, foram ao boliche e a um pub onde havia música. Nasey explicou que o verdadeiro nome dele era Ignatius, e, pelo menos, era melhor do que ser chamado Iggy, como outro rapaz da escola já fora denominado. Ele trabalhava num açougue, para um tal Sr. Malone, o homem mais decente da face da Terra.

Nasey se acostumou a visitar a casa de Irene e levar as melhores costeletas de carneiro ou um lindo filé de porco. A mãe dela, Peggy, o adorava e não perdia a oportunidade de lhe dizer que mulher maravilhosa era Irene.

— Sei disso, Srta. O'Connor. Não precisa fazer elogios sobre ela comigo. Já fui fisgado — disse ele, e Peggy ficou rosada de satisfação, por causa de tudo aquilo.

Nasey vinha do oeste da Irlanda e havia poucos parentes dele mesmo em Dublin. Tinha dois sobrinhos: Dingo, Irene já encontrara; ele dirigia um furgão e fazia serviços avulsos para as pessoas. Havia a irmã dele, Nuala, e havia o filho da irmã dele, Rigger, que tivera pouca sorte em sua vida e passara uma porção de tempo num reformatório. O jovem fora mandado para outro lugar, para o oeste da Irlanda, e parecia que tomara jeito lá. Encontrara uma boa moça, cultivava verduras e criava galinhas. Arrumou um emprego como uma espécie de gerente de um lugar que estava acabando de surgir; uma espécie de casarão pequeno, se fosse possível entender. Localizava-se empoleirada num rochedo e a vista era deslumbrante. Nasey prometeu que um dia levaria Irene e a mãe de carro para ver todo o local. Elas adorariam.

Kenny também gostava de ter Nasey por perto e estava sempre disposto a tomar conta da avó se os pombinhos, como ele os chamava, quisessem sair na cidade.

E, então, pouco antes do final do período letivo, após seis meses de relacionamento, Nasey propôs casamento a Irene. Foi planejada uma cerimônia pequena e, quando ela lhe contou, Kenny ofereceu-se para levar a tia até o altar. Irene, entretanto, tinha outra coisa em mente. Ela esperou até Peggy ir para a cama.

— Tenho algo para lhe contar, Kenny — começou Irene.

— Eu sempre soube — disse ele, simplesmente. — Soube que você era minha mãe quando eu tinha 9 anos.

— Por que você nunca disse? — Ela estava pasma.

— Nunca teve importância. Eu sabia que você sempre estaria ali.

— Você quer me perguntar alguma coisa? — A voz de Irene sumia, e ela começou a chorar.

— Você se sentia assustada e solitária na ocasião? — perguntou ele, sentando-se junto dela e colocando os braços em torno do seu corpo.

— Um pouco, mas ele não era livre, entende? Seu pai já era casado. Não seria justo acabar com tudo que ele tinha. Então, Maureen morreu na Inglaterra e fingimos que você era dela. Por causa de mamãe. Mamãe ficou com seu neto. Eu fiquei com meu filho. Ficou tudo bem para todos. — Agora Irene sorria, através das lágrimas.

— Nasey sabe?

— Sim, contei-lhe logo no início. Ele disse que você provavelmente já havia adivinhado e, imagine, ele tinha razão.

— Nasey virá morar aqui?

— Se você não se incomodar — respondeu Irene. — Ele é ótimo com sua avó.

— E eu não sei disso? Adoro a maneira como vocês jogam *bridge* a três mãos à noite, parecendo demônios. Espiar vocês é melhor do que estar em Las Vegas. — Ele confessou que estava encantado com o fato de Nasey estar lá, pois esperava viajar. Havia uma chance de uma viagem para a América. Agora ele se sentia livre para fazer seus planos.

Durante dezoito anos, Irene sentira pavor do dia em que precisasse dar essa notícia a Kenny, e agora ela tinha passado quase sem comentários. A vida era mesmo muito estranha.

Irene usava a aliança de noivado para ir trabalhar; a Srta. Howe não fez qualquer comentário, e Irene não tocou no assunto. Todas as professoras notaram, claro; Irene lhes disse que a mãe dela seria sua dama de honra, e que o sobrinho de Nasey, Rigger, viria lá de Stoneybridge;

contou-lhes também que Dingo seria seu padrinho e eles festejariam com sanduíches e bolo num pub no último sábado de agosto. Ela adoraria que todas as professoras comparecessem. As mulheres entraram num frenesi, em seus planos para um presente de casamento.

Com Irene, seria fácil: ela gostava de tudo. Podiam ser férias na Espanha, um abrigo de jardim, uma pintura de Connemara, uma semana num castelo, um conjunto de malas com rodinhas, um conjunto para jogar *croquet*, um grande espelho enfeitado com anjinhos em cima. Irene adoraria qualquer um deles e elogiaria loucamente o presente.

Porém, ainda não haviam sequer chegado perto de qualquer decisão sobre o presente de aposentadoria da Srta. Howe.

Irene era muito pressionada para que tomasse uma decisão quanto ao que seria; ela, por sua vez, não se preocupava com o assunto, mas sentia que, para os professores e estudantes, ela tinha de aparecer com algum tipo de ideia, e não queria desapontá-los. Era tão maravilhoso poder contar tudo a Nasey ao sair do trabalho, no fim da tarde.

Nasey disse que pensaria com calma no assunto. Enquanto isso, ele tinha suas novidades. Tinha falado com seu sobrinho Rigger ao telefone.

— Estão em pânico, na Casa de Pedra. Não têm reservas o suficiente para a semana inaugural. Ele e Chicky estão com medo de que seja um fracasso, depois de todo o trabalho que tiveram.

— Bem — disse Irene —, devemos pedir a Rigger alguns folhetos e posso passá-los às pessoas, na escola. É o tipo de coisa de que alguns dos professores gostariam.

— Por que não manda a Srta. Howe para lá? — perguntou Nasey, com um tom triunfante.

— Mas, se ela é tão terrível, será que deveremos castigá-los com sua presença?

— Talvez ela não seja tão ruim fora da escola. Quero dizer, ela poderia dar caminhadas; não aborreceria muita gente. — O otimismo de Nasey não lhe permitiria pensar mal demais da patroa de Irene.

— Vou sugerir isso. Talvez seja a solução perfeita.

— Vamos manter os dedos cruzados para que ela não feche o lugar da noite para o dia — disse Nasey, com um grande sorriso. Em seguida, passaram a pensar no casamento.

Os professores notaram que, naqueles dias, Sua Própria Pior Inimiga estava ainda mais fechada que de costume, mais implacável sobre o alto astral no final do ano letivo do que nunca. Preocupava-se mais com os resultados dos exames do que com o futuro das crianças e, se possível, ainda mais contida diante de qualquer coisa.

Informavam que o carro dela era visto cada vez mais tarde, à noite, no pátio da escola e, de manhã, chegava lá mais cedo. A Srta. Howe devia passar apenas sete ou oito horas fora de Wood Park a cada dia.

Não era natural.

Finalmente, ela falou com Irene sobre o casamento.

— Uma das mães me contou que você está pensando em se casar, Irene — disse a Srta. Howe, com uma risadinha. — Será que ela está falando sério?

— Está, sim, Srta. Howe. Será no final de agosto — respondeu Irene.

— E você não pensou em me contar? — Havia desaprovação e dor em sua voz.

— Bem, não. Como a senhorita disse, não sou sua colega nem sua amiga. Apenas trabalho para a senhorita. E, como ocorrerá durante as férias, de fato não vi sentido algum em lhe contar.

Embora não fosse exatamente descortês, havia algo brusco no tom de voz de Irene que fez a Srta. Howe erguer os olhos de repente. Era o momento para ela dizer que estava muito satisfeita e desejava a felicidade de Irene. Era até a ocasião em que poderia dizer que, de fato, considerava Irene uma amiga e uma colega.

Mas não; como fazia anos que era Sua Própria Pior Inimiga, ela tornou a rir.

— Bem, não creio que tenha qualquer intenção de começar uma família nessa etapa tardia da sua vida — declarou ela, divertida com o próprio pensamento.

Irene enfrentou seu olhar, mas sem sorrir.

— Não, de fato, Srta. Howe. Já fui abençoada com um filho, que agora está com 18 anos. Nasey e eu não esperamos ter mais nenhum filho.

— Nasey! — A Srta. Howe mal podia se conter. — O nome dele é esse? Meu Deus!

— Sim, esse é o nome dele, e falar em Deus é muito adequado, com relação à presença de Nasey em minha vida. Ele é um presente de Deus. Para mim, para meu filho Kenny e minha mãe. Trabalha como açougueiro. Talvez ache isso engraçado, também.

— Por favor, acalme-se, Irene. Você está histérica. Acabei de descobrir duas coisas extraordinárias a seu respeito. Você sempre me mostrava fotografias de Kenny e dizia que ele era seu sobrinho.

— Achei mais discreto assim, pois eu não era uma mulher casada.

— Mas esse Nasey torna você respeitável, é isso?

Irene ficou pensando como tinha conseguido trabalhar para aquela mulher durante vinte anos, isso sem mencionar como a defendia, dizendo que aquele era apenas o jeito dela. A Srta. Howe não tinha nenhum coração, nenhum calor humano.

— Sempre me considerei respeitável, sempre. E todos que me conhecem também acham que sou. Mas a senhora não me conhece de forma alguma, Srta. Howe, nunca me conheceu.

— É de se supor que queira continuar trabalhando aqui, depois que eu for embora e depois desse... ah... casamento, não? — Os olhos da Srta. Howe estavam repletos de raiva.

— Com certeza, sim. Amo esta escola, o pessoal que trabalha aqui, os alunos.

— Então é melhor ter cuidado com seu tom de voz, Irene, se quer que eu escreva boas referências para você. Meu sucessor não gostará de manter alguém que guarda segredos e tem um mau temperamento.

— Escreva o que quiser, Srta. Howe. Fará isso, de qualquer jeito.

— Está sendo muito imprudente com relação a tudo isso, Irene.

— Obrigada, Srta. Howe. Voltarei para meu trabalho, enquanto ainda tenho um. — E Irene saiu sem olhar para trás.

Ficou sentada à sua escrivaninha, tremendo, e mal teve forças para responder ao seu celular.

Era a mãe dela, com notícias maravilhosas. Nasey estivera na casa na hora do almoço e lhe mostrara como entrar na internet e olhar a roupa da mãe da noiva. Ela ia escolher um vestido com casaco igual, tudo azul-marinho e branco. Será que isso se encaixava nos planos de Irene?

Logo a boa disposição e a empolgação começaram a voltar. A venenosa e fria solidão da Srta. Howe, atrás da porta do seu escritório, que parecia uma prisão, estava se dissipando.

A escola se reuniu para se despedir da Srta. Howe. Ela se postou na plataforma erguida do salão da escola, como fazia todas as manhãs; ainda usava seu vestido preto, o cabelo preso pela mesma presilha. O rosto continuava totalmente impassível.

Vários professores leram suas palavras de reconhecimento às realizações da Srta. Howe em voz alta; a presidente do corpo discente proclamou seu discurso, e a presidente da comissão dos pais manifestou gratidão por todas as moças que haviam prosperado em Wood Park, graças à Srta. Howe. Não houve qualquer menção a um repouso bem-merecido nem garantia de que a verdadeira vida dela estava apenas começando. Finalmente, o envelope foi entregue, como um símbolo da apreciação de todos. Era um voucher para uma semana de férias na inauguração da Casa de Pedra, um novo hotel no oeste da Irlanda. A Srta. Howe não fez qualquer tentativa de agradecer a alguém, e seu rosto não registrou nada quando o presente foi anunciado. Mas ninguém, realmente, esperava qualquer outra reação.

*

A nova diretora já fora escolhida. Era uma tal de Sra. Williams, viúva que dirigira uma grande escola para moças na Inglaterra, mas que agora queria voltar para a companhia da sua família na Irlanda. Segundo parecia, ela levaria os próprios móveis para o escritório da diretora, e estava feliz de manter o atual nível de administração. Irene trabalharia durante o mês de julho e parte de agosto, ajudando-a a se instalar. Fora informada de que, então, estaria de férias durante três semanas, mas voltaria ao escritório no primeiro dia do período letivo.

A Sra. Williams fora convidada para a cerimônia de despedida da Srta. Howe, mas recusara. Ela não queria ser uma distração, disse. Aquele era o dia da antiga diretora.

Na verdade, as pessoas teriam gostado da presença da Sra. Williams. Ela teria ajudado com a torturante cerimônia e o interminável evento com queijos e vinhos que se seguiu. As pessoas olhavam para o relógio, implorando que chegasse uma hora aceitável para ir embora. Será que o tempo, alguma vez, já passara tão devagar? Alguma vez fora feito um discurso tão sem alegria, deplorando as tendências modernas da educação, enfatizando a necessidade de disciplina nas escolas e a aprendizagem de modo mecânico, suplicando para que a chamada criatividade jamais tomasse o lugar das boas coisas básicas de antigamente?

A plateia de professores que haviam feito o melhor que puderam para tornar o currículo interessante e rigoroso; os pais que estavam culposamente aliviados por suas filhas terem tirado boas notas e conquistado lugares na universidade; os alunos que nem aguentavam esperar pelas férias escolares... Todos rezavam para que aquilo terminasse logo.

Irene voltou ao seu escritório, a fim de pegar suas coisas. Estava louca para chegar em casa e contar a Nasey sobre o presente de casamento que fora arrumado para eles pelo corpo docente de Wood Park. Não era apenas uma daquelas fabulosas churrasqueiras a gás, mas uma firma de jardinagem também faria um pequeno pátio para eles e construiria uma parede especial para cercar a área. Tudo de que precisavam agora era uma vida inteira de bons verões para apreciar comer ao ar livre!

Para sua surpresa, Irene ouviu um som vindo do escritório da Srta. Howe. Bateu na porta. A Srta. Howe estava ali sozinha, atrás da escrivaninha, que se achava vazia, a não ser pelas chaves do carro. Atrás dela, a janela, emoldurada pelas pesadas cortinas marrom-escuro, davam para fora, para o pátio vazio da escola.

— Eu só queria ter certeza de que não era um invasor — Irene começou a recuar e tornar a sair.

— Fique um instante, Irene. Quero dar-lhe um presente de casamento.

Isso, com certeza, não era algo que ela tinha previsto.

— Muito gentil da sua parte, Srta. Howe. Muito gentil, de fato.

A Srta. Howe entregou-lhe uma sacola elegante com uma porção de brilho em cima. Não era, absolutamente, o tipo de coisa que se esperaria da Srta. Howe. Irene ficou sem palavras.

Sua reação imediata foi culpa. Ela não pagara um só euro pelo voucher de partida da Srta. Howe. Não assinara cartão algum nem apresentara bons votos para nada. Agora, sentia vergonha.

— De forma alguma. É apenas uma coisinha para que se lembre de mim.

— Não me esquecerei de ter trabalhado para a senhorita.

— E espero muito que a Sra. Williams faça questão de mantê-la.

— Sim, também espero. E obrigada novamente pelo presente. Devo abri-lo agora?

— Ah, por favor, não... — A Srta. Howe recuou com uma espécie de desagrado enfadonho, como se abrir o presente fosse, de alguma forma, macular o escritório vazio.

Os livros haviam sido todos retirados, mas as prateleiras baratas, de compensado de madeira, continuavam ali vazias, prontas para serem retiradas nos próximos dias, embora a Srta. Howe não soubesse daquilo. Não havia qualquer vestígio de alguém ter trabalhado ali durante tanto tempo.

— Bem, eu o abrirei esta noite e deixe-me agradecer-lhe antecipadamente o trabalho de escolher alguma coisa para nós. Aprecio muito isso. — Havia sinceridade irradiando-se de toda a pessoa de Irene.

A Srta. Howe sentiu um breve estremecimento com a intimidade de tudo aquilo.

— Bem, espero que seja adequado. De fato, não se sabe o que comprar. Especialmente quando se trata de um casamento tardio.

— Como?

— Quero dizer, provavelmente você já tem tudo, não é como os jovens entusiasmados com o estabelecimento de um novo lar.

Irene não deixaria que a luz se apagasse na boa sensação que lhe causara o presente.

— Não, claro que não, mas para mim e Nasey ainda é tudo muito novo e empolgante. Nenhum de nós dois já foi casado alguma vez..

— Realmente. — Os lábios da Srta. Howe estavam franzidos num muxoxo de desaprovação.

— De qualquer forma, faço-lhe os melhores votos, Srta. Howe. Estou certa de que tem muitas coisas planejadas para os anos vindouros.

A Srta. Howe poderia ter-lhe agradecido o comentário gentil. Poderia ter dito, vagamente, que havia de fato uma porção de coisas para fazer. Mas Nell Howe não era de deixar as coisas vagas e agradáveis. Em vez disso, disse:

— Em que maravilhoso mundo de contos de fadas de banalidades você vive, Irene? Deve ser muito tranquilizador não pensar nas coisas em profundidade. — E, então, pegou as chaves do carro e foi embora.

Irene espiou da janela enquanto Nell Howe entrava em seu pequeno carro e dirigia para fora da única vida que conhecera por anos. Depois que o carro já havia atravessado os portões de Wood Park, ela continuou ali em pé por alguns instantes. O que a Srta. Howe *faria* naquela noite e nos muitos outros dias e noites a seguir? Haveria sempre uma bandeja posta naquele quarto frio? Haveria alguém para partilhá-la com ela?

Não aparecera um só amigo ou parente na reunião realizada em sua honra. Quem passa pela vida sem *ninguém* para convidar para a própria festa de aposentadoria?

Irene era uma pessoa muito generosa. Ela não podia pensar só mal da mulher que a insultara e que, mesmo agora, já no último dia, tentara ridicularizá-la. Apesar de tudo, a Srta. Howe lhe comprara um presente de casamento. E, ainda mais importante, se Irene não tivesse ido visitar a Srta. Howe naquele dia, ela jamais conheceria Dingo, que apresentara a seu tio Nasey.

Ela suspirou e pegou o ônibus para casa agarrando a sacola brilhante com seu presente de casamento.

Abriram-na durante o jantar. Era um pano de bandeja enfeitado com renda. Havia pequenos botões de rosa nele. Irene olhou-o maravilhada. Mal podia acreditar que a Srta. Howe fora a uma loja e escolhera aquilo. Não era prático, de forma alguma, e era um tanto antiquado, mas fora uma grande gentileza da parte dela.

E, então, ela viu que no fundo da sacola havia um cartão, dentro de um envelope. Irene abriu-o e leu: *Para a Srta. Howe. Obrigada por fazer nossa menina estudar e dar uma guinada na vida.* Estava assinado pelos pais de uma criança que ganhara, recentemente, uma grande bolsa de estudos na universidade. A Srta. Howe tinha passado o presente adiante sem o abrir. Sequer abrira o cartão para ver a gratidão nele contida.

Irene amassou rapidamente o cartão.

— O que ela disse? — Peggy O'Connor amava todos os detalhes, todas as batidas de coração.

— Apenas fazia bons votos — respondeu Irene.

Em seu coração, decidiu que nunca mais tornaria a pensar na Srta. Howe. Ela simplesmente a excluiria de seus pensamentos e de sua vida. A mulher era uma concha fechada. Não valia a pena pensar nela.

Entretanto, uma semana depois, quando a Sra. Williams já estava em seu lugar, Irene foi obrigada a pensar mais uma vez na Srta. Howe. A

Sra. Williams mudara tanto o escritório da diretora que ele nem remotamente parecia o mesmo lugar.

Um pequeno laptop substituiu o grande e volumoso computador; a escrivaninha entalhada a mão exibia atraentes bandejas de ráfia, arquivos de cores vivas e uma fotografia do falecido Sr. Williams. As novas prateleiras estavam cheias, sobrando espaço apenas para enfeites e pequenos potes com flores. A Sra. Williams até mantinha à mão um minúsculo regador, para se certificar de que as plantas recebiam atenção.

As cadeiras duras tinham sido substituídas por móveis menos intimidadores. Ela estabelecera uma rotina que parecia mais normal e menos direcionada do que a da sua antecessora. Mostrava-se encantada com Irene e lhe agradecia constantemente a eficiência e o apoio. Isso era um começo pessoal para Irene, que estava acostumada com o silêncio sombrio da Srta. Howe, como se fosse o melhor que poderia esperar.

Elas percorriam a agenda do dia quando a Sra. Williams ergueu os olhos e disse:

— A propósito, por que não me disse que vai se casar?

— Não queria entediá-la com todos os meus afazeres. Tendo a me estender um pouquinho — respondeu Irene, e sorriu como quem se desculpa.

— Bem, se não pudermos nos estender um pouco sobre o dia do nosso casamento, sobre *o que* poderemos? — A Sra. Williams parecia autenticamente interessada. — Conte-me tudo a respeito.

Irene lhe falou de Nasey e como ele trabalhara um tempo num açougue e ia vender seu apartamento para morar com ela e sua mãe. Eles colocariam um banheiro extra na casa... Ela estava exultante, cheia de entusiasmo, esperando que a data em si fosse um grande dia, e não um dia decepcionante ou nada parecido.

A Sra. Williams olhou para a fotografia em sua escrivaninha e disse que se lembrava do dia de seu casamento como se fosse ontem. Tudo dera certo.

— O sol estava brilhando? — indagou Irene.

A Sra. Williams não conseguia lembrar-se do clima, mas não tinha importância alguma. Todos estavam muito felizes, e aquilo era o que importava.

A essa altura, o telefone da diretora tocou. Irene ficou um pouco perplexa. Nunca soubera de telefonemas chegando por aquela linha. Era para a conveniência da diretora, no caso de ela querer dar um rápido telefonema para fora, em vez de ter de passar por todo o sistema. Diante de um aceno afirmativo da parte da Sra. Williams, Irene atendeu ao telefonema.

Um homem pediu para falar com Nell Howe.

— A Srta. Howe aposentou-se como diretora e não trabalha mais aqui. Quer falar com a Sra. Williams, a atual diretora, e, se for o caso, pode dizer-me qual o motivo da ligação?

— Diga-me onde ela mora — falou ele.

— Lamento, mas nunca revelamos endereços dos funcionários.

— Acabou de dizer que ela é ex-funcionária.

— Sinto muito, mas não posso ajudá-lo. Não estamos em contato com a Srta. Howe, então não estou em posição de passar qualquer mensagem para ela — informou Irene, e o homem desligou.

Irene e a Sra. Williams olharam uma para a outra, atordoadas.

Uma semana antes do casamento, Irene viu Nell Howe do outro lado de uma rua e não conseguiu conter-se.

— Srta. Howe, que bom vê-la.

Nell Howe olhou para ela com um ar distante e depois, como se falasse após um grande esforço, disse com uma voz neutra:

— Irene.

— Sim, Srta. Howe. Como tem passado? Estive pensando em entrar em contato com a senhorita.

— É mesmo? E por que não entrou?

— Acha que poderíamos tomar um café em algum lugar? — sugeriu Irene.

— Por quê? — A Srta. Howe estava surpresa com o excesso de familiaridade da solicitação.

— Preciso dizer-lhe algo.

— Bem, acho que dificilmente encontraremos alguma coisa adequada por aqui. — A Srta. Howe farejou a área.

— Essa cafeteria faz um bom café. Por favor, Srta. Howe...

Como se cedesse diante do inevitável, a Srta. Howe concordou. Por cima de xícaras de espumante café italiano, Irene lhe contou os planos de casamento e a lua de mel que tinham escolhido. Então, perguntou à Srta. Howe se estava com uma boa expectativa diante da viagem no inverno.

— Por que alguém desejaria ir a um lugar tão afastado, em qualquer ocasião? — Foi a única resposta que obteve.

Irene mudou de assunto. Falou sobre o homem ao telefone e seu estranho comportamento.

— Tem alguma ideia de quem poderia ser? — perguntou ela. — Ele não deixou recado, e não quis dar um número de telefone.

— Deve ter sido meu irmão — respondeu a Srta. Howe.

— Seu irmão?

— Sim, meu irmão Martin. Não o vejo há um longo tempo.

— Mas por quê? — Irene sentiu o coração disparar. O mais perturbador era o jeito casual com que a Srta. Howe falava.

— Por quê? Ah, é coisa de muitos, muitos anos atrás. — O rosto da Srta. Howe estava reservado e inabalável. — E, de qualquer forma, não é da sua conta, é? — E com um gélido aceno com a cabeça, a Srta. Howe saiu do café.

O dia do casamento estava lindo. Kenny levou a noiva ao altar, e Peggy parecia prestes a explodir de orgulho. Dingo, muito bem-vestido com um terno novo, foi o padrinho e, em seu discurso, disse que se orgulhava muito por ser quem arranjara a união do feliz casal.

Carmel e Rigger haviam dado um jeito de conseguir uma folga para a ocasião; a mãe de Rigger, irmã de Nasey, Nuala, estava lá. O sol brilhou desde a manhã até o final da tarde. A Sra. Williams se uniu a eles no pub e se misturou com os professores, os açougueiros da Malone e todos os amigos e vizinhos. Nem em um milhão de anos a pobre Srta. Howe seria capaz de se misturar assim. O casal teve uma lua de mel na Espanha e depois voltou ao trabalho em Wood Park, onde a vida prometia ser muito mais fácil e agradável do que já havia sido.

Rigger e Carmel se mantiveram em contato o tempo inteiro com a Casa de Pedra. O voucher que eles destinaram à Srta. Howe lhes dera mais ideias, e uma semana na Casa de Pedra agora seria um dos prêmios para uma competição numa revista. A lista ia sendo preenchida em um bom ritmo; parecia que Chicky Starr teria casa cheia em sua semana de abertura. Havia grande animação por todo o lugar. Rigger disse que sua mãe viria logo para uma visita. Seria a primeira vez dela em Stoneybridge desde menina.

Nuala não queria ficar na casa grande, mas Rigger e Chicky insistiam. Seria um retorno muito bom para ela.

Irene tentou adverti-los de que poderia ser difícil agradar a Srta. Howe.

— Podemos cuidar disso — disse Rigger, alegremente. — Será um grande treino para nós. Lidamos com Howard e Barbara; a sua Srta. Howe não será problema algum para nós, você verá.

A Srta. Howe viajou em um trem noturno e, então, Rigger foi encontrá-la. Viu uma mulher alta, com um aspecto severo, carregando uma maleta e passando os olhos pela estação com impaciência. Devia ser ela.

Rigger se apresentou e pegou a bagagem da mulher.

— Disseram-me que a Sra. Starr viria encontrar-me — disse a Srta. Howe.

— Ela está na casa, recebendo os outros convidados. Sou Rigger, o gerente. Moro no local — informou ele.

— Sim, você já me disse seu nome. — Pelo tom da sua voz, ela parecia desaprovar profundamente tudo aquilo.

— Espero que passe uma semana maravilhosa aqui, Srta. Howe. A casa é muito confortável.

— Eu não esperaria menos — declarou ela.

Rigger esperou ter um momento para advertir Chicky de que era hora de ter paciência.

Chicky não precisou da advertência. A linguagem corporal já bastou para alertá-la de que a Srta. Howe não seria uma hóspede muito animada. Ela ficou em pé toda rígida e carrancuda no grupo que se reunira na grande e alegre cozinha. Recusou um xerez ou um copo de vinho, pedindo, em vez disso, um copo de água tônica simples, com gelo e limão. Quando apresentada aos outros hóspedes, fez sinais com a cabeça sem dizer uma só palavra.

Disse que não precisava ver o quarto nem se refrescar; como era uma das últimas a chegar, não atrasaria a refeição ausentando-se. Tinha o dom de encerrar as conversas com seus pronunciamentos.

Não demonstrou interesse algum nos itinerários e opções que Chicky traçou para eles. Um por um, os hóspedes desistiram dela.

O americano perguntou-lhe em que tipo de negócio estava envolvida, e ela disse que, ao contrário do que ocorria nos Estados Unidos, as pessoas dali não julgavam os outros pela ocupação que tinham ou costumavam ter.

Um rapaz sueco lhe disse que aquela era sua segunda visita à Irlanda e mal conseguiu chegar ao fim da primeira frase antes que ela deixasse claro seu tédio.

Uma enfermeira chamada Winnie indagou se a Srta. Howe já havia viajado pelo oeste, e ela encolheu os ombros e respondeu que, pelo que lembrava, não. Dois corteses médicos ingleses lhe disseram que estavam pasmos com o cenário espetacular. A Srta. Howe disse que chegara já com a escuridão e, até o momento, não vira nada que lhe chamasse a atenção.

Quando Orla, que servia à mesa, perguntou-lhe se a refeição estava satisfatória, a Srta. Howe respondeu que, se não estivesse, ela com certeza teria mencionado. Não faria favor algum ao estabelecimento se não dissesse o que pensava.

Quando Chicky Starr levou a Srta. Howe ao quarto, depois do jantar, esperava alguma pequena expressão de prazer pela beleza dos móveis, pela roupa de cama novíssima, pela bandeja com o melhor serviço de chá de porcelana... todas as outras pessoas tinham manifestado sua admiração por tudo aquilo.

A Srta. Howe, entretanto, apenas fez um rápido sinal afirmativo com a cabeça.

— Tenho certeza de que está cansada, depois da viagem — disse Chicky Starr, engolindo seu desapontamento e tentando perdoar a ausência de qualquer resposta.

— De forma alguma. Apenas fiquei sentada num trem, durante todo o percurso de Dublin para cá. — A Srta. Howe não poupava nada.

E, durante os dias que se seguiram, caso único entre os hóspedes, a Srta. Howe não encontrou nada para elogiar, nenhuma satisfação sobre o cenário selvagem, nenhuma apreciação pela comida que Orla e Chicky serviam todas as noites.

Chicky sentava-se ao lado da mulher estranha e nada comunicativa, a fim de poupar os hóspedes do suplício de tentar conversar com ela. Até para Chicky, com um passado de anos trabalhando numa pensão de Nova York, com uma sala repleta de homens endurecidos pelo trabalho na indústria da construção, aquilo era difícil de suportar.

A Srta. Howe jamais fazia perguntas ou observações. O que quer que tivesse dado errado em sua vida, tinha dado, de fato, muito errado.

Na quarta manhã, quando a Srta. Howe ainda não mostrara qualquer interesse em explorar a costa, Chicky implorou a Rigger que a levasse de carro com ele para o mercado da cidade.

— Ah, meu Deus, Chicky, preciso mesmo? Ela fará o leite azedar.

— Por favor, Rigger, senão ela apenas ficará sentada me olhando fixamente o dia inteiro, e tenho muita coisa para cozinhar.

Rigger levava aquilo com bom humor. Fora o caso da Srta. Howe, a semana ia muito bem. Todas aquelas pessoas elogiariam o lugar, colocando-o nas alturas. A Casa de Pedra decolaria, como eles sempre acreditaram que aconteceria. Um dia com a Srta. Howe não o mataria.

Qualquer pergunta sobre o fato de ela estar gostando ou não das férias era recebida com uma muralha de pedra, então ele tagarelou alegremente sobre a própria vida. Falou com a Srta. Howe sobre os dois filhos: os gêmeos, Rosie e Macken, e fez sinais orgulhosos com a cabeça, na direção das fotografias dos dois, pregadas no painel do furgão.

— Eles se parecem com a mãe — disse, orgulhosamente. — Espero que herdem também a inteligência dela! Do lado do pai, não herdarão muito, em matéria de crânio.

— E seus pais eram ignorantes? — Ela perguntou. Sua voz era fria, mas foi a única vez em que pareceu interessada numa conversa.

— Minha mãe não era. Não conheci meu pai — respondeu ele.

A maioria das pessoas teria dito que lamentava, ou que era uma pena, mas a Srta. Howe não disse nada.

— Seus pais eram muito inteligentes, Srta. Howe? — perguntou Rigger.

Ela fez uma pausa. Foi como se estivesse decidindo se responderia ou não. Finalmente, disse:

— Não, de jeito nenhum. Minha mãe era uma pessoa nada adequada para estar em algum lugar próximo de crianças. Saiu de casa quando eu tinha 11 anos, e meu pai não conseguiu enfrentar a situação. Perdeu o emprego e morreu de tanto beber.

— Puxa vida, não foi um bom começo, Srta. Howe. E teve irmãos e irmãs para tomar conta da senhorita?

— Um irmão mais novo, mas ele, infelizmente, não se saiu bem. Não fez nada da vida.

— E não havia ninguém para cuidar dele?

Outra vez uma pausa.

— Não. Do jeito como aconteceu, não havia.

— Mas que coisa triste. E a senhorita era jovem demais para fazer algo pelo rapaz. Tive sorte. Enfrentei uma barra pesada, mas tive minha mãe sempre cuidando de mim, me escrevendo toda semana, quando fui mandado para o reformatório. Ela tentou fazer o melhor possível por mim, mesmo que isso exigisse vir para cá, a fim de resolver minha vida de forma mais adequada. Eu tinha ficado para trás na coisa de ler e escrever, entende? Precisei de um tempinho para acompanhar os outros. Não fiz nenhum dos exames finais, nada disso, mas pus a cabeça no lugar e segui em frente.

— Por que ela não fez você prestar exames?

— Ah, ela sabia que eu nunca seria um professor, Srta. Howe. Ela trabalhava o tempo inteiro para pôr comida na mesa, mas, mesmo assim, não era fácil ver todas as outras pessoas com dinheiro, quando eu não tinha nenhum.

— Você tornou a se meter em complicações? — A Srta. Howe estava com os lábios franzidos num muxoxo, como se esperasse que o rapaz fosse pelo mau caminho.

— Encontrei todos os sujeitos que costumava encontrar. Eles estavam se dando bem, mas não legitimamente, se entende o que quero dizer. Disseram que era facílimo e que a pessoa não podia ser apanhada. Mas meu tio Nasey incutiu em mim o temor a Deus. Ele achou que no campo eu poderia começar tudo de novo. Eu não desejava isso, de jeito nenhum. Tinha medo de vacas e carneiros e era tudo muito monótono, em comparação com Dublin. Mas minha mãe tinha vivido aqui, quando era jovem, e disse que amava o lugar.

— Por que ela foi embora, então? — A Srta. Howe detestava deixar alguma coisa não esclarecida.

— Ela se meteu em problemas, e o homem não queria se casar com ela.

— E ela o trouxe de volta para cá?

— Não, na verdade, ela própria nunca voltou, mas vai vir. Em breve.

A feira estava movimentada. A Srta. Howe observou enquanto Rigger vendia ovos e queijo feito com o leite das cabras. Ele retirou sacolas de verduras da parte de trás do furgão e carregou nelas grandes quantidades de carne, prontas para serem colocadas no freezer. Comprou dois patinhos, que, segundo ele, seriam brinquedo para as crianças, em vez de comida para a mesa de Chicky.

Rigger parecia conhecer todos que encontrava. As pessoas perguntavam sobre Chicky Starr, sobre os filhos dele, sobre Orla. Depois, Rigger teve de visitar a família de sua esposa e deixar na casa deles alguns ovos e queijo. A Srta. Howe disse que permaneceria no furgão.

— Eles me oferecerão chá e torta de maçã — disse ele.

— Então, vá, beba e coma, Rigger. Deixe-me com meus pensamentos. — Ela deu uma olhada nas pessoas que olhavam pela janela da fazenda, mas não tinha a menor intenção de entrar numa cozinha pequena, abafada, e ficar conversando sobre bobagens com estranhos.

Como passeio, não se poderia dizer que a ida à cidade tinha sido um sucesso, mas Chicky ficou grata a Rigger.

— Soube alguma coisa a respeito dela? — perguntou.

— Um pouco, mas foi como um confessionário no furgão. Ela provavelmente lamentará ter me contado.

— Vamos deixar as coisas por isso mesmo — falou Chicky.

No dia seguinte, a Srta. Howe visitou Carmel, na casa de Rigger, ao final do jardim. Carmel, sabendo da situação, acolheu-a mais calorosamente do que talvez o fizesse caso tivesse outra opção. Apresentou a

Srta. Howe aos bebês, que sorriram e fizeram barulhinhos com bom humor; foram juntos ver os coelhos, a tartaruga e os novos patos, batizados de Princesa e Batatinha.

A Srta. Howe bebeu chá numa caneca e se recusou a ser levada a fazer qualquer elogio à Casa de Pedra ou às férias em geral. Carmel continuou a se esforçar para manter a conversa, mesmo quando a Srta. Howe fez-lhe uma preleção sobre os méritos de aprender poesia por memorização.

De repente, a Srta. Howe pediu para ver os livros que Carmel e Rigger tinham na biblioteca deles.

— Não somos de fato o tipo de pessoa que tem uma biblioteca — começou Carmel a dizer.

— Ora, então, que pobre exemplo vão dar aos seus filhos — declarou a Srta. Howe bruscamente.

— Faremos o melhor que pudermos.

— Não farão, se não têm nenhum dicionário, atlas ou livros de poesia. Como eles vão entender o sentido de aprender quando não há sinal algum de aprendizagem na casa deles?

— Irão para a escola — respondeu Carmel, defensivamente.

— Sim, é isso, deixem tudo para a escola e depois culpem os professores quando as coisas não derem certo.

O tom de voz da Srta. Howe era ameaçador. Foi como se ela falasse a uma criança desobediente na escola, em vez de a uma mulher bondosa que tentara ajudá-la a aproveitar as férias.

— Não culparíamos a escola; não somos assim.

— Mas o que vocês têm para lhes oferecer? De que adianta alguma coisa, a não ser que a próxima geração consiga um bom fundamento e um início adequado? Você não vai querer que eles acabem sem educação e num reformatório, como seu marido.

Carmel não conseguiu aguentar mais.

— Desculpe, Srta. Howe, mas não posso deixar que insulte meu marido desse jeito. Se ele lhe contou o próprio passado, e deve ter feito isso, porque Chicky não faria, então fez isso em confiança, e não para que seja atirado de volta em cima de nós como uma acusação. — Carmel teve consciência de que sua voz soava estridente, mas não conseguiu conter-se. O que havia de errado com aquela mulher? — Desculpe, mas vou ter de lhe pedir que vá embora. Agora. Estou perturbada demais, e direi coisas que depois posso lamentar. Não sei nada sobre a senhora ou sobre sua vida e o motivo que tem para ser tão horrorosa com todo mundo, mas alguém deveria ter dado um grito de basta há muito, muito tempo.

Sem aviso, o rosto da Srta. Howe se enrugou. De repente, ela pôs a cabeça em cima da mesa e chorou com tanta força que o seu corpo inteiro se sacudia.

Carmel estava pasma. Por um momento, não soube o que fazer, mas depois tentou colocar uma mão confortadora em torno do ombro da Srta. Howe.

Rigidamente, a Srta. Howe a afastou. Havia dois pontos vermelhos no rosto comprido e pálido da mulher.

Carmel fez um novo bule de chá e depois se sentou na frente da sua visitante indesejada e olhou fixamente para ela, em silêncio.

Devagar, de início hesitante, a Srta. Howe começou a falar.

— Foi em 1963. Eu tinha 11 anos, Martin, 8. Havia só nós dois. O presidente Kennedy veio à Irlanda, naquele ano, e todos saímos e nos enfileiramos junto à estrada para vê-lo.

Tudo aquilo era irreal; a Srta. Howe falando sobre sua vida particular cinquenta anos atrás.

— Lembro-me de que não tínhamos fechado as janelas do andar de baixo de casa. Essa era minha tarefa. Não havia ninguém em casa. Papai estava no trabalho e minha mãe ia para a casa da irmã dela, e eles eram muito severos com relação a trancar tudo. Então, embora eu não quisesse, tive de deixar o lugar ótimo onde estava e correr para casa. Lá, ouvi barulhos, como se alguém estivesse sendo machucado, então corri para o andar de cima e vi minha mãe e um homem na cama, nus. Achei que ele a estava matando e tentei arrastá-lo para fora... e então minha mãe caiu de joelhos na minha frente e me implorou que não contasse a meu pai. Ela disse que, se eu guardasse esse pequeno segredo entre nós, seria boa para mim durante o resto da minha vida. O homem estava se vestindo e ela não parava de dizer: "Não vá, Larry. Nell entende. Ela é uma menina grande, crescida, de 11 anos. Ela sabe o que fazer." E eu corri para fora de casa, telefonei para meu pai no trabalho e pedi que voltasse depressa porque um homem chamado Larry estava machucando minha mãe e ela queria que eu mantivesse tudo em segredo, e ele veio para casa e...

— A senhora era apenas uma criança — disse Carmel, em tom tranquilizador.

— Não, eu sabia. Sabia que o que ela fazia era errado e que ela tinha de ser castigada. Eu não guardaria segredo nenhum. Eu *queria* que ela fosse castigada. Eu não sabia que Larry era o grande amigo do meu pai. Mas, mesmo que soubesse, eu contaria. Era errado, entende?

— E o que seu pai fez?

— Nunca soubemos, mas, quando Martin e eu voltamos, depois de acenar para o presidente Kennedy, nossa mãe tinha ido embora e nunca mais voltou.

— Para onde ela foi? — Carmel tentou manter o horror fora da sua voz.

— Nunca soubemos. Papai tomou conta de nós, mas ele não era bom nisso e começou a beber. Não parava de me agradecer por denunciar a prostituta que era a esposa dele, e começou a bater em Martin sem motivo. Então Martin começou a andar com uma turma da pesada na escola e parou de estudar. Eu apenas punha as mãos em cima dos meus ouvidos e estudava todas as horas que podia. Consegui bolsas de estudo todos os anos e, quando meu pai morreu de tanto beber, consegui me virar sozinha. Martin me acusou de arruinar a vida dele duas vezes. Primeiro por ter mandado embora a mãe, depois por fazer com que perdesse o pai.

— E ele nunca perdoou a senhorita?

— Não. Ele não fez nada da vida. Não o vejo há anos. Ele telefonou para a escola não faz muito tempo e não sei o motivo. Mas não quero vê-lo novamente.

— Então, a partir desse tempo, ele não fez mais parte da sua vida? — perguntou Carmel, tristemente.

O melhor que ela podia esperar era escapar dessa situação antes de ouvir mais alguma coisa; já sabia que a Srta. Howe nunca perdoaria a si mesma pela perda do autocontrole e tampouco a perdoaria. Deve ter se demonstrado ansiosa para encerrar a conversa, porque a Srta. Howe percebeu isso.

— Está bem, então quer que eu vá embora agora. Eu irei. Não me importo!

Carmel estendeu a mão para apertar a dela.

— Eu me despeço e lhe desejo tudo de bom no futuro.

— Você se despede, *você se despede,* nada menos. — A Srta. Howe zombava. — Que grande série de clichês ensinará a essas infelizes crianças. Choro por elas e pelo futuro delas.

— Então vá chorar por elas. Eu as amarei e cuidarei delas sempre, e lhes darei uma ótima vida — afirmou Carmel, tristemente.

— Acho que você e seu marido espalharão por aí essa história, antes de terminar a noite — disse a Srta. Howe, amargamente.

— Não, Srta. Howe, não é assim que nos comportamos. Rigger e eu somos pessoas com dignidade e decência, não pessoas que fazem mexericos e acusações. O que a senhora me contou é assunto seu e não sairá daqui.

Quando a Srta. Howe foi embora, Carmel ficou sentada à mesa da cozinha, tremendo. Rigger ficaria furioso; Chicky, aborrecida. Por que ela não conseguira segurar seu gênio? A Srta. Howe jamais a perdoaria por saber do seu passado.

*

— Não quero a Srta. Howe outra vez em nossa casa — declarou Carmel a Rigger, quando ele voltou. — Ela disse que somos pais ignorantes e que ela choraria por Rosie e Macken.

— Ora, ela é a única que faz isso — disse Rigger. — Todas as outras pessoas estão encantadas com eles. E quem é que está preocupado com o que diz a Srta. Howe?

Carmel sorriu para ele. Era a completa verdade. Ela pentearia o cabelo e eles dariam uma caminhada pela praia, caminhariam ao longo da parte molhada e recolheriam conchas, enquanto o ar salgado lhes picasse o rosto. Eles dariam aos filhos a melhor vida que pudessem.

Mais tarde, naquele dia, Rigger sussurrou para Chicky que era justo avisá-la de que palavras não muito gentis haviam sido trocadas entre Carmel e a Srta. Howe.

— Não se preocupe — tranquilizou-o Chicky. — Ela não tinha mesmo possibilidade alguma de indicar nosso hotel para alguém. Ela acabou de me dizer que vai voltar para Dublin esta noite. Em instantes, terá ido embora e saído de nossas vidas. Diga a Carmel que não pense mais nisso.

— Você é ótima, Chicky.

— Não, não sou. Tenho sorte. E vocês também. A Srta. Howe, não.

— Fizemos um pouco nossa própria sorte.

— Talvez, mas ouvimos quando as pessoas tentaram nos ajudar. Ela, não.

Antes do jantar, Chicky carregou a pequena mala da Srta. Howe até o furgão.

— Espero que uma parte disso tenha sido do seu agrado, Srta. Howe — disse ela. — Quem sabe a senhora volte para cá outra vez quando o tempo melhorar. — Chicky era infalivelmente cortês.

— Não creio — respondeu a Srta. Howe. — Não é realmente o tipo de férias que me agrada. Passei uma parte grande demais da minha vida conversando com pessoas. Acho isso muito estressante.

— Bem, então a senhora ficará satisfeita de voltar para a paz e a tranquilidade da sua própria casa — afirmou Chicky.

— Sim, de certa forma.

Ser brutalmente honesta era o defeito da mulher.

— Descobriu alguma coisa, aqui? As pessoas muitas vezes dizem que descobriram.

— Descobri que a vida é muito injusta e que não há nada que possamos fazer com relação a isso. Não concorda, Sra. Starr?

— Não inteiramente, mas tem certa razão.

A Srta. Howe fez um sinal afirmativo com a cabeça, satisfeita. Ela espalhara um pouco de pessimismo, mesmo ao ir embora. Ficaria sentada sozinha no trem de volta para Dublin e depois pegaria o ônibus mais uma vez para sua casa solitária. Olhava diretamente para a frente, enquanto Rigger a levava de carro até a estação ferroviária.

Freda

Quando Freda O'Donovan tinha 10 anos, a Sra. Scully, uma das amigas de sua mãe, leu as palmas das mãos de todos os convidados durante um chá. A Sra. Scully previu boa sorte e muitos filhos, além de casamentos longos e felizes no futuro de todas. Viu também viagens para o exterior e pequenas heranças inesperadas. Todos ficaram encantados com ela, e a festa foi um sucesso.

— Pode dizer também como será meu futuro? — perguntara Freda.

A Sra. Scully estudou a pequena mão com cuidado. Viu um homem alto e bonito, casamento e três filhos encantadores. Viu também férias no exterior — Freda achava que talvez gostasse de esquiar?

— E você viverá feliz para sempre — disse ela, sorrindo para Freda.

Houve uma pausa. Depois do que pareceu um longo tempo, Freda suspirou. Embora sua mãe parecesse satisfeita com o que ouvia, Freda pareceu confusa. Apenas sabia que nada daquilo era verdadeiro.

— Quero saber o que vai acontecer — insistiu ela, e começou a chorar.

— Qual o problema? É um bom futuro — afirmou sua mãe, implorando à filha que não levasse tão a sério aquela tolice de prever o futuro.

Freda, entretanto, não lhe deu ouvidos e apenas chorou muito. Ela não desempenhava papel algum naquela previsão. Simplesmente não estava certo. Ela sabia. Algumas vezes, achava que sabia o que ia acontecer, embora já tivesse aprendido a ficar calada a respeito.

Não queria ver um marido e três filhos em seu futuro. E certamente não via a si mesma vivendo feliz para sempre, depois. Chorou ainda mais.

A mãe de Freda não entendia o motivo para ela ser tão preocupada. Nunca lamentara tanto alguma coisa como a de convencer a Sra. Scully a dizer a sorte de uma criança, e se certificaria de que nunca mais isso tornaria a acontecer.

Depois disso, a Sra. Scully não foi convidada a dizer a sorte novamente. E Freda nunca contou a ninguém o que ela via do futuro.

A vida em casa era tranquila e um pouco frugal para Freda e suas duas irmãs mais velhas. O pai morrera jovem e não havia dinheiro para luxos, como um sistema de aquecimento central ou férias no exterior. A mãe trabalhava numa lavanderia, e não havia nada de dramático na vida escolar de Freda, que era brilhante. Ela trabalhava duro e conseguia bolsas de estudo. Ela decidira que seria bibliotecária; sua melhor amiga, Lane, queria trabalhar no teatro. As duas eram inseparáveis.

Freda não conseguia mais se lembrar de quando tinha começado a suspeitar de que podia ter alguns *insights* fora do comum. Era difícil descrevê-los. A palavra "sentimentos" não abrangia bem aquilo, porque eram mais vívidos do que isso. Tampouco conseguia se lembrar de quando percebera que nem todos tinham as mesmas percepções; mas, no curso dos anos, aprendera a não comentar a respeito com ninguém. As pessoas sempre ficavam perturbadas quando ela mencionava algo, e assim ela se mantivera calada; não falava sobre isso nem mesmo com Lane.

Não tinha uma vida amorosa cheia de emoções: como estudante, Freda ia a clubes e bares e encontrava rapazes, mas não surgia algo que fizesse seu coração disparar. Sua mãe tendia a ser supercuriosa sobre a sua vida particular, e, no entanto, ao mesmo tempo desapontada por saber que não havia nenhum interesse amoroso.

Freda adorava os livros e sentia ter tudo que sempre desejara quando conseguiu seu diploma de bibliotecária e teve a sorte de encontrar um posto como assistente da biblioteca local. Suas irmãs, no entanto, não viam com bons olhos sua falta de amor.

— Bem, claro que você não pode encontrar um companheiro. Sobre o que você tem para falar, a não ser os livros? — provocou Martha.

— Você poderia ter se dedicado mais, se quisesse. — Laura fungara ao dizer isso.

Mas Freda pareceu muito derrotada, e suas irmãs sentiram remorso.

— Não é que você seja um fracasso *total* — declarou Marta, num tom encorajador. Ela tivera uma relação muito tempestuosa com um rapaz chamado Wayne, e não estava predisposta a acreditar nem nos melhores homens.

— Você conseguiu se tornar bibliotecária assistente e agora pode ganhar a vida em qualquer lugar. — Laura era ressentida, mas justa. Estava saindo com um banqueiro muito pomposo chamado Philip, para quem estilo e reputação significavam tudo.

Os conselhos delas não eram imparciais.

Foi durante as preparações para o Natal que Freda teve outra das suas "sensações". Estavam em um almoço em família planejando as festividades natalinas. Freda ia aparecer no dia, claro, mas Laura iria para a grande festa de véspera de Natal dos pais de Philip. Martha estava muito zangada porque Wayne não pretendia fazer plano algum. Que tipo de pessoa não fazia planos para o Natal?

A mãe tornou a trazer a conversa para o peru. Fariam seu almoço de Natal às três da tarde, com quem quisesse se juntar a elas, e isso seria ótimo.

Laura sentia-se impaciente; ela guardava algo que desejava partilhar. Não tinha absoluta certeza, mas achava que Philip iria propor-lhe casamento na véspera do Natal. O rapaz fora muito vago a respeito da festa dos pais dele. Em geral, ele tinha muitas expectativas em relação a esses eventos e dizia antecipadamente quem estaria presente. Não, havia alguma coisa muito maior acontecendo. Laura estava corada de empolgação.

E, de forma totalmente inesperada, Freda soube, não apenas suspeitou, mas soube que Philip romperia seu relacionamento com Laura antes do Natal; ele lhe contaria que estava esperando um filho com outra pessoa. Era tão claro como se ela tivesse visto a manchete de um jornal anunciando isso, e Freda sentiu que empalidecia.

— Ora, digam algo! — Laura ficou aborrecida com o fato de sua imensa notícia e confiança não estarem encontrando reação alguma.

— Seria maravilhoso — disse a mãe dela.

— Você tem sorte — declarou Martha.

— Tem *certeza*? — explodiu Freda.

— Não, claro que não tenho certeza. Agora sinto muito de ter contado a vocês. Estão dizendo isso porque ousei falar que não conseguiam arrumar um companheiro para vocês. É apenas despeito.

— Você e Philip já falaram algum dia sobre casamento? — perguntou Freda.

— Não, mas falamos sobre amor. Deixe para lá, Freda. O que você entende de alguma coisa?

— Mas você pode ter entendido mal.

— Ah, não seja tão sombria.

— Você vai falar com ele antes da festa?

— Sim, vou encontrá-lo esta noite. Ele vai ao meu apartamento às sete da noite.

Freda não disse nada. Naquela noite, ele diria a Laura. Aquilo ficou no seu peito como uma indigestão o dia inteiro, como se ela tivesse comido algo que não podia engolir direito. Às nove horas da noite, ela telefonou para a irmã.

A voz de Laura estava irreconhecível.

— Você sabia o tempo inteiro, não era? Você sabia e estava rindo de mim. Ora, está feliz agora?

— Eu não sabia, honestamente — implorou Freda.

— Detesto você por saber. Nunca a perdoarei! — ralhou Laura.

Nas semanas e meses que se seguiram, Laura se mostrou muito fria com Freda. Ela chorou quando o anúncio do noivado de Philip foi feito na véspera de Natal: o casamento dele com uma moça chamada Lucy ocorreria em janeiro.

Martha disse que Laura jamais acreditaria, até o dia da sua morte, que Freda não sabia a respeito de Lucy com bastante antecedência. Não havia outra explicação.

— Tenho uma intuição, é apenas isso — admitiu Freda.

— Mas que intuição! — Martha fungou. — Se você, alguma vez, tiver uma intuição sobre mim e Wayne, por favor, me diga, está bem?

— Não creio que eu vá deixar alguém saber sobre alguma intuição outra vez — declarou Freda ardentemente.

Os amigos da Biblioteca Finn Road terão sua primeira reunião na quinta-feira, 12 de setembro, neste prédio, às 18h30. Todos são bem-vindos, e esperamos receber ideias e sugestões sobre o que desejam por parte da sua biblioteca.

Freda soube, poucos minutos depois de imprimir a notícia na biblioteca, que nem tudo estava bem. Não era preciso encontrar uma vidente: o rosto da Srta. Duffy mostrava-se sisudo de desapontamento, espiando por cima do seu ombro. Aquela biblioteca não precisava de amigos, dizia a expressão. Não era uma agência de namoros, mas um lugar para onde as pessoas iam a fim de tomar livros emprestados e, o que era ainda mais importante, para devolvê-los. Esse tipo de coisa não tinha cabimento numa biblioteca. Era, para usar a pior crítica possível, *altamente inadequada.*

Freda pregou um sorriso firme no rosto. Em antecipação, ela prendera seu cabelo comprido, escuro e cacheado para trás, com uma fita, a fim de parecer mais séria nos preparativos para esse encontro. Era uma ocasião para se parecer com uma pessoa de negócios. Muito claramente, não era a ocasião para entrar numa briga séria. E, se ela perdesse, então apenas esperaria e tentaria outra vez.

Não deveria jamais deixar a Srta. Duffy saber até que ponto ela estava determinada a abrir a biblioteca para a comunidade, a levar para aquele local pessoas que jamais haviam cruzado seu umbral. Freda queria apaixonadamente fazer aqueles que de fato fossem até lá se sentirem bem-vindos, fazendo parte de tudo aquilo. A Srta. Duffy vinha de outra era, um tempo em que se acreditava que as pessoas tinham sorte de ter uma biblioteca em sua área e não deviam esperar mais do que isso.

— Srta. Duffy, você se lembra de quando me disse, assim que me candidatei para este trabalho, que parte do nosso papel era trazer mais gente para cá...?

— Como usuários da biblioteca, sim, mas não como *Amigos*. — A Srta. Duffy conseguia usar a palavra como uma expressão de abuso.

Freda se indagou se a Srta. Duffy sempre fora assim, ou se houvera um tempo em que ela tinha esperanças e sonhos para aquele velho prédio mofado.

— Se eles pensarem em si mesmos como Amigos, poderão fazer muito mais para ajudar — disse Freda, esperançosamente. — Poderiam ajudar angariando fundos, ou fazendo com que os autores doassem livros... Uma porção de coisas.

— Suponho, como você disse, que isso não cause prejuízo algum. Mas onde conseguiremos assentos para todos eles, se de fato *vierem*?

— Minha amiga Lane tem uma porção de cadeiras dobráveis no teatro onde trabalha. Não precisará delas esta noite.

— Ah, o teatro, sim. — O interesse da Srta. Duffy pela pequena casa de espetáculos experimental mais adiante na rua era mínimo.

Freda esperou. Não podia colocar o anúncio no quadro até a Srta. Duffy concordar; já quase conseguira isso, mas não totalmente.

— Eu ficaria feliz de realizar a reunião, quero dizer, eu mais ou menos a apresentaria como a bibliotecária e, então, quando a senhora tivesse falado, eu poderia colocar isso abertamente para eles... isso dos Amigos, sabe. — Freda prendeu a respiração.

A Srta. Duffy pigarreou.

— Bem, vendo como está ansiosa com relação a isso, então por que não colocar o anúncio e ver o que acontece?

Freda começou a respirar normalmente outra vez. Prendeu o papel no quadro de anúncios e forçou-se a se movimentar vagarosamente e a não mostrar sua animação por ter ganhado a disputa. Quando tinha certeza absoluta de que a Srta. Duffy estava instalada com segurança em sua escrivaninha, Freda pegou o celular e ligou para sua amiga Lane.

— Lane, sou eu. Tenho de falar muito baixinho.

— E é assim mesmo que deve ser. Você trabalha numa biblioteca — disse Lane, severamente.

— Consegui fazer a ideia dos Amigos passar pela Srta. Duffy. Está feito. Vai acontecer!

Na mesma rua, mais adiante, Lane parou um pouco de escrever cartas implorando apoio ao seu pequeno teatro.

— Fantástico, isso mesmo, Freda! A bibliotecária matadora!

— Não, nem diga isso, poderia ser um desastre imenso. Pode ser que ninguém apareça! — Freda sentia-se encantada por chegar tão longe e, no entanto, aterrorizada com a possibilidade de tudo desabar em cima dela.

— Nós os colocaremos lá dentro de alguma forma. Faremos toda nossa turma aqui ir e podemos botar um anúncio sobre o encontro e também empurrar nossa audiência para lá. Escute. Vamos almoçar para comemorar? — Lane estava ansiosa para registrar o momento.

— Não, Lane. Não posso, não há tempo. Tenho trabalho para fazer com as alocações de recursos. — Imagine, as pessoas pensavam que não havia nada para fazer numa biblioteca a não ser ficar por ali! — Mas vamos nos encontrar na casa da tia Eva, esta noite, como planejado, não é?

Eva O'Donovan estava satisfeita com o fato de Freda e Lane aparecerem para o jantar. Significava que ela tinha de se animar e envolver-se no dia.

Primeiro, precisava terminar "Penas", sua coluna semanal de observação de pássaros no jornal; Eva tinha descoberto que, se conseguisse toda semana enviar sua cópia cedo, digitando-a de forma bem organizada em seu laptop, poderia escrever qualquer coisa e se safar.

Depois, ela precisava encontrar no congelador alguma coisa que aquelas garotas pudessem comer. Nunca tinham um almoço adequado e estavam sempre famintas. Além disso, não queria que ficassem cambaleando depois de uns poucos coquetéis Alabama Slammers. Analisou com interesse o conteúdo do freezer.

Havia uma espécie de assado de peixe com tomates. Ela colocaria isso no fogão quando as duas chegassem com alguns tomates frescos e manjericão. Descongelou uns sanduíches. Não havia nada de complicado demais nisso; as pessoas faziam tanta confusão com relação a cozinhar, mas só era preciso pensar um pouco com antecedência.

Quando tivesse pressionado "enviar" em seu artigo sobre os grandes bandos de pássaros da espécie Waxwings que haviam chegado do norte da Europa, então escolheria uma estola colorida e um chapéu e arrumaria todos os ingredientes das bebidas na pequena mesa de coquetel. Essa era a melhor parte do dia.

Chestnut Grove era uma casa que não seria adequada para ninguém a não ser para Eva: precisava de reparos, tinha um jardim selvagem e bagunçado, encanamento em mau estado e instalações elétricas pouco confiáveis. Ela realmente não podia pagar os custos de mantê-la de forma adequada, e talvez parecesse sensato vender o lugar — mas quando Eva já fizera algo sensato? Além disso, o jardim encontrava-se cheio de pássaros que faziam ninhos ali regularmente e forneciam bom material para sua coluna.

As paredes do seu escritório estavam cobertas com fotos de pássaros e relatórios de vários grupos de preservação do meio ambiente e observações de pássaros no país inteiro. Havia prateleiras repletas de revistas e publicações. O laptop de Eva estava ali, meio enterrado em papéis. Nesse quarto, como em todos os outros da casa, havia uma cama tipo divã pronta para ser usada a qualquer momento, se alguém quisesse passar a noite. E alguém com frequência queria.

Havia roupas penduradas em todos os quartos; em quase todas as paredes, viam-se cabides com vestidos coloridos e baratos, muitas vezes com uma estola ou chapéu combinando. Eva os pegava em feiras de quinquilharias ou liquidações. Jamais comprara um vestido normal no que podia ser chamado de loja normal. Eva achava o preço das roupas de grife tão impossíveis de compreender que se recusava a pensar mais a respeito.

O que as mulheres estavam fazendo, permitindo a si mesmas serem sugadas para dentro de um mundo de rótulos e tendências e demandas artificiais de estilos? Eva não podia sequer começar a avaliar isso. Só seguia duas regras de estilo — descontração e cores vivas — e estava muito bem-vestida para qualquer ocasião.

Eva tirou os copos compridos e enfileirou a vodca, o whisky, o licor amaretto e o gin. Tinha um bar muito bem-abastecido, mas ela própria bebia pouco. Para Eva, servir e fazer coquetéis dependia sempre da preparação, da teatralidade e do fraco aroma da decadência.

Freda e Lane usaram o portão dos fundos de Chestnut Grove para entrar e caminharam pelo grande jardim bagunçado. Não havia canteiros de flores formais, nenhum gramado, nada de pátios e terraços cultivados; em vez disso, existia uma massa de arbustos e espinheiros prontos para fazer os descuidados tropeçarem no escuro. Aqui e acolá, algumas rosas tardias espiavam através dos arbustos. Mas, principalmente, aquilo parecia um local que serviria de cenário para uma transformação na televisão.

— É tão diferente do jardim dos meus pais — comentou Lane, evitando alguns ramos mais baixos, cheios de viciosos espinhos. — O jardim deles está sempre como se estivesse prestes a concorrer a algum prêmio.

— Eles o mantêm muito bem. Você não colocaria sua vida em risco nele, como aqui — disse Freda.

— Sim, mas papai não tem permissão para deixar as verduras em alguma parte onde possam ser vistas. O que os vizinhos diriam, se vissem buracos de batatas e favas de feijão?

Quando chegaram à casa, Eva correu para encontrá-las. Ela usava um *kaftan* laranja-escuro e tinha amarrado o cabelo numa estola com o mesmo material. Parecia um pássaro muito exótico, desses que se encontra em um aviário de zoológico, e podia estar dirigindo-se para um casamento marroquino, uma festa à fantasia ou para a abertura de uma galeria de arte.

— O jardim não está maravilhoso? — perguntou ela.

Maravilhoso não era a primeira palavra que Freda e Lane escolheriam para descrever a vegetação selvagem por meio da qual tinham acabado de abrir caminho, mas era impossível não se deixar prender pelo entusiasmo de Eva.

— Sem dúvida está cheio de lindos pedacinhos de cor — respondeu Lane.

— O aspecto dos galhos contra o céu é o que amo. — Eva as guiou para dentro da sala da frente e começou a misturar o coquetel. — Isto aqui é para a biblioteca, Freda, minha querida, e para todos os muitos, muitos amigos que nos esperam para se unir a essa comemoração.

Ela estava tão autenticamente encantada que Freda se sentiu sufocar de emoção.

Ninguém mais, a não ser Lane e tia Eva, poderia entender o cuidado com que ela dera esse primeiro grande passo. Que sorte de Freda ter as duas. A maioria das pessoas não tinha alguém para compartilhar excitações e com quem celebrar.

O coquetel quase a tirou de órbita. Freda colocou-o na mesa, cuidadosamente. Eva não esperava que a pessoa entornasse a bebida com um gole só; gostava que apreciasse os diferentes sabores. Devia haver cerca de cinco nesse, pensou Freda, todos alcoólicos, exceto o suco de laranja. Ela o tratou com grande respeito.

Eva queria saber de todos os detalhes a respeito do novo esquema na biblioteca. A Srta. Duffy estava reclamando? Mostrava-se hostil? Ela concordara de má vontade? O que Eva queria que os Amigos fizessem, depois que os reunisse?

Ela se mostrava tão ansiosa e entusiasmada que Freda e Lane se sentiram desanimadas e lentas diante dela. Se Eva dirigisse a biblioteca, haveria uma luz feérica em torno dela, música retumbante vinda de dentro. Ela instalaria um bar de coquetéis na entrada. Sua vida era como sua casa — uma fantasia colorida, onde qualquer coisa era possível, se desejada com bastante força.

A Srta. Duffy estava lidando com pessoas que queriam ser Amigas da Biblioteca, e não muito bem. Entregou-lhes o folheto que Freda preparara e tinha dito que era uma boa acolhida para todos na reunião dos Amigos, mas, quando as pessoas lhe perguntaram o que aquilo envolveria, ela foi vaga.

Algumas pessoas com rostos ansiosos perguntaram se haveria dinheiro envolvido, como uma taxa de admissão, ou uma coleta. Não, nada disso, respondeu a Srta. Duffy. Mas então ela se indagou. Freda havia sugerido que podia haver um aspecto de levantamento de fundos?

Um homem perguntou se haveria conselhos sobre que livros deveriam ler. A Srta. Duffy não sabia. Duas moças perguntaram se haveria um teste para a entrada, ou se qualquer pessoa podia fazer parte. A Srta. Duffy disse que não havia teste algum, mas sabia que franzira a testa diante da expressão "qualquer pessoa".

Um jovem nervoso chegou dizendo que escrevera uma porção de poemas que foram premiados quando ele estava na escola e queria saber se haveria uma chance de fazer uma leitura pública deles. O rapaz era tímido e desajeitado e olhava o tempo todo como se a Srta. Duffy fosse ordenar-lhe que saísse do prédio por fazer tal sugestão.

A Srta. Duffy começava a sentir que tudo aquilo era má ideia.

— Ah, *aí está* a Srta. O'Donovan — exclamou ela, embora Freda estivesse mais de meia hora adiantada.

Freda a olhou com ansiedade.

— Foram feitas tantas perguntas sobre essa história de Amigos que nossa rotina está começando a ser perturbada.

O rosto de Freda se iluminou.

— Desculpe, Srta. Duffy, mas é uma grande notícia! Significa que as pessoas estão de fato interessadas. — Freda pendurara o casaco e tinha começado imediatamente a trabalhar.

A Srta. Duffy cedeu. Era difícil não ficar satisfeita com essa atitude, e, embora a tola garota estivesse trazendo mais interrogatórios, mais problemas e distrações para cima de si, ela parecia perfeitamente feliz por fazer aquele trabalho.

— Teve um bom fim de semana, Srta. O'Donovan? — perguntou ela, para mostrar que sua irritação não era séria.

Freda ergueu os olhos para ela, surpresa. Sorriu e respondeu que tinha sido muito bom, mas ela estava feliz por retornar a Finn Road. Fora a resposta correta.

A Srta. Duffy não queria detalhe algum, apenas que Freda parecesse comprometida.

Freda percorreu a lista de questionamentos: telefonou para o homem que se indagava se seriam dados conselhos sobre quais livros deveria ler e disse que sim, que, se as pessoas quisessem, tudo bem. Telefonou para as moças que perguntavam se haveria um exame para a entrada e informou--lhes que seria uma noite divertida — deviam levar todos os amigos. Convidou o jovem poeta, cujo nome era Lionel, para ir encontrar-se com ela.

Ignorou a sensação incômoda de que algo realmente importante estava prestes a acontecer.

A próxima reunião dos Amigos da Biblioteca Finn Road será sobre a história desta área, e o ingresso é gratuito. Por favor, traga fotos e histórias. Todos são bem-vindos!

Falariam sobre a noite dos Amigos durante dias. Apesar da chuva naquela noite, fora um tremendo sucesso, em diversos aspectos. Até a Srta. Duffy ficou entusiasmada.

Todos haviam comparecido: o jovem poeta, Lionel, lera alguns poemas lindos sobre cisnes mudos. Ele ficou eufórico com a resposta, ainda mais quando Freda o apresentou à sua tia Eva, nada menos do que a autora de "Penas"!

A Srta. Duffy ficara desconfiada quando cerca de meia dúzia de meninas apareceu, mas elas se revelaram cheias de sugestões para grupos de leitura.

— Devo dizer que fiquei surpresa por nos terem em tão alta estima — confessou ela, já no dia seguinte. Lane e Freda tinham limpado perfeitamente o lugar e devolvido as cadeiras ao teatro. Não havia nada de que a Srta. Duffy pudesse queixar-se e, então, em vez disso, ela decidiu ficar satisfeita, até mesmo grata.

Freda havia muito decidira que não aceitaria crédito algum por aquilo tudo, embora tivesse de assumir toda a culpa, caso não desse certo.

— É apenas o que a senhorita merece — disse Freda, como se tudo fosse ideia da Srta. Duffy. — Esteve aqui durante anos, elevando este lugar; é apenas justo que a homenageiem e digam o quanto a biblioteca significa para eles.

A Srta. Duffy aceitou tudo afavelmente, como se lhe fosse devido.

O que era bom: dava a Freda tempo para continuar com os preparativos. Havia tanto para organizar num dia comum de trabalho. Elas tinham de checar a emissão, a lista dos itens que no momento estavam fora, emprestados. E havia os bilhetes para os que tomavam livros emprestados e estavam atrasados na devolução. Elas precisavam examinar a emissão, procurando as peças pedidas, e fazer relatórios sobre a situação delas. E, além disso, naquele mesmo dia haveria a reunião para seleção do estoque, quando todas se sentavam junto com a Srta. Duffy para escolher os novos títulos que encomendariam. Examinariam os livros enviados a elas como exemplares a serem aprovados e ainda as notas dadas aos livros pelas revistas. Havia pouco tempo hábil para pensar sobre essa reunião de Amigos, quanto mais para pensar em organizar a próxima. Era curioso o fato de ela se sentir tão vazia por dentro. O que quer que ela estivesse tão certa de que fosse acontecer não se materializara.

A Srta. Duffy se surpreendeu ao ver o grande buquê de flores muito caras que fora entregue. A mensagem era simples. *Já sou um Amigo da Biblioteca... Agora quero ser um Amigo da Bibliotecária.* A noite fora um sucesso, claro, mas quem enviaria essas flores como agradecimento? A única pessoa que algum dia enviara flores para a Srta. Duffy fora sua irmã, e ela era mais do tipo que gosta de violetas em potes. Então, quem poderia ter lhe enviado esse buquê? Ela admirou mais uma vez as flores. A Srta. O'Donovan poderia arrumá-las para ela, se encontrassem um vaso suficientemente grande.

Freda, claro, encontrou. Foi para o depósito e trouxe de lá uma imensa jarra de vidro. Aquelas flores deviam ter custado uma fortuna. Quem, neste mundo, as teria enviado?

A Srta. Duffy foi vaga e informou que vinham de um amigo. Olhou para o próprio reflexo nas portas de vidro e deu palmadinhas em seu cabelo várias vezes. Havia uma expressão pensativa em seus olhos.

Freda desistiu.

Quando separava as longas rosas das avencas verdes para arrumá-las melhor, descobriu o cartão que viera com as flores.

Agora quero ser um Amigo da Bibliotecária. Eram para ela. Percebeu isso com um choque quase físico. Mas quem era? E o que pretendia? E por que não colocou nelas o nome de Freda, em vez de deixar a Srta. Duffy pensar que eram para ela? Sentiu tudo se tornar mais lento e levemente irreal. Havia perguntas em excesso. Ela queria ficar sozinha para pensar por que se sentia tão pouco à vontade e ligeiramente trêmula.

*

Lane telefonara para Eva, a fim de lhe perguntar de que cor eram as pernas de um papagaio-do-mar.

Eva não tinha hesitado.

— Laranja — respondeu. — Por quê?

— E o bico? Estamos pintando um cenário. Fale-me do bico. Sei a forma e tudo mais, mas de que cor é?

— Azul, amarelo e laranja. Mas é preciso que estejam na ordem certa.

— Não estou falando de um papagaio exótico, como num aviário, apenas um papagaio tipicamente irlandês.

— É isso, um papagaio-do-mar criado em casa. Vá à biblioteca; eu própria estou justamente a caminho de lá. Mostrarei os livros a você.

— É melhor. Pássaros com bico azul, amarelo e laranja! A pessoa precisaria estar usando uma droga bem pesada para ver isso na Irlanda.

Encontraram-se nos degraus.

— Estamos pintando esses imensos cenários para a próxima produção — explicou ela. — Preciso ter certeza quanto aos bicos e pernas dos papagaios. São realmente de todas as cores do arco-íris ou você está me enrolando?

— Os bicos têm três cores, as pernas são laranja — principalmente durante a temporada de acasalamento. Muito mais desbotados no inverno — confirmou Eva.

— Graças a Deus na Irlanda os pássaros são assim!

— Ora, se você algum dia fosse conosco para a costa do Atlântico, veria os pássaros por si mesma, colônias inteiras deles — disse Eva, em tom de reprovação. — Há um lugar chamado Stoneybridge. Você deveria ir até lá.

E, quando entraram, viram Freda no balcão, falando com alguém. A pessoa apontava para um folheto e Freda ria e sacudia a cabeça. Seus olhos estavam brilhantes, e ela parecia tão jovem, tão animada e viva, naquele velho prédio cinzento. A Srta. Duffy usava o habitual cardigã de lã azul-marinho, com um pequeno colarinho de renda branca;

estava sóbria e digna. Freda, em contraste, usava uma blusa vermelha e calça preta. Tinha o cabelo preto e cacheado amarrado para trás com uma grande fita vermelha. Parecia uma flor colorida no meio de tudo aquilo, pensou Lane. Não era de admirar que estivessem fazendo fila para falar com ela.

Esperando no lugar seguinte da fila, havia um homem com uma estola de caxemira e um casaco muito bem-cortado. Olhava intensamente para Freda.

Lane se deteve de repente. Não sabia o motivo, mas se sentiu ligeiramente constrangida.

— O que é? — perguntou Eva.

— Aquele homem, esperando para falar com Freda — sussurrou Lane.

— Não posso vê-lo — queixou-se Eva.

— Então venha por aqui. Assim verá e não distrairá Freda.

Ambas viram a maneira como a amiga olhava para o homem que se aproximara dela. Estavam longe demais para ouvir o que ele dizia, mas o rosto dela mudara completamente.

Quem quer que fosse, era significativo.

Lane não gostou dele logo à primeira vista.

— Gostou das minhas flores?

— As que foram para a Srta. Duffy, a bibliotecária? São lindas. Quer que eu a chame?

Ele fez uma pausa para cheirar uma das rosas.

— Eram para você, Freda. — Ele tinha ótima aparência e havia muito calor em seu sorriso.

Ela não pôde deixar de retribuí-lo, embora, se Freda algum dia tivesse sabido flertar, a técnica já estava esquecida.

— Você não estava na noite dos Amigos — afirmou ela. — Tenho certeza de que me lembraria de você.

— Ah, mas eu estava aqui, sim. Não sabia da reunião, entrei quando a chuva veio. Fiquei em pé no fundo, ali. — Apontou uma coluna junto da porta dos fundos.

— Você não se sentou?

— Não, só queria fugir do pior do aguaceiro, e achei que uma palestra na biblioteca seria tediosa.

— E foi? — Ela teve a impressão de que pisava em ovos.

— Não, Freda. Foi uma grande noite, havia calor, entusiasmo e esperança, tudo nesta mesma sala. Por isso fiquei.

Era o mesmo que ela sentira. Achou que as pessoas lhe haviam jogado um tipo de corda de salvamento naquela noite.

Estavam loucos por algo novo, algo em que se envolver; encontravam-se todos muito ansiosos para ajudar. Ela o olhou sem palavras.

— Vim convidar você para jantar comigo. — Ela notou o pescoço dele se avermelhar ligeiramente. De repente, o homem parecia inseguro. — Quero dizer, não precisa ser jantar, poderia ser uma caminhada, um café, um filme, qualquer coisa de que gostar. Ah, não, não. Espere, meu nome é Mark. Mark Malone. Sairá comigo?

— Jantar seria ótimo... — ela se ouviu dizer.

— Perfeito. Posso fazer uma reserva para algum lugar esta noite?

Freda não confiava em si mesma para falar primeiro.

— Bem, sim, esta noite está bem — confirmou ela, por fim.

— Para onde gostaria de ir?

— Não sei... Para qualquer lugar. Como o Ennio's, que fica lá no cais. Algumas vezes, quando quero uma comida especial, vou lá com meus amigos.

— Bem, não quero masculinizar um lugar que é especial para você e suas amigas. Que tal o Quentins? Também é bom, não é? Às oito da noite está bom para você?

— Às oito, então — concordou Freda.

Ele sorriu e, em seguida, com ostentação, pegou a mão dela e a beijou.

Depois que ele foi embora, Freda ergueu a mão até a face e a manteve ali. Não sabia, mas era observada por sua tia Eva, sua amiga Lane, a Srta. Duffy, Lionel, o poeta, e uma mocinha que, por acaso, procurava emprego como faxineira.

Todos viram o rosto de Freda quando ela movimentou a mão, vagarosamente, até os lábios. A mão que o homem beijara. Algo importante acabara de acontecer na frente dos olhos deles.

De alguma maneira, o resto do dia se passou.

Lane perguntou:

— Você tem alguma coisa para me dizer?

Freda perguntou:

— Sobre papagaios-do-mar?

— Não, sobre homens entrando e beijando sua mão.

— Amanhã — prometeu Freda.

Quando Freda entrou no Quentins, ele já estava lá. Usava um terno cinza-escuro e uma camisa branca bem-engomada. Era muito bonito. O homem sorriu e se levantou para recebê-la enquanto Brenda, a elegante proprietária e gerente, conduzia Freda até a mesa.

— Pensei que você talvez quisesse de uma taça de champanhe, mas não a pedi — começou ele a dizer.

— Acertou nas duas coisas — afirmou Freda, sorrindo. — Eu gostaria sim de uma taça de champanhe, mas obrigada por não presumir que aceitaria.

— Acho que eu não faria isso — disse ele. — Estou tão satisfeito de ver você; está maravilhosa — elogiou.

— Obrigada — respondeu ela, simplesmente.

— Mas é verdade, você é muito linda, mas não foi só por causa disso que convidei você para jantar.

— Por que me convidou? — Ela, genuinamente, queria saber.

— Porque não consigo tirar você da minha cabeça. Adorei o que disse sobre a poesia daquele homem, a elegante tristeza dela. Outra pessoa teria empregado duas vezes o número de palavras para dizer aquilo. E depois você ficou toda entusiasmada por causa daquelas colegiais e seus grupos de leitura; você estimulou todas elas e tem tanta energia, tanta vida irradiando de você. Desde o primeiro momento em que a vi na biblioteca, notei isso; vejo isso aqui. Queria fazer parte disso. Pronto, disse tudo.

— Não sei o que dizer. Tive sorte; sou muito feliz com meu trabalho, minha vida, com tudo...

— E você se sente feliz por estar aqui? Agora?

— Muito — confessou Freda.

Conversavam com descontração.

Ele queria saber tudo a respeito dela. Sua escola, sua universidade, o lar onde morava com os pais e as irmãs. Como conseguira o trabalho na Biblioteca Finn Road. Seu pequeno apartamento no topo de uma grande casa vitoriana. Sua tia excêntrica que escrevia a longa coluna "Penas" no jornal e a levava para observar os pássaros.

— Parece meio *avoada* — disse ele, solenemente.

— Não vou conseguir superar essa — disse ela, rindo. — Você não é um pássaro, mas faz uma boa *piada*. — E os dois estouraram em risadas.

Mark parecia interessado em cada coisa que ela algum dia fizera na vida. A conversa partiu para as férias e se valia a pena todo o aborrecimento de viajar à procura do sol apenas por uma semana, ou se a pessoa precisava ser um atleta para ir esquiar. Ele estivera na mesma ilha grega, não era espantoso? Como o mundo era pequeno. Os dois gostavam dos mesmos filmes, das mesmas canções. Ele até lera alguns dos livros favoritos de Freda.

Ela também lhe perguntou sobre a vida dele. Afinal, era como um encontro às escuras; eles não sabiam nada a respeito do outro, mas ali estavam ambos, sentados e jantando num dos melhores restaurantes de Dublin. Mark fora criado na Inglaterra, numa família irlandesa. Seus pais ainda moravam lá, e seu irmão também. Não, ele não os via muito, disse, tristemente. Encolheu os ombros, para mostrar que não fazia mal, mas Freda podia perceber que isso o magoava.

Ele estivera na universidade na Inglaterra, estudara marketing e economia, mas aquilo não fora nem de longe tão importante quanto tudo o que aprendera por meio da sua experiência com a indústria do lazer. Ele lidara com aluguel de carros, iatismo, eventos, o tempo inteiro aprendendo o que fazia os negócios terem credibilidade. Trabalhara em Londres, Nova York e Dublin; embora tivesse ido para lá quando criança, nas férias, ainda assim continuava uma nova cidade para ele. Agora estava trabalhando para um grupo de lazer que ia investir no Hotel Holly; queriam desenvolvê-lo para transformá-lo num grande complexo de férias.

— Tenho certeza de que tudo isso parece tedioso para você, mas é realmente empolgante; não se trata apenas de dinheiro — falou ele, ansiosamente. — E eu adoraria saber mais sobre a história da área. Você poderia ser muito útil.

Ele ainda não encontrara um lugar adequado para ficar, então apenas tinha um quarto no hotel.

Era bom estar no prédio, porque isso significava que podia ver que tipo de negócio o lugar constituía. Era um esconderijo tão pessoal, o tipo de lugar que as pessoas acreditavam de fato ter descoberto para si mesmas. A equipe se lembrava do nome dos hóspedes, parecia ansiosa para que a pessoa apreciasse a experiência de estar ali. Não era de admirar que fizessem sucesso.

No dia da tempestade, ele estivera com a equipe do projeto em uma reunião que fora até tarde, e corria pela Finn Road exatamente quando o aguaceiro estava em seu pior momento. Foi apenas um acidente feliz, puro acaso, o fato de ele ver que a biblioteca estava aberta e ter decidido abrigar-se ali por alguns instantes. Foi quando descobriu Freda. E se ele simplesmente tivesse continuado pela rua? E se a reunião tivesse terminado no momento certo e ele tivesse saído antes de começar a chover?

— Você e eu poderíamos nunca ter nos encontrado.

Ele riu e simulou um arrepio por pensar que isso poderia estar escrito nas cartas.

Freda sentiu os ombros relaxarem. Ela adorava o Hotel Holly exatamente como ele era; um grande lugar para uma comemoração, e a ideia de que fosse transformado num "complexo de lazer" parecia terrível, mas não importava qual fora o acaso que a levara a conhecer esse homem empolgante que, por algum motivo difícil de entender, parecia gostar muito dela. Deu um suspiro de puro prazer.

Mark sorriu para ela, e seu coração derreteu.

Freda esperava que ele não fosse querer ir para casa com ela. O apartamento estava numa confusão total, e havia toda a questão de aquele ser um primeiro encontro e do fato de ela ser considerada fácil ou não; além disso, se ele quisesse ir à sua casa, ela precisaria de uma semana para arrumá-la. E se ele sugerisse irem para o Hotel Holly?

Mas Mark não faria isso; ele tinha classe demais para algo assim.

Ou talvez ele não quisesse tanto assim, quem sabe.

Os dois foram os últimos a sair do restaurante, que arranjou um táxi para eles. Mark disse que a levaria para casa. Quando o táxi parou, ele saiu e a acompanhou até a porta.

— Lugar lindo, como esperei — comentou ele, beijando-a de cada lado do rosto e em seguida tornando a entrar no táxi.

Freda subiu a escada e entrou em seu pequeno apartamento, que parecia ter sido saqueado por assaltantes, mas que era apenas a maneira como o deixara. Sentou-se do lado da cama, sem saber se estava aliviada ou desapontada com o fato de ele não ter entrado.

Enquanto lhe contava a respeito da biblioteca, ele ouvira cada palavra como se Freda fosse a única pessoa no lugar. Mas e se ele fosse desse jeito com todo mundo? Será que realmente gostava dela? Claro que não, como poderia? Ela era apenas uma bibliotecária; ele era tão inteligente e viajara tanto.

Sentiu-se de repente solitária aquela noite. Podia arranjar um gato com quem conversar.

Eva a aconselhara a não fazer isso; disse que os gatos eram os inimigos naturais dos pássaros e, de qualquer jeito, quando a pessoa gosta deles, fica impedida de viajar. Mesmo assim, se ela tivesse um gato, ele poderia ronronar para ela, ser algum tipo de presença nesse lugar vazio, empoleirado no alto de uma grande casa.

Caiu num sono perturbado e sonhou repetidas vezes que estava tentando entrar numa balsa, mas que o barco se distanciava da praia antes de ela embarcar.

— Vamos, Freda, ser vago *não* é com a gente — disse Lane, ao café, no pequeno teatro, na manhã seguinte.

— Não estou sendo vaga, estou contando a você cada detalhe do cardápio, até o chocolate em forma de Q no final. — Freda sentia-se indignada.

— Mas e ele? Você gostou dele? Era uma pessoa fácil de se conversar?

— Ele é ótimo, muito suave, muito charmoso. Está no que chamam de "indústria do lazer".

Lane fungou, com desprezo.

— ... e ele está aqui para discutir investir no Holly. Eles querem partir para uma grande expansão.

— O Holly não precisa de expansão. Está ótimo do jeito como é. Você...

— Não.

— E ele quis...

— Outra vez, não. Então, agora, será que isso responde a todo o interrogatório sexual? — questionou Freda.

Lane assumiu uma expressão magoada.

— Sempre contamos tudo, foi por isso que perguntei.

— Bem, contei. Nada, nothing, zero.

— Ah, sim, mas você contará quando houver algo para contar? — especulou Lane.

— Nunca saberemos, não é? — Freda falava num tom mais leve do que o jeito como se sentia.

— Acho que deveria advertir você contra esse sujeito, o Mark. — Lane parecia séria. Ela não conseguia saber exatamente o que era, mas havia algo nele que a preocupava. — E se eu dissesse que não confio nele? E se eu dissesse que você não sabe nada a respeito dele, que ele está apenas lançando uma isca para você. Se eu fizesse isso, perderia você como amiga?

— Não há nada contra o que me advertir. Um buquê de rosas, que foi para a Srta. Duffy, um jantar... não se pode dizer que isso é um caso.

— Primeiros dias — afirmou Lane, em tom sombrio. — Ele voltará. Tenho certeza.

Joe Duggan, um homem que Freda encontrara pela última vez na universidade, cinco anos antes, telefonou para convidá-la para uma festa aquela noite. Freda não tinha intenção alguma de encontrar um grupo de estranhos, com um sujeito de quem mal se lembrava, mas, cortês como sempre, ela lhe perguntou o que ele andava fazendo ultimamente.

— Dando aulas sobre tecnologia, principalmente para quem não sabe nada — respondeu ele. — Você sabe, pessoas que têm medo de engenhocas e que não querem ficar de fora. Na verdade, não sou muito ruim nisso: digo a eles que as máquinas são estúpidas, e isso os acalma.

— Joe, talvez eu tenha um ótimo trabalho para você. Pode vir me ver na biblioteca, na sexta-feira? — perguntou Freda. Essa poderia ser a próxima reunião dos Amigos.

— Perfeito.

*

A expressão no rosto da Srta. Duffy faria um relógio parar.

— Quando acabar de organizar sua vida social, Srta. O'Donovan, será que eu poderia pedir-lhe ajuda com as multas da biblioteca? E há varias pessoas esperando por sua atenção no balcão.

O primeiro da fila era Mark Malone. Ele não disse nada, apenas a olhou.

— Você por acaso não trabalha? — perguntou-lhe ela, para manter a conversa leve e fazê-lo parar de olhá-la fixamente.

— Trabalho bastante — respondeu ele. — Muitas vezes até de noite, mas dei um jeito, esta manhã, para vir ver você.

— Muito obrigada pelo jantar — agradeceu Freda. — Eu ia escrever para você um pequeno bilhete, na verdade, para dizer quanto eu o apreciei.

— O que você diria?

— Que foi uma noite muito calorosa e generosa e que lhe agradeço. — Ela manteve um ar de determinação na maneira como falou, como se pensasse que era somente um único encontro e estivesse apenas agradecida, sem arrependimentos.

— Você disse que está de folga amanhã — falou ele.

Normalmente, em sua folga, Freda faria o que ela e Lane chamavam de "viver o dia a dia": ela levaria os lençóis e as toalhas para a lavanderia, faria algumas compras no supermercado, talvez convencesse Lane a preparar um almoço mais demorado. Algumas vezes, ia a uma exposição de arte ou ficava olhando as vitrines das butiques. Talvez cuidasse das jardineiras das suas janelas, enchendo-as de bulbos para a primavera, e à noite talvez fosse a um bar de vinhos com amigos.

Mas não no dia seguinte. Esse seria um muito diferente.

Mark indagara se Freda gostaria de ir com ele até o condado de Wicklow. Ele tinha uma reunião com a Srta. Holly e talvez eles pudessem almoçar lá. No chuveiro, Freda planejou o dia. Eles podiam dar uma caminhada de tarde e depois iriam para casa e ela aprontaria o jantar dele. Talvez ficassem no Hotel Holly. Em qualquer caso, ele diria que ela estava linda. Ele a pegaria nos braços.

"Não precisamos esperar mais", diria ele; ou, talvez, "Eu não conseguiria passar esta noite sem você". Alguma coisa. Qualquer coisa. Não tinha realmente importância.

Freda imaginou como seria. Esperou que fosse atraente o bastante para ele. Que lhe agradasse adequadamente. Ela não tinha muita experiência e com certeza nenhuma recente.

A última vez devia ter sido havia quase dois anos, quando teve um romance de férias com um sujeito lindo chamado Andy, da Escócia, que lhe prometera manter-se em contato e disse que iria à Irlanda para vê-la. Mas ele não se manteve em contato e não foi à Irlanda. Não fora nada muito importante. Andy já tinha uma vida planejada para si mesmo: envolvia banco, morar perto dos pais e dos irmãos casados, jogar muito golfe.

Freda nem sabia o motivo de estar pensando em Andy agora, a não ser para se preocupar por não ter sido nada boa naquilo, e esse, provavelmente, era o motivo para ele não manter contato. Talvez ela tivesse sido inútil como amante. Ela própria apreciara bastante aquilo tudo, aquele feriado mágico, e achou que o mesmo acontecera com Andy. Mas, de fato, nunca se sabe.

Seria maravilhoso ter alguma garantia quanto a esse lado das coisas. Freda sorriu para si mesma, ironicamente, com o pensamento de telefonar para Andy em seu banco, anos depois do encontro, e pedir-lhe que a tranquilizasse quanto ao seu desempenho.

Mark, entretanto, não estava procurando nenhum tipo de atleta sexual. Ou estava? As mulheres deviam jogar-se em cima dele desde que era um adolescente. Desejou saber mais a seu respeito e o que ele queria.

E então, quando menos esperava, Freda teve uma das suas intuições. Viu tão claramente como se fosse um anúncio num catálogo de vendedor em uma imobiliária: um apartamento revestido de livros, com uma sala de estar e uma pequena cozinha, dois grandes quartos de dormir e um estúdio com uma escrivaninha repleta. Havia vista para o mar da janela. Na porta, estava uma mulher pequena, com cabelo louro e curto, óculos de leitura em torno do pescoço, numa corrente, e um sorriso vago, preocupado.

Ela dizia "Aí está você, querido, que bom tê-lo em casa!" à pessoa que estava chegando à porta; mas quem era a mulher? E com quem estava falando? A respiração saiu do seu corpo rapidamente, e ela se sentiu com a cabeça leve, com a impressão de que as pernas haviam se transformado em geleia. Era Mark?

Não podia ser. Estava errada, a *sensação* devia estar errada. Ela não vira um homem, não vira quem chegava à porta. Não podia ser Mark. Não podia ser.

Agitada, vestiu-se e, com as mãos ainda tremendo, aplicou a máscara para cílios e o batom. Levantou o cabelo, encontrou suas boas botas e estava pronta. Sentiu um tremor. Ficou muito satisfeita por não ter contado a ninguém sobre o encontro.

A estridente campainha do interfone tocou. Ele estava a esperava na entrada.

— Vou descer agora mesmo — disse ela.

Mark a olhou com grande admiração quando ela desceu os degraus para o hall.

— Você está tão linda — falou ele.

Freda ainda se sentia abalada. Queria fazer um comentário brincalhão para tirar a intensidade daquilo tudo. Não estava acostumada a dizer obrigada e aceitar tamanhos elogios quase como se fossem um direito seu. Ela disse a primeira coisa positiva que veio à sua cabeça.

— E você está muito bonito, fantástico, de fato.

Ele atirou a cabeça para trás e riu.

— Você é mesmo muito gentil dizendo isso! Agora, vamos parar de admirar um ao outro e entrar no carro, sair desse frio. — Ele manteve aberta a porta de uma Mercedes verde-escura.

A viagem de carro até Wicklow passou como um borrão. Freda mal podia lembrar-se de como chegaram até lá, do que falaram. Ela só conseguia ver o rosto de Mark, enquanto ele se concentrava em dirigir, sorrindo para ela de vez em quando.

Enquanto Mark encontrava a Srta. Holly e os superiores dela, Freda permaneceu sentada no saguão, junto do fogo, numa grande cadeira coberta de tecido *chintz*, uma revista sem ser lida em seu colo, uma xícara de café intocada numa mesinha ao seu lado. Em vez disso, olhava para dentro das chamas e pensava no que estava acontecendo; e, enquanto fazia isso, de repente os quadros começaram a se formar na sua mente. Ela lutou contra eles, fechou os olhos e tornou a abri-los, mas mesmo assim os quadros estavam ali. Mark se encontrava numa sala com pessoas que gritavam. A Srta. Holly estava sentada num canto, chorando. Mark parecia calmo e indiferente. Ele dizia a ela algo inesperado e assustador. Fosse o que fosse, era errado; era tudo errado.

Trêmula, Freda empurrou a visão para um lado. Era tolice, não significava nada. Ela apenas cochilara e tivera um sonho tolo. Suspirou e tentou novamente se livrar das imagens. Mas se sentiu mais tonta e mais confusa.

Logo ele estava de volta.

— Como foi? — perguntou ela.

— Não pergunte. Eu lhe direi quando estivermos fora daqui. Vamos. Você e eu somos pessoas livres, ninguém está esperando por nós; não precisamos estar em lugar nenhum a não ser onde quisermos estar.

— Preciso voltar. Abro a biblioteca amanhã, e preciso estar lá antes das oito.

Ele retribuiu o sorriso.

— Certo. Iremos comer alguma coisa e não falaremos de trabalho; nenhum de nós dois. Acordo fechado?

— Acordo fechado — disse Freda.

No carro, eles ficaram em silêncio; Freda estudava seu rosto, mas Mark parecia descontraído e feliz. Ela começou a sentir que fora apenas um sonho louco. Enquanto ele a ajudava a sair do carro, beijou-a, e, durante todo o jantar, ela não conseguiu pensar em outra coisa.

Naquela noite, eles fizeram amor pela primeira vez.

Na noite seguinte, foram ao cinema. Freda sequer se lembrava do filme, apenas da sensação de estar sentada com seu ombro tocando o dele. Mais tarde, voltaram para o apartamento dela.

Na sexta-feira, ele a convidou para um concerto, mas ela já tinha marcado o encontro com Joe Duggan, o perito em computadores, e hesitou. O rosto de Mark se obscureceu, e ele ficou com um ar tão desapontado que Freda sentiu que tinha de fazer algo.

Chamou Lane.

— Farei qualquer coisa por você pelo resto da minha vida. Qualquer coisa. Limparei o chão do seu teatro...

— Quem eu tenho de matar? — perguntou Lane.

— Não, é esse sujeito, o Joe Duggan, que vai dar a palestra na próxima semana. Não posso encontrar com ele esta noite na biblioteca. Será que você poderia fazer isso, dizer tudo a ele?

— Freda, não.

— Estou implorando a você de joelhos.

— Não posso. Administro um teatro. Você é a bibliotecária.

— É apenas uma conversa fácil; você sabe o tipo de coisa que eles querem.

Houve um silêncio.

— Lane?

— Isso não é do seu feitio, e não é apenas uma conversa fácil. É algo que você criou, e uma porção de gente depende de você.

— Nunca mais vou pedir isso outra vez, apenas esta! Direi a Joe que vou entrar em contato com ele na segunda-feira de manhã.

— E se eu recusar?

— Não sei o que farei. — Havia algo preso na voz dela.

— Acho que é a desculpa mais esfarrapada que já ouvi em minha vida — disse Lane.

— Mas você vai?

— Sim.

— Obrigada, Lane. Do fundo do meu coração... — começou Freda.

— Tchau, Freda.

Freda telefonou para Mark.

— E aí? — perguntou ele.

— Estou livre esta noite — respondeu ela.

— Eu estava esperando ouvir isso.

O concerto foi celestial, e no jantar, em seguida, ele lhe disse que não existia ninguém como ela. Disse o quanto admirava seu trabalho e até lhe deu algumas ideias para uma noite dos Amigos. Ele queria passar todo o tempo com ela e compensar o tempo perdido. Ela não conseguia resistir: Mark era tão doce e cuidadoso, e ela se derretia ao seu toque.

Era repentino demais, rápido demais, Freda disse a si mesma. Mas todos tinham de se encontrar em algum lugar e de alguma forma. Seria diferente se eles tivessem se encontrado numa dança, num clube, num bar apinhado? Mesmo assim, ela estava nervosa com relação a se deixar levar pela maré. Entretanto, sempre que ele telefonava, ou quando estavam juntos, ela esquecia tudo a respeito de sua desconfiança.

Os Amigos da Biblioteca acolhem todos os que não sabem nada sobre computadores, mas querem aprender. Joe Duggan estará lá na sexta-feira à noite para ajudar a pessoas de todas as idades que queiram participar do mundo tecnológico.

Quando Mark sugeriu que viajassem num fim de semana, ela tornou a hesitar. Ele não poderia sair com ela se fosse casado; não seria possível. Mas os sonhos não paravam de ocorrer. O rosto da mulher com o cabelo louro e curto não ia embora. Ela apenas sabia que era a Mark que a mulher dava as boas-vindas, e ela podia ver a aliança de casamento no sonho.

Se ele fosse casado, o que estaria dizendo à esposa enquanto partia para as montanhas de Dublin com Freda? Ela sentia-se muito confusa, mas não desistiria da chance ter de tanta felicidade.

Quando voltou a telefonar para Lane para que ela a substituísse com Joe, Lane não teve muito para dizer. Ouviu a amiga e depois concordou.

— Por causa de Joe, não por sua causa — acrescentou em tom gélido.

Freda se sentiu mal, mas depois pensou em seu fim de semana com Mark. Ficava óbvio que ele precisava de Freda em muitos aspectos. Ele a queria como companhia, como amiga e como apoio, e também pelo sexo. Ele a amava; dissera-lhe isso. O casamento só podia ser por conveniência, ela tinha muita certeza disso.

Eva esperava que o romance se acalmasse logo, para Freda concentrar-se em outras coisas além de Mark Malone. Ela parecia mesmo enlouquecida com o sujeito, e, de certa forma, Eva entendia o motivo. Ele era um tremendo sedutor, muito entusiasmado. De várias maneiras, ele se adequava muito a Freda; mas Eva achava que eles eram também bastante diferentes. Mark era mais duro, e ia conseguir o que queria, onde quer que fosse, sem poupar ninguém. Já Freda estava feliz com a vida que levava agora.

Ele começara com o pé errado com Lane, mas isso se arrumaria no devido tempo. A amiga ficara muito contra Mark; ela se queixava de que Freda perdera o interesse em tudo — no trabalho, nos amigos, na vida inteira. "É como se uma espécie de neblina, ou nevoeiro, ou algo assim se instalasse nela", dissera. "Ele controla cada movimento de Freda."

Eles já haviam se encontrado várias vezes, mas Lane ainda não confiava em Mark.

Tola, boba tia Agonia, disse Eva a si mesma. Inútil tentar elaborar essas coisas de uma maneira lógica, racional. Mesmo assim, era definitivamente uma preocupação. Havia uma possível tempestade se formando. Lane não gostava de Mark e não confiava nele. Ele era o primeiro homem que ameaçava uma amizade tão sólida. Em geral, elas se encorajavam com relação a namorados e davam conselhos entusiásticos de apoio uma à outra.

Freda dizia que Lane tinha um batalhão de jovens que a amavam. Lane ria e dizia que eram todos atores desocupados; tudo o que queriam eram duas semanas de trabalho no teatro. Lane disse que conhecia pelo menos três pessoas que entravam naquela biblioteca apenas para conversar com Freda e não para abrir um livro. Estavam sempre querendo convidá-la para sair, mas ela nunca parecia entender isso e não parava de encontrar livros para eles...

Essa forte reação tanto a favor quanto contra Mark Malone era muito deslocada para ambas as moças.

> *Por causa do sucesso da palestra de Joe Duggan, "Não tenham medo da tecnologia", na semana passada, os Amigos da Biblioteca Finn Road decidiram que deveria haver sessões duas vezes por semana sobre esse assunto.*

Freda telefonou para Eva, a fim de pegar emprestado um casaco com contas pretas. Fora convidada para ir a uma festa com drinques no Hotel Holly, dentro de poucas semanas. Mark reuniria alguns jornalistas e produtores de turnês para o que ele chamou de um coquetel. Era, de fato, parte do plano dele a longo prazo para conseguir ganhar a imprensa com relação aos planos para o hotel.

Eva esperara que Freda ficasse para almoçar.

— Entenda, Eva — disse Freda, com tom de culpa —, eu realmente não tenho tanto tempo assim... Tenho tantas coisas para fazer agora.

Eva olhou diretamente para ela.

— O quê, exatamente?

— Ah, sabe, as coisas da biblioteca; esse lance dos Amigos realmente decolou graças a Joe Duggan, e eles agora o querem o tempo todo.

— Mas não graças a você.

— Que quer dizer? — Freda estava espantada.

— Bem, você não estava lá para orientá-lo na biblioteca. Lane e eu fizemos isso. E depois você partiu para um fim de semana com Mark, na noite da palestra dele.

— Sim. — Freda olhava para o chão.

— Então ele teve uma velha observadora de pássaros como eu e a diretora de um teatro experimental para ajudá-lo. Só Deus sabe o que ele teria sido capaz de realizar, se, no caso, tivesse uma bibliotecária de verdade.

— Vocês foram maravilhosas, você e Lane. Eu lhes agradeci: fizeram isso de forma brilhante.

— Você não estava lá. — Eva foi severa.

— Escute, você sabe... você sabe como são as coisas.

— Não, realmente não sei. Por que você não tem procurado pica-paus comigo? E por que não convida também Mark para ir junto?

— Eu lhe agradeço tanto, Eva, mas, quando eu digo que estou ocupada, realmente estou. Preciso começar a me relacionar, se entende o que estou querendo dizer.

— Sei o que você quer dizer.

Freda sabia que tia Eva tinha razão. No que dizia respeito a Lane, era como se uma cortina tivesse caído sobre a amizade delas. A amiga mantinha sua expressão cortês, que era mais perturbadora para Freda do que a zangada. Era tão distante, tão gélida.

Lane não perdoara Freda por desaparecer na noite da palestra de Joe Duggan.

Para Freda, era realmente o máximo da mesquinharia e da injustiça da parte de Lane tomar essa atitude. Joe fora um imenso sucesso; ele teria seu próprio espeço. Em todos os seus anos na biblioteca, Freda jamais tirara algum tempo livre como aquele. E aquelas não eram sequer as verdadeiras horas reais, regulares, da biblioteca; era algo que ela arranjara como voluntária, pelo amor de Deus.

E Joe tinha entendido. Ele dissera que Freda era muito bondosa por ter arranjado uma pessoa tão agradável para recebê-lo. Não era como se ela o tivesse abandonado, ou algo parecido.

Tanta confusão sem motivo.

Mark tinha de passar uns poucos dias em Londres, então Freda se sentiu à vontade para convidar Lane e Eva para jantar no Ennio's. Esperava que elas entendessem como se sentia. Tudo ficaria bem.

Era uma noite feliz, com Freda, Lane e Eva sentadas no restaurante Ennio's comendo massa e pondo a conversa em dia.

Eva estava organizando sua próxima viagem de observação de pássaros para o oeste da Irlanda. Um novo hotel abriria dentro de algumas semanas, no alto dos rochedos acima de Stoneybridge. Perfeito para observadores de pássaros. Eva já planejava sua visita.

Ela fez uma pausa, dramaticamente, e depois propôs um brinde.

— Vocês duas não vão brigar — anunciou ela. — Não vou deixar. Especialmente por causa de uma coisa tão tola quanto um homem.

A essa altura, tanto Freda quanto Lane estavam rindo.

— Você é uma agitadora, Eva; não existe briga — disse Freda.

— Eu nunca brigaria com Freda — prometeu Lane.

— Ótimo, está resolvido, então.

Lane e Freda olharam uma para a outra, desamparadas.

— Minha tia, a rainha do drama! — exclamou Freda.

— O que a fez pensar que poderíamos brigar? — perguntou Lane.

— O fato de eu confessar que amo Mark Malone, e você dizer que ele é um merda... isso poderia ter dado pano pra manga.

— Nunca mais voltarei a dizer algo assim a respeito dele. Apenas pensei que você teria desejado estar lá por causa de Joe e da palestra dele. Mas, na verdade, tudo acabou bem. Ele me convidou para um encontro, então eu lhe perdoo — disse Lane.

Freda se inclinou para a frente e deu palmadinhas em seu punho. E então, bem no meio da refeição, Freda foi chamada ao telefone.

— Alô? — Freda não tinha ideia alguma de quem sabia que ela estava ali.

— *Ciao, bella* — falou a voz ao telefone.

— Mark!

— Só queria que você soubesse que sinto sua falta e é completamente ridículo que eu esteja num jantar tedioso e você em outro, quando poderíamos estar juntos.

— O meu não é um jantar tedioso, eu lhe disse, é de amigas — falou ela. — E, de qualquer jeito, você vai voltar amanhã, não vai?

— Não, infelizmente não. Preciso continuar aqui. Mais encontros. Não vai demorar muito mais tempo; fugirei logo que puder.

O sorriso desapareceu do rosto dela.

— Ah, não, mas eu combinei de tirar folga!

— Bem, futuramente não farei mais tantas reuniões. Está bem? Você gostaria que eu cancelasse meus encontros de negócios? — A voz dele soava zangada.

— Desculpe. Eu não quis dizer isso. — Freda sentia-se confusa.

Houve uma pausa.

— Está bem — disse ele, por fim. — Desculpe. Estou sob muita pressão, aqui. Falaremos amanhã. Eu já terei mais informação.

— Amanhã, então — concordou ela, abalada. E, então, como um pensamento acabara de lhe ocorrer, ela perguntou: — Mark, por que você não ligou para meu celular?

— Não trouxe o meu comigo e não tinha o número — respondeu ele, suavemente. — Lembrei que você tinha dito Ennio's, então procurei na lista.

— Amanhã, então — repetiu ela.

De volta à mesa, Lane perguntou-lhe:

— Era ele?

Freda sorriu.

— Era, como sempre.

— Por que ele não ligou para seu celular? Estava querendo se certificar de que você estava mesmo onde disse?

Eva ergueu os olhos bruscamente.

O tom de Lane fora leve, mas Freda se flagrou sentindo-se muito tensa. Afinal, ela própria já fizera a mesma pergunta a Mark. Mas não admitiria nada disso para Lane.

— Ah, com certeza é isso, um mártir do ciúme, é o que ele é — falou ela, com uma risadinha muito forçada.

— O que está preocupando você? — perguntou Eva.

— Nada — respondeu Freda. — Ele apenas está precisando ficar em Londres.

Pela primeira vez desde que começara a trabalhar ali, Freda não queria ir para a biblioteca. Havia telefonemas demais em seu horário. Lane ainda não entendia Mark; até Eva perdera a paciência. Elas simplesmente não entendiam. A Srta. Duffy estava sendo muito exigente sobre categorias.

— Um livro mal-arquivado é um livro perdido — dizia seu grande mantra.

Uma mulher mandona reclamara de que um livro era pura pornografia e ela o havia recomendado por engano para seu clube de leitura em Chestnut Court. Outra pessoa também havia tido um ataque de raiva com a falta de livros de Zane Gray. Freda precisava encontrar Joe

Duggan e desculpar-se novamente por não estar presente na biblioteca quando ele fazia suas palestras.

E poderia lidar com isso tudo se não estivesse se sentindo tão ansiosa após as conversas da noite anterior. Ela sonhara com a loura novamente e agora tinha certeza de que Mark era casado. Mas ela não se importava com isso. Ele amava Freda. Havia dito isso inúmeras vezes.

Ela endireitou os ombros e subiu vagarosamente os degraus que costumava subir de dois em dois quando ia trabalhar.

Alguns dias mais tarde, Eva convidou Lane para um almoço.

— Estão anunciando que um grande bando de patos-pretos está vindo para o outro lado de Howth e pode haver algumas espécies raras entre eles.

— Alguns patos raros? — perguntou Lane.

— Bem, patos-fuscos é como realmente são chamados.

— Fusco? Parece legal.

— Eles são patos do mar, os machos são pretos com papos amarelos, as fêmeas têm pescoços brancos e bicos cinzentos. Visitantes do inverno. Venha comigo de carro e nós podemos comer um sanduíche em algum pub no caminho — sugeriu Eva.

— E o que eu vou vestir?

— Nada tão brilhante que possa assustá-los. Não sei como estará o tempo, mas, você sabe, muitas capas de chuva e cachecóis e suéteres de lã e talvez uma mochila ou muitos bolsos.

Foi a melhor oferta que Lane já recebera na vida. Freda estava enfurnada com Mark, fazendo planos e cancelando tudo no último momento; quando ele não estava por perto, ela simplesmente ficava sentada olhando para o telefone e esperando ele ligar. Lane disse que adoraria o passeio.

Ao saírem da rua principal em direção ao mar, Eva apontou para os pássaros migratórios recém-chegados: bandos de gansos de peito branco e também patos, cisnes e aves pernaltas que desciam do Ártico. Agora elas teriam muito para ver.

Eva estava muito concentrada no trânsito.

— Iremos a algum lugar com estacionamento? — perguntou ela, e, por isso, escolheram o escuro bar de vinho perto do mar.

E foi lá que elas viram Mark Malone, que supostamente deveria estar na Inglaterra, em uma conferência.

Ele estava sentado numa mesa ao lado da janela. Em sua frente, havia uma mulher loura usando calça jeans e um suéter de Aran. Entre os dois, uma garotinha. Ela parecia muito jovem e muito feliz. Eles formavam uma perfeita família feliz, como se não houvesse mais ninguém naquele lugar além deles.

Mark e a mulher davam de comer um ao outro com garfadas de massa e riam depois que cada um ficava de boca cheia. A garotinha estava rindo deles alegremente. Os três partilhavam afeição e intimidade; não havia qualquer dúvida de que todos formavam um conjunto.

Eva e Lane olharam para eles, atordoadas.

Elas não foram capazes de sair do restaurante antes de serem vistas. Assim que Mark as viu, seu rosto congelou em uma máscara de fúria.

Eva e Lane olharam uma para outra e no mesmo momento disseram "Que filho da puta!". Então, sem dizer mais nada, saíram, entraram no carro de Eva e começaram a dirigir de volta para a cidade.

Enquanto dirigiam, Lane perguntou:

— Os pássaros fazem isso? Sabe, trair com todos em volta?

— É complicado.

— Eu aposto que sim.

— Vamos dizer alguma coisa? — Eva pensou alto.

— Claro que sim. A questão é para qual dos dois? Para Freda ou para Mark?

— Se não tivéssemos entrado ali... — Eva começou a dizer.

— Não adianta pensar assim; nós entramos. E o vimos. Freda não pode ser feita de tola dessa maneira.

— Mas vai ser muito humilhante para ela se dissermos. — Eva soava protetora.

— Bem, vai ser ainda mais humilhante se não dissermos — afirmou Lane, com raiva.

— Nós não sabemos realmente...

— Claro que sabemos. Aquela não era a colega de trabalho ou a irmã dele. Aquela criança era filha dele. Deixe-me lhe dizer uma coisa: se você encontrasse meu namorado com uma esposa e uma filha, eu diria que você era uma péssima amiga se não me contasse nada.

— Você diz isso agora, mas poderia pensar diferente se esse *fosse* realmente o caso.

— Bem, de qualquer forma, estou satisfeita de termos esclarecido isso, porque eu certamente ia querer ficar sabendo. Isso coloca a bola novamente no meu campo, me dá o direito de decidir.

— Mas não podemos dizer a ela, Lane. Vamos lá, pense bem a respeito.

— É importante o bastante para ele a ponto de ter de mentir a respeito, dizer a ela que está em Londres e ficar enfurnado em um bar de vinhos no qual não encontrará ninguém.

— Ou era o que ele achava — ironizou Eva. — Não diga a ela, Lane; isso vai destruí-la.

— Alguém precisa contar. Que ela o aceite de volta se quiser, mas Freda tem o direito de saber.

— Deixe como está, só por um tempinho.

No fim, nenhuma das duas precisou dizer a Freda. Mark chegou lá primeiro.

Era a noite da recepção no Hotel Holly. Freda não contatara Mark o dia inteiro, mas sabia que ele estava ocupado. Ela esperava ser útil a ele aquela noite. A jaqueta preta de Eva lhe caíra muito bem. Ela usaria uma saia vermelha escarlate e seu belo sapato preto e vermelho. Freda sabia que Mark precisaria circular e que ela teria de se virar sozinha, mas mais tarde eles ficariam juntos.

A recepção estava repleta quando Freda chegou ao hotel. Havia uma conversa no ar e bandejas de canapés elegantes passando.

Ela entrou sem reconhecer Mark. Ele estava no centro de um grupo sorridente próximo à janela. Freda se deslocou para o outro lado da sala e o observou conversando. Ele estava animado e incluía todos ao seu redor na conversa que estavam tendo. Seu riso fácil pousava em uma pessoa e depois na outra, e ele se movia perfeitamente em direção a outro grupo.

Freda não deveria ficar ali como parte da mobília, olhando para ele; afinal, fora convidada.

Ela reconheceu alguns rostos. Um homem que tinha um programa de entrevistas na TV, uma mulher colunista, um repórter de televisão bem conhecido. Ele certamente tinha o tipo de pessoas de que precisava. Ele estaria de bom humor mais tarde.

Freda conversava facilmente com as pessoas à sua volta e bebia pouco do conteúdo de sua taça para que não lhe subisse rápido. Encontrou um homem que era responsável pela área de tecnologia de uma grande empresa. Ele concordou com Freda que havia um grande desperdício causado pelo fato de a tecnologia ser atualizada toda semana e os sistemas tornarem-se obsoletos em um ano ou dois. Freda inquiriu sobre o que faziam com os equipamentos antigos e disse-lhe que considerasse a Biblioteca Finn Road. Ela lhe explicou sobre as aulas de computação, e ele pareceu bastante interessado. Então ela notou Mark olhando para ela de maneira estranha e apressadamente mudou o assunto para o esplendoroso hotel. Era uma joia daquele lugar, e todos o consideravam seu próprio segredinho particular.

— É por isso que seria uma insanidade fazer mudanças nele — disse o homem.

— Mas para ter certeza de que ele sobreviverá, para ter um fluxo contínuo de visitantes...? — Ela agora repetia as palavras de Mark.

— Existem muitos hotéis com instalações apropriadas para conferências, spas, entretenimento para os ônibus lotados. O Holly é diferente; deveria permanecer diferente — falou ele.

— E se ele for jogado para fora do mercado, se ele for esmagado por todos os outros somente por medo de se expandir?

— Você caiu no papo deles — declarou o homem. — Já foi doutrinada, nem precisa ficar para ouvir os discursos.

— Eu não tenho certeza de que estou entendendo o que você diz.

— Ora, o blá-blá-blá dissimulado como um "boas-vindas" aconchegante, muito bom ter vocês aqui neste local antiquado, mas planejamos mudá-lo e arruiná-lo.

— E farão isso? — Freda mal podia respirar.

— Não se sabe ainda — respondeu ele. — Alguns de nós que estamos no conselho queremos que as coisas permaneçam iguais, mas os outros veem um futuro brilhante e grandioso, além de uma franquia da marca Holly no exterior. Obviamente vão colocá-lo abaixo, e este pequeno circo foi montado para que seus amigos da imprensa os ajudem a conseguir a licença de construção. De qualquer forma, não me faça ficar falando. Como se chama sua biblioteca, caso possamos mandar alguns computadores para vocês?

Eles trocaram detalhes. Naquele momento, Mark surgiu.

— Você não vai rodar pela sala buscando apoio para sua biblioteca, Srta. O'Donovan? — perguntou ele.

— Foi minha sugestão, Mark. Esta jovem mulher está fazendo algo de valor com sua vida, e isso é uma prenda rara nos dias de hoje.

Mark conduziu-a firmemente para outro lado.

— Quem era ele? — sussurrou Freda.

— Nem se importe com quem ele é. Que diabos está acontecendo? — sibilou Mark para ela. — O que você pensa que está fazendo, tentando sabotar meu evento? Quem disse para você fazer isso? Nem me diga, você e aquelas vagabundas...

— *Mark*? — Freda estava atordoada. O olhar no rosto dele a alarmou. — O que foi que aconteceu?

— O que você pensa que iria fazer? — Seus olhos esquadrinharam o rosto dela. — Ficar aqui em pé e fazer acusações? Destruir minhas chances? — A voz dele parecia cortante e furiosa, embora em sua face houvesse um sorriso forçado, enquanto continuava a conduzi-la até a porta.

— Eu não sei do que você está falando — disse ela espirituosamente, tentando livrar seus ombros dos punhos dele. — Eu não sei o que deu errado, mas por que, em vez disso, eu não ligo pra você amanhã, e aí nós marcamos aquela noite gostosa e relaxante que teremos? Certo? — A voz dela soava perdida e vazia em sua cabeça. — Ou talvez você possa passar na minha casa hoje à noite, mais tarde, para me dizer o que está acontecendo. — Ela teve esperanças de que não soasse como se estivesse implorando.

— Eu não acho que seja possível — falou ele ironicamente. — É muito tarde para tudo isso. Mandando suas amigas me espionarem! Por que você não podia ter deixado as coisas como estavam? Sua tola, sua tola estúpida... — Ele mal deixava saírem as palavras. — Como você pôde ser tão estúpida? Você destruiu tudo. E quando eu penso em quanto eu amava você, e os riscos que corri por sua causa...

Agora Freda estava com medo.

— Mark, me diga, o que é isso? O que eu fiz? O que quer que tenha sido, foi um terrível acidente. E o que quer que eu tenha feito errado, me desculpe...

Naquele momento, eles haviam chegado até a porta da frente do hotel. Freda sentia-se perturbada, mas o rosto de Mark estava frio enquanto ele praticamente a arrastava para fora.

— Não entre em contato comigo novamente. Não me ligue, não me mande mensagens, nem e-mails. Fique fora da minha vida. E nem você nem suas amigas *nunca mais* cheguem perto de minha mulher e de minha filha de novo...

Freda o observou, muda e desesperada, enquanto ele se virou e caminhou para longe dela, de volta para dentro do hotel. A porta se fechou.

Ela passou pela fila dos táxis sem vê-los. Seus olhos estavam embaçados de lágrimas. Então, fora do campo de visão do hotel, ela parou e se encostou a um gradil para chorar de verdade. Freda ficou ali parada, usando a jaqueta preta bordada de Eva, e chorou.

Os passantes olhavam para ela, preocupados. Alguns até pararam para perguntar se podiam ajudar, mas Freda só chorava ainda mais. Então, ela sentiu um braço em volta do seu ombro e percebeu que era o homem da empresa de tecnologia com quem ela estivera conversando mais cedo.

— Você tem algum lugar para ir? — Perguntou ele amavelmente.

Ela estava bem; era apenas uma coisa pessoal e tola, e ela superaria aquilo, assegurou a ele por entre os soluços.

Ela gostaria que ele ligasse para alguém conhecido?

E, embora ela sempre houvesse se considerado uma pessoa cercada de amigos, naquela noite ela não tinha alguém para quem pudesse ligar.

O homem a colocou num táxi; ela percebeu, mais tarde, que ele pagara ao motorista. No fundo do carro, sentou-se olhando para a frente por vinte minutos. Em seu pequeno apartamento, tudo estava perfeito: velas arrumadas cuidadosamente nas mesas e na grelha que levaria apenas alguns minutos para ser acesa; a comida e o vinho na geladeira, um vaso grande com lírios perfumados na janela.

Um lugar caloroso e acolhedor. O local zombava dela por todas as suas esperanças e confiança.

Então, as paredes pareceram fechar-se sobre Freda, e foi como se ela não conseguisse mais respirar.

Muitas vezes, quando acordava à noite, ela se indagava se havia imaginado aquela coisa toda. Talvez aquilo tudo tivesse sido um sonho, uma fantasia, tudo sobre aquela noite no Hotel Holly. Ela supunha que o conhecia tão bem. Ele era gentil, engraçado e afetuoso. Não poderia ter ficado todo aquele tempo com ela sem tê-la amado como jurou que amava.

Por fim, surgiu a história de Eva e de Lane. O dia que passaram fora, o almoço, Mark, a mulher loura, a criança. *A criança*. Ele tinha uma filha. Ela revirou em sua mente todas as visões que tentara reprimir: em momento algum durante essas visões havia existido uma filha. Mas vira a esposa dele, não vira? A mulher loura em sua visão era realmente a esposa. Freda a vira e não fizera nada.

No decorrer dos dias que se passaram, Freda perdeu peso, e seu rosto se tornou deformado e enrugado.

Eva ficou seriamente preocupada, e a simpatia se transformou em desorientação e, em seguida, inquietação.

— Eu me sinto tão sem forças para ajudá-la — disse ela, tristemente.

— Eu não tenho a menor ideia do que fazer — lamentou Freda. — Eu o amava tanto. Pensei que ele também me amasse. Como saber o que fazer?

— Você está se sentindo muito culpada — comentou Eva. — Você provavelmente não precisa se sentir assim, mas se sente. Você está tentando reparar a situação, tentando deixar tudo bem de algum jeito, mas não pode. Você precisa olhar para o futuro agora.

Eva tomou uma decisão. Freda precisava sair dali; ela precisava de uma mudança de ares. Necessitava estar em algum lugar no qual não se lembrasse de Mark todos os dias, onde pudesse ver tudo com clareza novamente. Então, fez duas ligações: uma para uma tal Sra. Starr na Casa de Pedra no oeste da Irlanda, a fim de modificar sua reserva, e a outra para a Srta. Duffy. Freda não estava se sentindo bem. Ela precisava de alguns dias para se recuperar...

Quando se aproximou da casa, Freda se indagou se fora um grande erro. O lugar não lhe traria benefício algum. Ela não conhecia ninguém ali; tudo que poderia fazer era pensar sobre o tempo no qual se sentira tão feliz e depois tão arrastada. Por que estava ali? Não havia nenhum fantasma para enterrar. Somente memórias bastante reais de seu grande amor.

A Sra. Starr foi muito acolhedora. Ela mostrou a Freda seu belo quarto ao lado da casa, e disse que Eva havia lhe pedido que mencionasse todas as oportunidades de observação de pássaros. Freda dirigiu seu olhar entorpecido para fora da janela e observou o vento soprando pelos galhos da árvore. Olhando para os carvalhos, pensou na decoração, na mobília de madeira do Hotel Holly. A memória de sua humilhação a invadiu mais uma vez.

Estranhamente, o vento parecia sacudir apenas um dos galhos da árvore. Freda ficou paralisada olhando a pequena face preta e branca que emergiu das folhagens e fitou-a de maneira interrogativa por um momento, antes de desaparecer novamente por entre os galhos. Ela prendeu a respiração enquanto o gatinho escalava cada vez mais alto na árvore, manchas de preto e branco aparecendo aqui e acolá.

— Não se preocupe — tranquilizou-a Chicky Starr, seguindo seu olhar ansioso. — Esta é Gloria. Ela é boazinha. Não tem medo de nada. O que quer que ela pense que está perseguindo já terá escapado, e então ela vai descer de novo. Vou apresentá-la a ela, se quiser. Desça para a cozinha e vou lhe dar os biscoitinhos de gato que ela adora. Apenas três deles, lembre-se; não mais que isso.

Lá embaixo na cozinha, Chicky abriu a porta lateral e assobiou. Em alguns segundo apenas, Gloria apareceu com olhar esperançoso, enroscou-se em volta das pernas de Chicky e se abaixou de modo abrupto para dar-lhe umas lambidas rápidas nas pernas.

— Três biscoitos — lembrou Chicky, passando a caixa para Freda. — Não acredite nela quando lhe disser que deveria receber mais.

Freda se sentou perto do fogo, e imediatamente Gloria pulou em seu colo, ronronando alto em antecipação. Um por um, Freda lhe deu os pequenos pedaços de comida; delicadamente Gloria os aceitou. Então, enroscou-se toda em volta de si mesma como uma bola e prontamente caiu no sono.

Se ela pudesse apenas ficar ali perto do fogo a semana inteira com aquela bola de pelos quentinha em seu colo, pensou Freda enquanto alisava o topo da cabeça de Gloria. Se não tivesse de se mexer, de encontrar outras pessoas, jogar conversa fora. Ela temia encontrar os demais hóspedes.

O sentimento se intensificou quando se deparou com os outros hóspedes para os drinques antes do jantar na cozinha de Chicky Starr. Eram todos muito agradáveis: Freda olhou o rosto de cada um e sentiu que cada pessoa ali tinha alguns segredos bem guardados; seu coração se tornou pesado ao pensar que teria de conversar com eles. Talvez, se ela permanecesse quieta no seu canto, eles a deixassem em paz.

Claro que, no final, foi bem diferente do que ela pensava. As boas-vindas de Chicky Starr foram acolhedoras, e eles se reuniram em volta da lareira trepidante; a atmosfera era generosa e relaxante, e logo a conversa começou a ficar mais ruidosa. Rapidamente Freda sentiu que não havia dificuldade em falar com aqueles completos estranhos e, por algum tempo, recuperou sua antiga animação.

Ela conversou com um simpático rapaz sueco que estava interessado em música irlandesa. Antes que pudesse se dar conta do que fizera, ela havia concordado em ir até a cidade com ele na manhã seguinte para procurar um pub com música ao vivo.

Depois, conversou animadamente com uma professora aposentada sobre os padrões de leitura entre os jovens de hoje. Para sua surpresa, Freda sentiu seu bom humor aumentar quando contou à Srta. Howe sobre os Amigos da Biblioteca Finn Road e o grupo de leitura das garotas.

Naquela noite, quando deitou para dormir, pensou nos eventos do dia. De impulso, levantou-se e abriu a porta rapidamente. Uma pequena luminária sobre a mesa mostrou a ela que não havia ninguém por ali.

Freda assobiou suavemente. De início, não houve resposta alguma, mas, depois de alguns momentos, ela ouviu uma batida suave e o pisar suave e determinado de patinhas pequeninas.

Freda dormiu aquela noite com Gloria enroscada ao seu lado. De manhã, saiu com Anders e se deixou levar pelo entusiasmo dele. Ela se viu rindo alto de suas histórias durante o almoço e caiu em prantos pelo tom lamurioso da música que ouviram à tarde.

Lentamente, Freda começou a se sentir melhor. O jantar naquela noite foi ainda mais fácil que o da noite anterior. Ela não disse nada quando sonhou com uma tempestade, mas afastou qualquer ideia de tentar advertir quem quer que fosse. Viu-se aliviada quando Winnie e Lilian foram resgatadas sãs e salvas.

Foi no quarto dia que Chicky encontrou Freda e Gloria enroscadas juntas ao lado da lareira do quarto da Srta. Sheedy. Gloria estava sonhando, as patinhas cor-de-rosa contraindo-se e ela fungando. Freda parecia refletir, alisando-lhe o pelo.

Chicky carregava uma bandeja com um bule de chá e duas xícaras. Quando a colocou sobre a mesa, Freda olhou para ela assustada. Gloria, ultrajada, pulou para o chão e se deitou de costas com as patas para o alto, olhando em volta do quarto com ar grave.

— Pensei que talvez você quisesse um pouco de chá — começou Chicky. — Gloria sabe que não deve ficar aqui, mas vocês duas realmente criaram um vínculo.

Era verdade: Freda e Gloria já tinham se tornado inseparáveis. A gatinha preta e branca seguia Freda pela casa toda e a acompanhava em suas caminhadas pelo jardim. As duas foram vistas admirando os gêmeos de Carmel e sendo apresentadas aos dois novos patos, Batatinha e Princesa. Gloria os observou de uma distância segura; então pulou em cima de um poste da cerca e lambeu o próprio focinho demoradamente.

Chicky contou a Freda sobre Queenie e como ela havia resgatado Gloria e a levado para casa no bolso do casaco. Rigger pensou que ela era meio louca naquela época, mas, como todos os demais, ele as amou incondicionalmente. Esse quarto, disse ela, fora batizado em homenagem à Srta. Queenie.

— Eu não sei se é verdade ou não — falou ela — e nunca perguntei a respeito, mas aparentemente uma viajante disse às três irmãs que tinha visto três casamentos infelizes no futuro delas, então todas elas recusaram as ofertas que receberam...

Foi aí que Freda contou a Chicky Star sobre suas visões, sobre os momentos nos quais ela falou sobre isso e se arrependeu, e de como vinha tentando, desde então, suprimir o que sabia. Mesmo quando tinha uma sensação, ela aprendera a guardar aquilo só para ela. Não podia mudar nada quando falava; apenas fazia com que as pessoas a evitassem ou ficassem com raiva daquilo que ela via. Qualquer coisa que dissesse não traria vantagem.

Então ela contou a Chicky sobre Mark Malone e sobre como tinha afugentado a ideia de que ele poderia ser casado.

Chicky escutou com atenção. Não fez qualquer julgamento; ela parecia compreender totalmente que Freda pudesse ter amado Mark e deixado de lado seus temores.

— Por que você está preocupada em falar sobre suas visões? — perguntou ela.

Freda adorou o fato de que Chicky tivesse realmente aceitado que ela *vira* aquilo; não houve qualquer tentativa de persuadi-la de que se tratava de imaginação, sonhos ou coincidências.

— Porque elas não trazem nada além de tristeza.

— Suponha que você tenha uma a meu respeito agora. Iria me dizer?

— Não, acho que não.

— Você me deixaria cair numa farsa? Mesmo que fosse capaz de evitar, você teria medo de me contar?

— Mas eu mesma não quero aceitar que tenho essas visões. Se eu não contar a ninguém, não preciso encarar isso. Eu nunca sei quando elas vêm, e isso é tão irritante.

Chicky ouviu Freda e balançou a cabeça. Ela tinha mais a dizer, mas havia uma comoção na cozinha; Rigger acabara de chegar com os vegetais para o jantar daquela noite, e ela precisava trabalhar. Afagou o braço de Freda e a deixou com Gloria, que decidira que a franja do tapete em frente à lareira precisava de um sério castigo.

Na noite seguinte, toda a mesa brindou quando Henry e Nicola anunciaram que ficariam na cidade como médicos. Freda se viu feliz por fazer parte de um grupo tão animado e foi para a cama sentindo-se relaxada e contente.

Ocorrera um pequeno rebuliço mais cedo quando a Srta. Howe decidiu ir embora de repente. Rigger foi chamado para levá-la até a estação, e ela saiu sem dirigir a palavra aos demais hóspedes. Havia algo muito triste na inclinação de seus ombros quando ela entrou no furgão. Foi tudo um pouco perturbador.

Ainda assim, aquelas férias estavam sendo um sucesso, cada dia trazendo algo novo: o cenário selvagem, o passeio até a cidade para ouvir música com Anders, boa comida e conversas à noite, além de pelo menos oito horas de sono. Freda se sentia melhor e mais forte a cada dia.

E foi no último dia de suas férias que, logo antes do jantar, Chicky puxou Freda para a cozinha.

— Eu precisava falar com você porque pensei a respeito do que você deveria fazer, sabe, a respeito do seu problema.

— Você pensou?

— Acho que você deveria mudar sua tática — sugeriu Chicky enquanto colocava a mesa para o jantar. — Você disse que fica com medo de que as pessoas percebam que você tem esse poder, então tem mantido tudo isso em segredo.

— Não quero admitir para ninguém, nem para mim mesma, que o que vejo se torna realidade.

— Esse é o problema, Freda. Acho que você deveria contar que é vidente a todos que encontra, dizendo que você pode ver o futuro e saber o que vai acontecer. Ofereça-se para ler mãos, borras de chá, cartas. Então tudo ficará às claras.

— E como isso iria ajudar?

— Vai tirar a mágica daquilo, o segredo, o poder. As pessoas podem achar que é uma farsa, mas isso tira a aura da coisa toda. É isso que quer, não é?

— Sim, de certa forma.

— Então esse é o caminho. Isso desvaloriza a questão toda. Dessa forma, ninguém vai pensar que é sério, não importa o que você veja ou diga.

— Você quer que eu *diga* às pessoas que tenho visões?

— Chame como você quiser. Diga a elas qualquer coisa vaga e esperançosa sobre o futuro para que fiquem alegres; de qualquer forma, é isso que as pessoas querem realmente ouvir do seu horóscopo. Vai domar sua sensação para você, fazer com que fique inofensiva. Da forma que vejo, você está cheia de culpa em relação a essas visões. Precisa tentar torná-las insignificantes. Elas foram apenas pensamentos, como qualquer pessoa pensou, e só.

Freda ficou ali parada na cozinha da Casa de Pedra, sentindo que tudo mudara um pouquinho. Houve uma enorme sensação de alívio e um sentimento de perda. Ela sempre pensara que Mark a amava. Mas por que acreditara nisso quando não havia qualquer evidência de que ela fora algo além de pura distração prazerosa?

— Vou dizer a eles durante o jantar — afirmou ela. — Vou dizer tudo a eles; é isso que vou fazer.

— Vamos ver como você se sai — disse Chicky. — É isso, Freda. Vá em frente.

Enquanto os convidados de Chicky Starr estavam sentados para o último jantar do seu inverno juntos, Freda ouviu a si mesma contando ao grupo de estranhos que ela era vidente. Eles murmuraram respostas com variados graus de interesse.

John, o americano, disse que muitos de seus amigos nos Estados Unidos consultavam videntes regularmente; os dois doutores olharam com menos entusiasmo, mas também ficaram curiosos. Winnie disse alegremente que adoraria marcar uma sessão com ela, enquanto Lilian disse que era uma pena o fato de tantas pessoas que se intitulavam videntes, exceto os presentes, claro, serem charlatões. Anders disse que eles tiveram um cliente na firma de contabilidade de seu pai que não fazia investimento algum sem antes consultar um astrólogo.

Aquele se mostrou um tópico fácil de conversação. Muito mais aberto a discussão do que quando Freda comentara que era uma bibliotecária. O sentimento desagradável começou a diminuir.

A noite se tornava bem animada. Os convidados ainda estavam ocupados com a competição de realizar um grande Festival Irlandês, e então alguém perguntou a Freda se ela poderia prever o futuro deles.

Ela olhou em volta exasperada. Isso não fazia parte do plano. Chicky Starr veio resgatá-la.

— Talvez Freda tenha vindo de férias para escapar do trabalho. Nós não deveríamos impor isso a ela.

Todos olharam desapontados; então Freda se lembrou de Chicky dizendo-lhe que aquilo que todos queriam ouvir dos videntes eram boas-novas e promessas em relação ao futuro. Ela olhou para o grupo. Não faria mal algum e seria até mesmo fácil dizer a eles que a vida à sua frente parecia boa.

Ela tomou a mão deles e viu todo tipo de coisas boas: sucesso, desafios, paz e bons relacionamentos.

Para Winnie, previu um casamento em um futuro próximo e grande felicidade. Lilian encontraria alguém no casamento, possivelmente para amar, mas certamente para ser amigo. O rosto de Lilian enrubesceu de alegria.

Até então, tudo bem.

Nas mãos de Henry, viu um novo começo, uma vida feliz.

Na de Nicola, havia uma criança. Sério, perguntou Nicola, uma criança? Definitivamente; Freda tinha razão. E, de repente, Freda se pegou dizendo "Você está grávida agora. Uma garotinha. Eu posso vê-la. Ela é linda!". Ela podia ver a garotinha colocando os braços em volta do pescoço de Nicola. E, quando percebeu a tensão desaparecer do rosto de Nicola e um grande sorriso surgir em sua face, Freda compreendeu pela primeira vez que poderia trazer alegria genuína para a vida das pessoas.

Para John, ou Corry, como eles o conheciam, previu uma total mudança de direção — um tipo diferente de trabalho e um lugar diferente para viver. Um estilo de vida bem menos complicado e um neto que seria parte de sua vida. Freda ficou comovida quando viu lágrimas brotarem nos olhos dele.

Anders tinha um grande amor em sua vida. Ele devia voltar para casa e pedir a ela que se casasse com ele o mais cedo possível. Somente aí ele teria sucesso em seu negócio.

Para os Wall, vislumbrou um cruzeiro. Seria em algum lugar quente; ela podia ver o sol brilhando na água.

Finalmente, virou-se para Chicky Starr. Freda pegou a mão dela e se concentrou. Nada. Ela fez uma pausa, para dizer então de forma hesitante que a Casa de Pedra seria um grande sucesso e que havia um homem, talvez alguém que ela já encontrara.

E, então, Freda soube. Não houvera acidente trágico; não houvera casamento algum. Mas aquilo não importava; Chicky ia ficar muito bem. Ela sorriu. *Tudo* ia ficar muito bem.

Eles se encantaram com ela. Parecia que agora a semana estava terminando bem para todos.

Nomes, telefones e endereços de e-mail foram compartilhados. Um brinde foi proposto a Chicky, Rigger e sua família, a Orla e à Casa de Pedra.

Todos escreveram mensagens calorosas no livro de hóspedes. Os horários para o dia seguinte foram determinados. Para os que retornariam para casa de trem, Rigger e Chicky poderiam arrumar um serviço de táxi até a estação. Carmel preparara um pequeno pote da marmelada da Casa de Pedra para cada um dos hóspedes.

Naquela noite, Freda ouviu o ronronar gentil de Gloria quando estava de pé em sua janela olhando as formas feitas pelas nuvens em torno da lua. Ela ligaria para Lane e Eva assim que retornasse. Era o momento certo para jantar no Ennio's. Elas tinham muito o que colocar em dia.

De manhã, fez-se uma confusão para que todos saíssem na hora marcada. Chicky Starr finalmente deu adeus para cada um de seus hóspedes, mas reservou um abraço especial para Freda, que agora parecia muito mais feliz do que quando chegara.

Era hora de se preparar para os próximos hóspedes, que chegariam em algumas horas. Carmel veio ajudar na limpeza dos quartos, na troca dos lençóis e na preparação para as novas chegadas. Chicky faria um assado de forno que estaria pronto quando ele fosse necessário. Haveria pães frescos e mousse de chocolate para a sobremesa.

Chicky sabia que sentiria falta das pessoas que estiveram ali e que tornaram a primeira semana de inauguração da Casa de Pedra um sucesso, mas estava ansiosa para saudar os novos hóspedes com seus novos desafios e demandas. Respirou fundo o ar marítimo. Estava pronta para eles.

Gloria se enroscou em volta de seus pés. Ela a pegou no colo e esfregou-lhe as orelhas. E então ambas retornaram ao interior da Casa de Pedra.

Impresso no Brasil pelo
Sistema Cameron da Divisão Gráfica da
DISTRIBUIDORA RECORD DE SERVIÇOS DE IMPRENSA S.A.
Rua Argentina, 171 – Rio de Janeiro, RJ – 20921-380 – Tel.: (21)2585-2000